L'ENFANT LÉOPARD

DU MÊME AUTEUR

Romans

LA LUMIÈRE DES FOUS, Le Rocher, 1992.
NEC, Gallimard, Série Noire, 1993.
LES LARMES DU CHEF, Gallimard, Série Noire, 1994.
LE CHAMP DE PERSONNE, Flammarion, 1995.
FORT DE L'EAU, Flammarion, 1997.

Albums

VIVEMENT NOËL, Hoëbeke, 1996.
LE 13^E BUT, Hoëbeke, 1998.

Livres pour la jeunesse

CAUCHEMAR PIRATE, Castor poche, 1995.
LE LUTTEUR DE SUMO, Castor poche, 1996.
LA COUPE DU MONDE N'AURA PAS LIEU, Castor poche, 1998.

Divers

TÊTE DE NÈGRE, Librio, 1998.

DANIEL PICOULY

L'ENFANT LÉOPARD

roman

BERNARD GRASSET

PARIS

à Christian Mounier
qui me parlait avec tant d'élégance
de celle de Chester Himes.

Tutto a te mi guida
(devise de Marie-Antoinette)

1

Madame la guillotine

Le gros marin rougeaud frappe sur la table avec son poing ganté. On croirait qu'il veut se réveiller en sursaut.

— Citoyenne! Ce soir, j'ai envie de couper le kiki d'un négrillon. Ça me changera de l'aristocrate.

La Marmotte comprend tout de suite que c'est lui le négrillon. Il vérifie. Rien d'autre qui y ressemble dans la gargote presque vide. La citoyenne est rose et blonde à croire qu'elle le fait exprès. Elle lit à la chandelle une gazette, accoudée sur un tonneau, et ne lève même pas les yeux vers le marin. Dans la salle, il n'y a que des patriotes attablés au vin chaud, et un poêle allumé solitaire. Le tout, recouvert d'un silence fatigué de bivouac qui tasse le plafond sur les têtes. Pas de doute, le seul négrillon, ici, c'est lui.

Le gamin regrette d'être entré dans cette taverne du haut de la rue de la Monnaie. Mais il est tard et il avait besoin d'un peu d'eau et d'une écuelle pour faire boire cette fichue potion à ce satané chien minuscule.

— Crois-moi, citoyenne, c'est quand ils sont encore p'tits qu'il faut les raccourcir, ces négrillons. Tiens, pour te montrer que je suis bon bougre, celui-là, je te l'achète.

— Il n'est pas à moi.

La Marmotte aurait préféré que la patronne réponde... Il n'est pas à vendre !...

— Donc, ça ne te privera pas si je le dépiaute, ce morceau de boudin ?

La Patronne décide de ne plus faire attention à l'enrhumé. Elle connaît le modèle par cœur. Après deux trois verres, ils veulent étriper leur voisin, après quatre ou cinq, ils demandent à la marier, et rendus au fond de la bouteille, ils ronflent. Suffit d'attendre. Elle reprend sa lecture. La Marmotte garde le braillard à l'œil. Un rougeaud, cerclé de baudriers comme une barrique défaite. Il n'a qu'un gant à la main droite et porte au côté un sabre qui cliquette.

— Ohé, citoyenne ! C'est ton vilain ratafia qui me fait voir double, ou il a pris un coup de soleil ton écriteau ?

Le marin pointe une plaque d'ardoise posée au mur sur une tablette. Elle est partagée en deux et on a écrit à la craie d'un côté...

15 octobre 1793 Ste Thérèse d'Avila... et de l'autre...

24 vendémiaire an II Fête de l'Amaryllis.

— C'est le nouveau calendrier voté par nos députés. Faut t'y faire, citoyen.

— C'est trop de changements. Donne-moi de ton rhum, pour me remettre d'aplomb.

Le marin tend sa main gantée vers le tonnelet que la Patronne porte en bandoulière. Le cordon lui partage la poitrine en deux, ce qui fait encore beaucoup.

— Pas touche! C'est de la réserve personnelle.

La Marmotte sent que le ton va enfler. Faut déguerpir... Allez, le chien, bois ta potion! D'accord, elle est laiteuse et elle pue le salpêtre. Mais bois!... Ceux-des-Moineaux lui ont assez répété... *Tu lui fais prendre, au moins une heure avant de nous l'apporter. Sinon, ça ne marchera pas. Et toute l'affaire sera fichue...*

— Citoyenne! Il faut que j'aille le chercher, ce verre?

La Patronne impassible l'ignore. Tout à trac, le marin met une lame au clair. Ça étincelle dans la gargote. Un sabre à démâter un brick! Avec son unique gant noir, et son ventre de poularde, le marin ressemble à un corsaire demi-deuil. Sans mise en garde, il se jette sur le gamin, comme on se rabat sur une chaloupe quand la goélette file.

La Marmotte voit venir l'éperonnage. Il saisit le chien à la volée sous le ventre. L'autre couine. L'écuelle valdingue, la potion gicle au mufle du flibustier. A entendre le cri qu'il pousse, le chien a bien fait de ne pas en boire. La Patronne observe. Le négrillon cabriole et saute de table en table, poursuivi par le furieux. La salle s'amuse de la saynète. La Marmotte sait que ce n'est pas pour rire. Ce genre de type, il connaît. Ça peut vouloir t'embrocher juste pour savoir de quelle couleur tu es à l'intérieur. Sous sa main il sent le cœur du petit chien qui s'emballe... T'inquiète. Ce modèle d'égorgeur, ça aime bien les animaux...

— Je vais le piquer, le babouin ! Je vais le piquer !

Le marin sabre de plus en plus large. On dirait le moulin de Valmy avant la canonnade. Dans le mouvement, il décapite goulots de bouteilles, pipes et chapeaux. La Patronne s'essuie la bouche et braille.

— Si tu t'arrêtes pas, citoyen soiffard, tu vas tâter du Sanson.

L'embrocheur s'en moque. Il a tort, ici, c'est mieux de savoir qui est Sanson. L'insouciant continue aux trousses de la Marmotte de trancher la fumée dans le vide. Apeuré, le chien veut s'échapper. La Marmotte le rattrape, glisse, le marin le coince sous une table, l'alpague au col et le plaque contre le mur, la pointe du sabre piquée sous le menton. Ça donne au gosse l'air encore plus insolent.

— Dommage. T'as plutôt un gentil minois. T'aurais fait un joli mousse à croquer.

Le porteur de lame a les yeux en cocarde fatiguée avec le rouge qui dégouline. Il pue le fond de cave. La Marmotte trouve la vie injuste. Il n'aura que treize ans en nivôse et le voilà déjà en fin de rôle. Dans son dos, il sent le cadre d'une gravure accrochée. Pour se rassurer, il imagine qu'elle représente un petit gibbon qui mange une grenade mûre, perché sur l'épaule d'une élégante.

— Ça suffit marin ! Tu vas abîmer mon diplôme de Vainqueur de la Bastille.

— Alors, citoyenne, c'est toi la seule femme reconnue Vainqueur de la Bastille... La Vainqueuse !... Sauf ton respect, j'ai toujours entendu dire que c'était la Charpentier.

Soudain, il se fait un silence pétrifié dans la gargote. S'il y a bien un nom qu'il ne faut pas prononcer ici, c'est celui de Marie Charpentier... Cette catin qui a gagné son diplôme à califourchon sur un député!... Tout le monde le sait. La Patronne le clame assez souvent. Chacun se tasse et attend l'orage. Il éclate. La citoyenne prend un coup de chaud et décroche Sanson. Enfin, le moqueur va savoir qui est Sanson. Et le regretter aussitôt.

Sanson est une hache. Une hache tricolore immense avec la tête et le fer peints en rouge sang. Elle l'empoigne comme un bûcheron qui a un compte à régler avec un érable récalcitrant et marche droit sur le moqueur. Un voile d'inquiétude passe dans le regard du marin. La Marmotte en profite. Il lui jette le chien au visage, chasse la lame de sa gorge, saisit le cadre et lui fracasse sur la tête. Voilà le bretteur servi d'un plat à barbe autour du cou. Il gronde de rage, tournoie et mouline en aveugle.

— Maudit négrillon, je vais te couper!

Il se lance au jugé sur la Marmotte, le sabre levé en hachoir à deux mains. Le gamin s'esquive. La lame s'abat juste au moment où la Patronne arrive, Sanson armée au-dessus de la tête. Elle va être tranchée en deux, quand, soudain, des dents jaunes se plantent en plein vol dans le bras du marin. Le chien a bondi et happé son poignet. Le sabreur est déséquilibré par la surprise. Il se rattrape à un énorme tonneau, au moment où le fer de la hache s'abat... Vlac!... Le bras du marin est coupé au ras du chien et le fût mis en perce comme à des épousailles. Le raisiné gicle en l'air.

L'amputé hurle, plutôt dans les aigus. Incrédule, il regarde son moignon.

— Mais... mais tu m'as saigné, vilaine citoyenne.

— Faites excuses, citoyen, c'est pure maladresse.

Au milieu des salamalecs, on voit passer la main gantée crispée sur le sabre. Elle court affolée à travers la salle. Le chien n'a pas lâché sa prise. Soudain, il bondit vers un soupirail entrouvert et s'échappe dans la rue.

— Mon chien !

La Marmotte ramasse ses nippes à la hâte et se précipite dehors en négligé.

— Mon sabre !

Le cadre en fraise autour du cou, l'amputé se jette dans la rue à la suite du gamin.

— Hé, le marin !... Mon diplôme !

La Patronne se retrousse comme un saute-ruisseau, rejette son tonnelet dans le dos, empoigne Sanson et se lance à la poursuite de son brevet patriotique. Les attablés en profitent pour se régaler au fût percé et s'étancher gratis à la santé de la patrie.

Dehors, c'est Londres. Il y a une grosse brume d'émigré. Les rares passants de la rue de la Monnaie à cette heure croient distinguer l'ombre d'un étrange cortège. L'équipage monte en direction de Saint-Honoré. En tête un chien nain détale comme un corsaire, le sabre entre les dents. Il est poursuivi par un négrillon à demi nu, pourchassé par un spectre manchot, qui galope la tête exsangue exposée sur un plateau, tel saint Denis au martyre. Le pieux homme essaie d'échapper à une furie lubrique aux cuisses offertes, armée d'un tonneau de poudre et d'une immense hache ensanglantée.

Etrange tableau.

Au milieu de cette brume frisquette d'octobre, la Marmotte essaie de ne pas perdre de vue le derrière du chien minuscule qui se sauve. Heureusement dans sa course, la lame du sabre sème des étincelles sur le pavé. Dans son dos, la Marmotte entend les râles vengeurs de l'amputé. Il se retourne. Du moignon gicle en cadence un petit jet de sang en forme de palmier. Derrière encore, une cavalcade de sabots se rapproche. Tout à coup... Tlong!... Un bruit mou de chute. L'encadré est affalé sur le dos. Il a un regard étonné de gisant. Plus rien ne bat de sa plaie. Le palmier s'est éteint. Arrive la Patronne à la hache. Sans reprendre haleine, elle décoche un large coup de sabot dans les côtes de l'étalé, le dépouille du diplôme, se paye au large dans sa bourse et le laisse glisser dans la rigole.

Dans l'émoi, la Marmotte a failli ne pas voir la gerbe d'étincelles continuer droit devant. Le chien! Il galope encore une bonne centaine de numéros rue Saint-Honoré, quand tout à coup, près d'une boutique, l'animal se glisse par le vantail ouvert d'une porte cochère. La Marmotte le suit. Une lanterne bleutée éclaire un pan de cour. Le chien est assis dans la lumière. L'air content, il lâche la main gantée qui lâche le sabre. La langue qu'il tire est plus longue que lui. La Marmotte profite de l'endroit pour se rhabiller au mieux. Il est temps. Le froid commençait à le rétrécir de partout. Par terre, la main gantée du marin a l'air de mendier. La Marmotte remarque un renflement sous le gant à l'annulaire. Sûrement une grosse bague. On verra plus tard. Il ramasse le sabre du marin. Pas mal non plus.

C'est un vrai, il est bien lourd. La Marmotte tente un moulinet.

— Qu'est-ce que tu lui veux à ce chien?

La voix vient d'un coin d'ombre. Ce n'est pas ce qui manque, ce soir.

— Je n'aime pas qu'on fasse de mal aux animaux.

L'ombre a un accent de la campagne et un parfum de perruque poudrée. Il faut toujours se méfier des hommes qui sentent bon.

— C'est mon chien, citoyen. Je vous assure.

— Mon garçon, si c'était effectivement ton chien, tu n'aurais pas dit : je vous assure. Attention, ce sont les petits mots qui trahissent.

Assis sur son derrière, le corniaud suit l'échange comme au jeu de paume en se demandant qui va enfin se décider à lui donner à boire.

— Si c'est ton chien, ce dont je doute absolument, il doit obéir à son nom. Sinon, tu n'es qu'un menteur. Peut-être même un conspirateur. Un de ces scélérats qui intriguent, cette nuit dans Paris, pour faire échapper la veuve Capet à la justice du peuple!

La voix parfumée s'échauffe comme à une tribune, puis retombe d'un coup et sort une montre de son gilet. Il se penche pour regarder l'heure. La lanterne éclaire son visage... Robespierre!... La Marmotte le reconnaît, ses jambes aussi. Elles veulent se sauver sans lui. Il les rattrape et décide de s'évanouir. On verra après.

— 10 heures passées d'un quart.

Maximilien Robespierre réfléchit. Là-bas, à l'audience, on doit en être aux derniers témoins, si cet idiot d'Hermann n'a pas pris de retard. Quelle idée d'en avoir fait le président du Tribunal révolutionnaire !

*

Hermann raye un nom sur la liste des témoins. Plus que trois. L'affaire va être bouclée avant minuit. Maximilien sera content.

— Emmenez le citoyen Michonis ci-devant administrateur de police ! Qu'il soit reconduit à la prison de la Force. Le tribunal appelle le citoyen Fontaine ·

Marie-Antoinette regarde ses juges. Voilà quatorze heures qu'ils lui font face sans la voir. Quatorze heures dans cette salle sombre qui sent fort la sueur, le tabac, et la fumée des lampes à huile. Elle distingue à peine la masse du public entassé devant elle. Ils sont venus la voir. Les tricoteuses derrière la rambarde lui font savoir... Debout !... Debout la Capet !... Elle obéit. Ses jambes rechignent et son ventre se déchire, mais elle cambre les reins et relève le menton... Faisons notre métier de reine...

Derrière sa plume, Hermann observe Marie-Antoinette. Il y a pas à dire, elle se tient, la garce ! Ne t'attendris pas, citoyen. L'exécution est prévue pour dans moins de douze heures.

*

La Marmotte aimerait bien être évanoui pour de bon. Mais il n'a pas eu le courage. Il essaye de se faufiler dans la rue. Robespierre lui barre la route.

— Allons, mon garçon, appelle ton chien. Nous verrons s'il t'obéit.

Appeler ce chien! La Marmotte transpire. Il réfléchit. Quel nom peut-on donner aujourd'hui à un animal minuscule, noir à poil ras, doté d'un nez épaté et d'une si grande langue? Marat, Victoire, Patrie, Egalité, ou...

— Youki!

Quel idiot! Pourquoi celui-là? Il est ridicule. Le corniaud a juste rentré sa langue. Ça y est! C'est la guillotine assurée.

— Mon garçon, ceci s'appelle une démonstration.

Le mot a dû plaire à Youki. Il saute dans les bras de la Marmotte. C'est étrange, on dirait qu'il est parfumé. Un parfum léger... un peu comme du chèvrefeuille... Sans lui laisser le temps de préciser, Youki le débarbouille comme pour la Fête de la Fédération. C'est vite fait avec une langue pareille.

— Parfait, mon garçon! Je ne sais pas pourquoi, mais ce chien a décidé de te sauver.

On toque à la porte. Robespierre se raidit.

— Qui est là?

— C'est moi, Maximilien! Je ramène Brount.

Robespierre ouvre la porte à une femme en manteau gris qui se glisse dans la cour. Un gros chien sombre et amorphe la suit. Le cœur du corniaud s'affole.

— Maximilien, tu n'aurais pas dû attendre ici. On aurait pu te reconnaître. C'est dangereux. Ne t'inquiète pas. Tout se passe bien au procès. La ville est calme. La police veille.

— Ce n'est pas ce qui me préoccupe, Eléonore. Je voulais savoir pour mon chien. Comment a été Brount?

— Bonne nouvelle: il a fait!

— A-t-il bien fait?

— Une quantité fort honnête, avec une consistance de bon aloi et une teinte bien franche. Je dirais qu'il a fait en vrai citoyen.

— Et les urines?

— Par bonheur, claires et abondantes, comme à la fontaine de la Régénération.

— Me voilà rassuré. Mais j'enrage de ne pouvoir l'y mener moi-même, comme avant.

— Ce temps reviendra, Maximilien. Tu en finiras avec tes ennemis. Bientôt c'est toi qui sortiras Brount. Tu pourras même l'emmener, comme avant, faire en face sous les fenêtres de l'abbé Sieyès.

Ils rient tous les deux. Surtout elle.

— Te rends-tu compte, Eléonore. Et si la Révolution n'était que le droit d'aller faire pisser son chien tranquillement?

— Mon Dieu, Maximilien! si Danton t'entendait.

— Il ne risque pas. Pendant que moi, je suis là, ce stipendié se cache dans sa campagne, pour ne pas être présent le jour où le peuple se débarrasse de la reine. Ce sera bientôt son tour. Là, il m'entendra.

La Marmotte se faufile en douce vers la porte. Lui n'a rien entendu, c'est juré. Ni Dieu, ni le chien qui pisse, ni les crottes chez l'abbé, ni Danton, ni surtout Robespierre. Il ne pourra dénoncer personne. Ce qu'il veut c'est partir. Maximilien et Eléonore continuent à discuter, sans se préoccuper de lui. Parfait. Ils seront moins à le regretter.

— Hep! mon garçon.

C'était trop beau. Pourtant il connaît cette façon de faire des massacreurs... Elargissez l'accusé!... On sourit au tribunal et... Pong !... vous voilà assommé d'un coup de bûche.

— Hep ! mon garçon. Tu oublies ton gant.

La Marmotte respire. Il remercie Robespierre et fourre sous sa ceinture le gant avec la main baguée du marin. Il se demande quelle pierre il peut y avoir sur cette bague. Diamant, rubis, émeraude ? Ce n'est pas le bon endroit pour vérifier. Sorti dans la rue, il se sent soudain léger, malgré ce chien dans les bras, ce sabre sur le dos, et cette main qui glisse, qui glisse, dans son pantalon. Elle s'immobilise. Ça y est ! Son trésor est bien calé. La Marmotte peut maintenant aller à son rendez-vous avec Louisette.

C'est plus facile de dire qu'on a rendez-vous avec Louisette qu'avec la guillotine. Pourtant, c'est la même dame.

La Marmotte achève de remonter Saint-Honoré, et descend par la rue Royale vers la place de la Révolution. Tout à coup, il s'arrête pris de frissons. Il vient de se rendre compte que, depuis cette gargote, il suit exactement le chemin des condamnés qui vont à l'échafaud. C'est donc ça qu'ils voient de la charrette quand ils arrivent ! Ça, que la reine verra demain. On dirait l'entrée d'un port dans la brume. La lueur des bivouacs établis du côté des Tuileries ressemble à des feux de naufrageurs. Une corne mugit. La Marmotte entend un roulement qui enfle dans la nuit. Il vient droit sur lui. Il est tout proche. Soudain, le tonnerre lui mange la tête. Des dents énormes surgissent de l'obscurité.

— Yahâ !

Un fouet cingle l'obscurité. La Marmotte est coupé en deux. Un tombereau énorme le bouscule et file. Sa caisse bringuebale sur des roues panardes. Elle dégueule d'un foin jaune d'or et sème comme un printemps. La Marmotte suit des yeux le galop de la bourrique qui fume dans le brouillard. Il entend son grelot s'éloigner. On dirait un cheval de noces qui enlève la mariée. L'homme au fouet souffle dans une corne aigrelette. Il va apporter de la paille fraîche aux prisonniers, de la Force, des Madelonnettes, de Sainte-Pélagie ou d'ailleurs. En ce moment, les ailleurs ne manquent pas.

La Marmotte se souvient avoir vu passer, à l'heure de midi, un condamné dans une charrette. Il avait encore des brindilles dans les cheveux, comme s'il venait de faire une sieste d'été dans les foins. Il chantait... *Auprès de ma blonde*... La Marmotte avait l'impression qu'on ne pouvait pas couper la tête de quelqu'un qui a une paille aux lèvres.

Le fracas est passé. La Marmotte a honte d'avoir eu si peur. Il doit aller à ce rendez-vous. Il l'a promis. Louisette l'attend déjà. Elle se détache d'un coup sur une trouée de ciel qui a l'air faite exprès... Attention, ne pas lui montrer que tu as la trouille...

La Marmotte prend la pose et défie le chicot de la guillotine. Là-haut, le couperet a l'air d'une dent gâtée prête à tomber.

— Faut la mettre sous ton oreiller, citoyenne! Si tu veux que la petite souris passe.

La guillotine regarde l'espèce de minuscule négrillon qui vient de la réveiller en sursaut. Un comble. C'est elle d'habitude qui jette le citoyen à bas de sa paillasse. A ses pieds, le gamin joue au déluré. Il sourit avec beaucoup trop de dents pour son âge. Qu'est-ce qu'il fait dans la rue à une pareille heure ? Il devrait être couché. On a beau être en vendémiaire, ça glace comme en octobre. A quoi ça sert de changer de calendrier, s'il ne fait pas meilleur dehors ?

Par ce froid, c'est un coup à partir de la poitrine et attraper la mort. Surtout comme il est attifé ! Laisse-moi voir. Approche... Une cape légère en indienne... Ben voyons !... sur un pantalon à charivari. On dirait un perroquet. En plus il va sur le pavé pieds nus ! Où est sa mère ? Et on s'étonne après que Bicêtre soit plein de gamins qui partent de la poitrine. La Marmotte éternue... Qu'est-ce que je disais ! Une bonne friction d'eau thoracique et, au lit !... Couvre tes reins !... C'est gagné, le voilà qui renifle, maintenant.

— Tu t'en fiches, toi, citoyenne. Tu risques pas de prendre froid comme moi, avec tout l'exercice que tu te donnes !

Qu'est-ce qu'il en sait, ce morveux ? Il arrive à la nuit, si petit qu'il n'y a plus rien à en retrancher. Il ameute, réveille le citoyen avec des cris de marchands ambulants, et il fait l'amuseur ! Est-ce que ce sont des manières ? Sait-il seulement ce qu'a été mon labeur de ces derniers temps ? Des têtes et des têtes. Et souvent jusque pas d'heure ! Encore heureux que le fer connaisse son chemin et la repose un temps. Mais dès la dernière tête passée entre mes jambes... Pftt !... Tout le monde se sauve. Une volée de moineaux ! On range son tricot, son éventaire et son journal. Le bon peuple rentre à la soupe, au club ou au café. Bien des fois, pour toute solde de ma journée de peine, on me laisse goutter, sale comme ribaude, la nuit entière. Une fois viendra, je vais poser la lame en place de Grève... Halte aux cadences infernales!... Ils devront ressortir la roue, le billot, l'estrapade, le garrot et le gibet... Attention, ne pas trop l'agacer, elle a l'air en colère!...

— Madame la guillotine, vous êtes fâchée? Faut pas. Excusez-moi, je n'ai pas été très gentil tout à l'heure.

Tout bien pesé, il est plutôt poli, ce morceau de réglisse.

— Ecoutez, madame, il faut que je vous parle. J'ai une chose très importante à vous demander. Pour que ce soit plus joli, je l'ai écrit.

La Marmotte se fouille... Ça y est! J'en étais certaine. Ce négrillon va sortir un papier. Il est venu pour me débiter son compliment. Le genre...

O toi céleste guillotine
Tu raccourcis reines et rois,
Par ton influence divine
Nous avons reconquis nos droits.

Je les connais par cœur. Les jeudis, des colonnes entières d'élèves des écoles défilent ici en Classes républicaines. On leur explique tout, la hauteur, le poids de la lame... Maître, c'est qui l'inventeur?... Non, ce n'est pas M. Guillotin... C'est vrai que c'est italien comme machine?... Et le constructeur?... Tobias Schmit, maître, pourquoi il est allemand?... Ils veulent mes surnoms mes mensurations et même mon prix!... Maître! C'est beaucoup 824 louis?... Franchement, on a pas autre chose à apprendre aux enfants aujourd'hui?

— Mince! madame, je ne le retrouve plus, mon papier!

Ça m'étonnait aussi, que ce négrillon à moitié nu sache lire.

— J'ai dû le perdre, ou on me l'a volé. J'aurais dû l'écrire sur un assignat. Personne n'en veut.

Ne dis pas des choses pareilles. Se moquer des assignats est le moyen le plus sûr pour se retrouver ici et... *Chlanc*!...

Chlanc!... Pourquoi j'ai dit *Chlanc*? Ça ne fait pas *Chlanc*! quand ça tombe. C'est comment déjà le bruit? Elle ferme les yeux. Rien. Pas moyen de retrouver le son d'une tête qui se tranche. Pourtant, elle en a entendu, sur cette place de la Révolution, des *Flamp*! et des *Tchlonc*! Ces derniers temps, il y a eu matière à se faire l'oreille. Et de la fine! Du comte, du duc, du baron. Rien que du linge brodé fin. Même si aujourd'hui, elle regrette la place du Carrousel ou mieux la place de Grève. L'écoute y était meilleure. Par jour de grand silence, du vingtième rang, on pouvait saisir le frissonnement de l'osier quand la tête roulait dans le panier. Du grand art. Mais ici, c'est un véritable désastre pour l'amateur. Il n'y a pas d'endroit plus venteux dans Paris. Une bourrasque de Seine en pleine exécution, et on perd le fil d'une exécution. Parfois la tête tombe sans bruit, à force d'être réduite, comme celle de Capet... Louis Auguste de Bourbon!... Louis XVI roi de France!... Louis XVI!... Ci-devant Capet!... Capet!... Quand on commence à raccourcir ton nom, le reste n'est pas long à suivre.

— Hé, madame la guillotine!... Madame!... Il faut que je vous dise.

Qu'est-ce qu'il veut encore, ce négrillon? Il la sort de ses rêveries. Elle le distingue mieux. Il est joliment tourné et pas si noir que ça d'ailleurs. Plutôt caramel.

— Madame la guillotine, je viens vous parler pour quelqu'un qui va venir vous rendre visite, demain... peut-être.

Il n'y a pas de « peut-être » à mes visites.

— Si ! Parce que je crois que je connais des gens qui veulent la faire évader...

Tais-toi, malheureux ! Tu veux nous faire prendre tous les deux !

— D'accord, je ne vous ai rien dit. Voilà ! Je voudrais qu'avec elle, vous soyez... moins... Enfin, que vous soyez... plus douce !

Pauvre gamin, les petits citoyens des Classes républicaines te le diront : trente livres de métal qui tombent de dix pieds de haut, ça ne peut pas être très doux.

— Citoyenne, je connais son fils. J'ai joué à la prison du Temple avec lui. Il aime bien que je lui fasse la roue. Ça le fait rire. Lui, il ne peut pas. Il est malade des jambes. Et demain il sera orphelin.

Il va réussir à me faire pleurer ce négrillon ! Mais qu'est-ce que j'y peux, moi ? Elle me tombe des mains, cette lame.

— Remarque, citoyenne...

Qu'il cesse de m'appeler « citoyenne ». Je préfère « madame ».

— Remarque, que moi aussi, je suis orphelin. Mais c'est plus facile quand c'est depuis toujours.

Mais il va y arriver à me tirer des larmes, ce caramel ! Manquerait plus que je rouille.

— Voilà, c'est tout ce que j'avais à vous dire, madame. Je lui avais promis de venir vous voir. Maintenant, vous ferez ce que vous pourrez.

Je ne te promets rien, gamin. Mais j'essaierai de soigner la descente du fer et de veiller à l'angle du biseau. Pour le reste...

— Je l'ai retrouvé ! Madame la guillotine, je l'ai retrouvé, mon morceau de papier. Il était coincé dans le gant de la main baguée.

Qu'est-ce qu'il raconte, ce gosse ? En plus d'une friction, il aurait besoin d'un bon lait chaud avec du miel, pour lui éclaircir l'esprit.

— Madame, je vous le laisse, mon papier. Vous verrez, dessus c'est comme je vous ai dit, en mieux tourné. Je ne veux pas vous mentir, j'ai un peu recopié des bouts dans des livres. Mais je l'aurais dit comme ça. En plus, je vous ai mis le nom de la dame, pour que vous ne vous trompiez pas.

Aucun danger. Je sais qui c'est. A voir comment ils m'ont rabotée, graissée, affûtée, celle qui passera demain c'est Marie-Antoinette. Ce n'est jamais plaisant une femme. J'ai l'impression de l'accoucher au fer.

— Je vous pose le mot, madame.

La Marmotte jette le morceau de papier sur l'estrade et s'en va... Hé ! gamin, je ne suis pas une fontaine miraculeuse ! Je n'exauce pas les vœux. Ramasse tes boulettes !

Le chien minuscule se réveille. Il sort son museau épaté d'un repli de la cape. Il regarde l'ombre, là-haut... Alors, c'est ça, une guillotine ! Des grandes pattes et une petite langue... Pas de quoi attraper un rhume. Il bâille et s'en retourne au chaud.

— Halte-là, marmouset !

Un échalas à la dégaine de sans-culotte, une gibecière en bandoulière et tondu à un demi-pouce s'interpose. Il agite le morceau de papier que la Marmotte vient de jeter aux pieds de la guillotine.

— Je m'appelle Marmotte, pas Marmouset

— Détourne pas mon attention. C'est à toi, ça?

Ne jamais contredire quelqu'un qui vous barre la route avec une pique. Surtout une pique ouvragée d'au moins huit livres, enrubannée comme une coquette. La Marmotte se dit que huit livres, ça n'a beau faire que quatre kilogrammes dans le nouveau système de poids, ça ne doit pas aider l'échalas à courir. La Marmotte fait mine de repartir vers la guillotine, feinte et s'échappe du côté de la statue de la Liberté. Le piqueur reste planté sur place.

— Ce n'est pas juste, Marmotte, tu cours plus vite que moi.

C'est vrai, ce n'est pas juste, mais la Marmotte allonge encore la foulée.

Il fait un signe de la main au couperet. Onze heures vont bientôt sonner à l'église Saint-Roch. Il est temps de ramener le chien à ceux-des-Moineaux.

La guillotine regarde le négrillon s'éloigner dans la nuit... Mais couvre-toi les reins, bon sang!...

2

Edmond et Jones

— Monsieur, venez vite ils se battent!

Le marquis d'Anderçon n'entend pas le valet affolé qui vient d'entrer dans son bureau. Il guette par la fenêtre les deux hommes qu'il a fait demander. Comme à leur ordinaire, ils sont en retard. Le marquis tire sa montre. Il est 10 heures bien passées. La pendule à colonnes de la cheminée vient de sonner un coup. Depuis la mort de son fils Philippe, elle ne donne plus que les demi-heures. C'est étrange, un temps où tout est à demi.

C'est pourtant ainsi que se déroulent les jours. Plus encore pour la marquise, retirée dans sa chambre à l'étage. Le jour de l'exécution de leur fils, elle a fait disparaître toutes les aiguilles de la maison comme on arrache des yeux indiscrets.

— Je vous assure, monsieur, ils se battent.

Le marquis continue de scruter le dehors. Avec cette brume, il ne parvient pas à distinguer la Halle aux blés, toute proche. Même si les deux hommes lui

arrivaient droit devant, il ne les verrait pas venir.
Pourtant, les gaillards sont de belles masses d'armes,
avec des carrures de vitriers ambulants. De quoi
occuper toute la largeur de la rue. Le marquis est
inquiet. Il se demande si, cette fois, les deux hommes
vont accepter sa mission.

— Monsieur! Monsieur. Je vous assure, ils se
battent pour de vrai.

Le marquis se retourne et découvre son valet. Il est
encore plus déperruqué qu'à son ordinaire, avec les
bas mal tirés, et ses souliers sans boucle.

— Thomas, que se passe-t-il? Vous m'avez l'air
plus petit que d'habitude, aujourd'hui.

— C'est ma livrée, monsieur le marquis. Le bleu
me tasse. J'en ai déjà fait grief à monsieur. Je serais
plus à mon avantage dans un rouge soutenu ou un
vert tendre.

— Allons, Thomas, vous n'y songez pas, je tiens ce
bleu ciel de Saint Louis.

— Et moi, monsieur, mes jambes courtes de ma
mère. Les lignées se valent.

Ce valet est minuscule, maladroit et insolent. Le
marquis le soupçonne même de lire les gazettes et
d'appartenir à un club à cinq sous. Mais il a deux
grandes qualités : il ne lui vole que de la mauvaise
liqueur et ne demande pas de gages. C'est tout juste
ce que le marquis peut se payer depuis sa faillite dans
la Compagnie des Indes.

— Laissons là nos ancêtres, Thomas. Qu'est-ce que
cette alarme?

— Je disais à monsieur, qui rêvait par la fenêtre, qu'ils se battent pour de vrai.

— Mais enfin, qui se bat?

C'est bien la peine d'être bleu depuis Saint Louis et d'avoir l'esprit si pâle.

— Eux! monsieur.

Thomas fait de larges gestes pour mimer une armoire normande et un buffet percheron. C'est assez ressemblant.

— Mais qui, eux?

— Les deux... enfin vos deux connaissances... vous voyez ce que je veux dire?... Deux valets de carreau, des citoyens des îles, des hommes de couleur...

Ça n'éclaire pas la physionomie du marquis. Thomas enrage. On ne sait plus aujourd'hui ce qui est correct, pour dire les choses. Avant de parler, il faut regarder la girouette à son clocher pour savoir d'où vient le vent des mots. Une épithète de guingois et c'est un tour de charrette. Tant pis, il se jette.

— Monsieur, il s'agit des deux nègres. Ceux que vous m'avez fait quérer.

— Quérir!

— Oui, c'est ça. C'est bien eux.

Le marquis est rassuré. Ils sont là. Et inquiet. Il croit se souvenir que le salon bleu est une des dernières pièces de sa maison où il reste quelques meubles.

— Et comment se battent-ils, Thomas? Au sabre, au pistolet?

— Non monsieur. Il ne faut pas tant en attendre.

— Et comment, donc, alors?

— Aux poings !

Pas seulement aux poings. Le marquis contemple la mêlée au salon bleu. Il y a aussi les pieds, les coudes, la tête, et les dents. Des morceaux d'individus partent dans tous les sens. On dirait un chahut de carabins après une leçon d'anatomie du docteur Bichat au grand amphithéâtre. C'est malin. Il va manquer des pièces et on ne s'y retrouvera plus. A qui est ce tibia ? Qui frappe ce ventre ? Et ces côtes enfoncées au genou ?

— Il faut les séparer, monsieur, ils vont s'oxxer.

— S'occire !

— Ce n'est guère mieux.

Pas de danger d'oxxer ou d'occire. C'est bronze contre bronze. Le marquis sourit. Il observe. Les deux gaillards lui paraissent bien en jambes, le geste saillant et le souffle posé. L'œil ne cille pas. Il les retrouve comme il les avait laissés. Aucun ne démordra. C'est bien ces deux hommes qu'il lui faut pour cette mission.

— Monsieur, agissez. Si ce n'est pour eux-mêmes, faites-le pour le mobilier de madame. Vous devez les intercéder.

— Les séparer suffira. Thomas, quand vous déciderez-vous à utiliser des mots à votre taille ?

— Monsieur, les mots ne sont pas des fripes. Ils ne se font qu'en une seule taille.

Son valet lui paraît bien en verbe, ce soir. Vocabulaire mis à part, il a raison pour les meubles. Les furieux viennent de fracasser une des deux bergères à pieds cannelés, tapissée en velours de Venise lazulite.

Un belle pièce, certainement signée Sené, quelque part sur un des débris. Le marquis décide de sauver le reste du mobilier.

— Garde à vous !... Fixe !

Ça ne manque jamais. L'effet est immédiat. Les entremêlés se séparent dans l'instant et se partagent à parts égales, les membres et le reste. Ça donne deux méchants gaillards au complet. Noirs comme les îles dirait Thomas. L'un a la face rongée, l'autre le visage cabossé. Ils remettent de l'ordre dans leur tenue et enfilent leurs longs manteaux de toile huilée. Dès qu'ils sont sanglés, les bottes claquent jusqu'au menton. A les regarder, on croirait feuilleter le manuel du fantassin : talons joints, pieds ouverts, paumes dehors, petit doigt en arrière de la couture, regard à quinze pas.

— Brigadier-chef Edmond Cercueil !... Un pas en avant... Un !

Le parquet est de nouveau martyrisé à coups de talons. Un des deux s'avance. C'est la face rongée. Il dépasse le marquis d'une tête.

— Explication !

— Lieutenant, en vous attendant, nous en profitions pour régler avec ce monsieur un différend d'ordre strictement privé.

— Brigadier Jonathan Fossoyeur, vous confirmez ?

— Je confirme, mon lieutenant. Strictement privé.

Le marquis connaît l'histoire de ce « strictement privé » qui les fait s'alpaguer comme des cochers à chaque fois qu'ils se retrouvent ici. Du temps où ils étaient dans son régiment, aux Amériques, l'un a cru être trahi par l'autre et l'autre dénoncé par l'un. Duels au sabre, au pistolet, à pied, à cheval. Rien n'avait pu les départager ni les convaincre. Le marquis les avait sauvés du peloton en échange de missions derrière les lignes ennemies. En retour, les deux hommes avaient exigé un droit inaliénable d'empoignade. Ce droit qu'ils viennent d'exercer dans le salon bleu. Malheureusement pour les meubles.

— Inutile, soldats, que je demande des explications ?

— Inutile, mon lieutenant !

Ils l'ont martelé ensemble, la voix ferme, le regard toujours à quinze pas. Thomas en a des frissons sous la livrée. Lui qui n'a pas été pris conscrit parce qu'il était plus petit que son fusil. Ça lui démange toujours de défoncer le parquet au lieu de le briquer.

— Parfait, soldats. Repos. Rompez.

Les deux gaillards tombent dans les bras l'un de l'autre. Ils se donnent une accolade de relevée de garde, avec des tapes à dépoussiérer un bœuf. Le marquis va à eux et leur serre la main en compagnon d'armes.

— Edmond ! Jonathan ! Comme je suis heureux de vous savoir ici.

— Et madame la marquise ?

Edmond n'a pu s'empêcher de demander. C'est ce que Jonathan craignait.

— Vous savez, perdre un fils de vingt ans comme notre Philippe, c'est affreux. Mais ne pas y croire et refuser de l'admettre, c'est bien pire encore.

Le marquis ne dit rien d'autre. C'est inutile. Le valet est triste. Personne ne s'occupe de lui. Les deux gaillards s'en aperçoivent et vont le réconforter.

— Alors, ce brave Thomas, toujours au service du 126ᵉ ?

C'est le nom qu'ils donnent à l'hôtel du marquis d'Anderçon en souvenir de leur régiment.

— Valet sans gages de l'ordinaire et de l'extra-ordinaire de la maison de monsieur le marquis et de madame.

Son titre au complet lui fait des talonnettes. Il se redresse.

— C'est toi qui as la meilleure place, Thomas. Regarde-nous : Jonathan creuse des fosses qui sont déjà pleines avant le premier coup de pelle. Moi, je cloue et rabote des cercueils croupions de cinq pieds, pour des citoyens qui ont la tête entre les jambes.

— Certes, mais vous, au moins, vous avez des souvenirs d'armée.

Jonathan se passerait de sa cicatrice dans le dos qui le démange en cas de pluie et d'ennuis. Edmond, lui, préfère ne pas penser à son visage brûlé à l'acide par une petite escarpe. Souvenir de leur dernière mission au-delà des lignes. Aujourd'hui encore, le marquis d'Anderçon se sent responsable. Il coupe court dans les évocations et joue le chambellan.

— Soldats, vin de Xérès ou vin de Porto ?

Ils s'attendaient à plus vigoureux, mais le marquis a déjà sa proposition à la main.

— Non, monsieur ! Ne faites pas ça.

On a juste le temps de voir le visage horrifié de Thomas qui se jette sur le plateau comme si les vins étaient empoisonnés.

— Je vous en prie, monsieur. Ce n'est pas à vous de verser. Ou je suis déshonoré.

En plein élan, le valet s'embarrasse dans un pied de fauteuil, trébuche et se rattrape à une carafe. L'autre est projetée façon catapulte. Il y a un vol léger de xérès au travers du salon et une explosion qui s'ébouriffe contre le mur. C'est brunâtre. Le marquis s'époussette.

— Soldats, je crois que ce sera du vin de Porto!

Complètement défait, Thomas quitte la pièce à reculons. Il part se suicider... Tel Vatel... C'est ce qu'il lance à la volée en manière de sortie. Mais chacun sait qu'il est plutôt... tel Thomas... en train d'écouter derrière la porte.

— Soldats, si je vous ai demandé de venir, c'est pour une nouvelle mission au-delà des lignes.

Thomas jubile. « Au-delà des lignes », ça a tout de même plus d'allure que « A la cuisine ». C'est dit. Demain il rend sa livrée bleue qui le tasse et s'engage dans l'armée de la république pour la Vendée.

— Je tiens à vous dire que vous êtes libres de votre décision. Votre dette à mon égard a été soldée par ce que vous avez fait pour notre fils Philippe.

Les deux gaillards grognent un quelque chose embarrassé. Inutile d'y revenir. C'était il y a un an. Ils avaient recherché et retrouvé la tête de Philippe qui avait été volée après son exécution. Une étrange affaire.

— Soldats, les conditions seront les mêmes que la première fois. Pour chacun une arme, treize louis et... un chapeau.

Le marquis n'a jamais su pourquoi Edmond et Jonathan tenaient tant à ce chapeau.

— Et maintenant... Thomas!... qui est derrière la porte, à nous espionner, peut aller préparer la décoction d'orange de madame pour son coucher.

Le valet accroupi sursaute. Il se demande comment monsieur sait qu'il écoute à la serrure. Les maîtres ont des pouvoirs extraordinaires, c'est sûr. Thomas deviendra devin plutôt que soldat. Il s'installera en face la Force ou Bicêtre. Les prisons et les hôpitaux ça donne envie de connaître son avenir.

— Soldats, voici la mission. Elle est simple : retrouver et ramener ici un enfant, en... douze heures.

Les deux écoutent le lieutenant en se dandinant sur le bout de la dernière bergère. Ils ont l'air embarrassés de leurs carcasses. Jonathan cherche Edmond des yeux. Il se demande quand il va ouvrir le feu. C'est à lui de le dire au marquis. Il est le plus gradé.

— Mon lieutenant, il faut qu'on vous parle. Mais avant, vous n'auriez pas quelque chose de plus... rugueux.

— J'ai là une fine, soldats.

Ça ira. Le marquis tire une bouteille de derrière un rideau. Il sert encore plus mal que Thomas.

— Soldats, avant de vous écouter, sachez que si je fais appel à vous...

Derrière leur verre, Edmond et Jonathan regardent le lieutenant à la manœuvre. Premier mouvement : on flatte le fantassin... C'est que vous êtes les seuls capables de réussir... Deuxième mouvement : on allèche au mystère... Elle implique des personnes de la plus haute qualité... Troisième mouvement : prendre par les fibres soyeuses et l'encerclement sera complet... Je connais votre attachement à la marquise...

Jonathan se lève brusquement, la mine embarrassée. On dirait qu'il va demander au marquis la main d'Edmond.

— Lieutenant, ne nous en dites pas plus. Nous ne pouvons accepter cette mission.

Le marquis reçoit d'un bloc les moulures du plafond sur la tête. Il gobe deux fines en enfilade.

— Allons soldat, ce n'est pas le danger qui peut arrêter des gaillards comme vous.

Il va reprendre le cycle : flatterie, mystère et fibres soyeuses. Edmond l'arrête net.

— Nous partons en Amérique. Aux Etats-Unis !

Heureusement, il ne reste plus de moulures au plafond ni de fine dans la bouteille.

— Mon lieutenant, il y a trois semaines nous avons quitté la légion Saint-George, quand on a retiré son commandement au chevalier. Pour nous, destituer le premier colonel noir de la seule unité d'hommes de couleur de l'armée républicaine est une trahison et une offense !

Le marquis les comprend. Le chevalier de Saint-George est un ami de la marquise. Mais il n'a pas envie de leur donner raison. Il compte déjà les heures.

— Vous partez quand ?

— Demain. Jonathan et moi, nous prenons la diligence de midi, pour La Rochelle.

— Qu'allez-vous faire là-bas ?

— En quelque sorte... exploitants agricoles.

— Fermiers !

Les gaillards n'aiment pas la traduction. Le marquis les imagine la fourche à la main. Il mord dans son verre vide pour ne pas rire.

— Avec Jonathan nous avons réalisé notre pécule de soldat et acheté des terres...

— C'est au nord-est. Une région de plaine. De la bonne terre, du soleil, et de l'eau quand il faut. Pas de fermage, pas de taxes : on sera notre maître. Trois cent cinquante arpents bien situés à dix pistoles l'arpent.

Jonathan sort une liasse de papiers chargés de signatures et de cachets. Il déplie les feuilles comme on retourne son champ.

— Ils sont là !

Le marquis espère pour eux que ce ne sont pas que des arpents de papier. On en voit en ces temps, des souscripteurs bonasses floués par ces compagnies des Amériques qui ont champignonné à la Bourse comme de la petite vérole. Il en sait quelque chose, il y a perdu beaucoup.

— Lieutenant, pour parler en soldat, nous pensons avec Edmond qu'il n'y a pas de véritable avenir ici pour des gens comme nous. En plus de quatre ans, les députés n'ont pas encore trouvé le temps de prendre un décret d'abolition.

— Pourtant, soldats, des hommes agissent et travaillent à l'abolition. Regardez ce qu'a fait monsieur Condorcet à la Société des Amis des Noirs...

— Un club de nantis à deux louis de cotisation ! Une centaine d'honnêtes hommes. Mais qu'est-ce qu'ils pèsent face aux grands planteurs du Club Massiac, qui achètent des députés comme des balles de coton?

— Vous êtes sévères. Pourtant, mes amis, les choses avancent. Le mois dernier on a supprimé la prime à la traite.

— Mon lieutenant! Un bataillon qui avancerait sur ce pied vous lui botteriez le train.

Ma foi, c'est vrai, le soulier le démange souvent. Mais, il y a tant à faire. La république est jeune et assaillie aux frontières. Au nord, les Autrichiens et les Hollandais, les Prussiens à l'est, le roi de Sardaigne en Savoie, les Anglais à Toulon et bien sûr, la Vendée... Soudain la porte n'en peut plus. Elle cède et s'ouvre à en arracher gonds et dorures. Thomas apparaît. Du moins ce qu'il en reste. Il est en bras de chemise. Manque la perruque et les souliers. Entre les deux, c'est pire.

— Monsieur, vite! il faut venir. Madame est entrée dans ses humeurs vives!

Le marquis sait ce que cela veut dire. Edmond et Jonathan l'interrogent des yeux.

— Soldats, il faut que je vous le dise. Depuis que la marquise sait qu'on m'a demandé de retrouver cet enfant, dont j'ai commencé à vous parler, elle est certaine qu'il s'agit de notre fils Philippe.

Edmond et Jonathan revoient le corps décapité de Philippe reposant sur le lit de la marquise. La mystérieuse beauté de ce nègre aux yeux bleus.

— Je n'ai pas réussi à lui ôter cette idée de l'esprit. Depuis plus d'un an, elle le cherche dans tous les hôpitaux, les hospices et même les cimetières.

Jonathan se souvient avoir vu la marquise rôder près des fosses et y plonger les bras, comme une lavandière.

— Aujourd'hui, elle mène dans cette maison des rites d'Afrique qui lui viennent de ses ancêtres yorubas. Des rites auxquels je n'entends rien, et où elle ne m'accepte pas. Seul ce pauvre Thomas fait office de servant auprès d'elle.

Aide-initié ! Il ne faut pas confondre. Le servant tient à la nuance.

— Thomas, prends un flambeau. Je te suis.

— Lieutenant, autorisez-moi à vous accompagner.

Jonathan saisit le bras d'Edmond. Pas pour le retenir. Personne ne le peut. Mais juste pour lui dire... Il ne faut pas y aller... Edmond se dégage doucement.

— Jonathan, tu sais ce que je dois à madame la marquise. C'est elle qui a sauvé mes yeux quand on m'a brûlé le visage à l'acide. Tu étais là.

Jonathan n'a rien à lui redire. Il avait tellement eu peur, cette nuit-là.

— Allons, monsieur, madame est dans le danger extrême !

Le marquis se précipite derrière le valet. Edmond les suit. Jonathan regarde les feuillets abandonnés sur la bergère. *Compagnie du Sioto. Titre valant concession exclusive aux sieurs...* Il les ramasse et les fourre dans sa poche. Jonathan a l'impression de froisser un rêve. Il rejoint les autres.

Devant lui, ça galope comme à l'alerte dans l'obscurité des couloirs. Thomas porte le flambeau à la manière d'un incendiaire. Dans sa course il met le feu aux glands d'une embrase, et roussit une toile de Jouy à motifs de fables.

La flamme éclaire au passage l'immense tableau au pied de l'escalier de marbre blanc. Sur la toile la marquise pose dans sa robe blanche de bal. Celui des vingt ans de son fils. Elle semble suivre du regard les hommes qui courent derrière elle. Son visage sourit comme pour dire... Allez! Cherchez! Vous ne me trouverez pas...

— A la crypte!

A l'injonction de Thomas, la torche plonge dans un trou d'ombre vers la cave. Un escalier de pierre en hélice s'enfonce sur deux niveaux et les jette dans un boyau de terre battue humide. Ils finissent par buter contre une porte de bois ferrée à grandes volutes. Les hommes reprennent leur souffle en grappe sous le flambeau. Le marquis reste immobile. C'est difficile d'hésiter longtemps en pleine lumière. Il tire la porte. Elle s'ouvre sur un embrasement. En contrebas d'une dizaine de marches, une crypte en ogive est tapissée par la lueur d'une multitude de fines bougies allumées.

La marquise est là.

Allongée à plat ventre au centre de la salle. Son corps noir inerte dessine une croix de Saint-André au sol, un peignoir de satin blanc largement retroussé sur elle. Edmond, Jonathan et Thomas détournent leurs regards. Le marquis se précipite. D'un simple mouvement de la main, elle stoppe son élan.

— Ne brisez pas le premier trait.

C'est alors que le marquis remarque le tracé des trois cercles concentriques autour du corps de sa femme. Un large blanc, un bleu, et un noir. La marquise paraît prisonnière au cœur d'une cible d'archer. Soudain, elle se redresse, s'enveloppe de son peignoir et leur fait face, assise en tailleur.

— Thomas viens auprès de moi.

L'aide-initié franchit les trois cercles jusqu'à elle, fier comme un tambour-major. Edmond et Jonathan lèvent les yeux sur la marquise. Elle a gardé la majesté du tableau de l'escalier de marbre.

— Messieurs, à partir de cet instant, vous êtes condamnés à chercher dans l'obscurité. Vous chercherez un enfant. Un garçon. Souvenez-vous que l'enfant est toujours caché dans un berceau. Que le berceau le plus sombre est le ventre de sa mère. Et que le ventre des mères est à jamais couronné.

Thomas note dans sa tête : pour le métier de mage, il faut des chandelles et des phrases compliquées à comprendre.

— Regardez bien, messieurs !

La marquise se lève et trace du talon sur le sol des lignes qui partagent les trois cercles comme le cadran d'une boussole.

— Vous chercherez cet enfant. Mais d'autres le chercheront aussi.

Sur un signe de la marquise, Thomas va retirer dans une niche du mur des coupelles de bois remplies de grains, de fèves, de poudre et une calebasse de coton duveteux.

— Certains le cherchent pour lui faire gagner le centre du cercle, d'autres pour l'en bannir.

Dans chacun des secteurs de la boussole, elle répand le café, le cacao, l'indigo, le sucre et le coton.

Les couleurs peignent une étrange carte, où il semble
aisé de se perdre.

La marquise s'approche des hommes et les fixe en
silence. Ils peuvent sentir son parfum âcre et deviner
le battement de sa gorge. Sans qu'on ait discerné un
commandement, Thomas va jusqu'à un volet dans le
mur.

— Regardez bien la carte. Retenez bien le chemin
et les couleurs. Car la nuit va entrer.

Thomas libère le loquet du panneau. Un formidable courant d'air s'engouffre sous la voûte de la
crypte. Son souffle fuse le long des murs et soulève
les cercles sur le sol. Il mouche les chandelles avec la
jubilation d'un gamin qui croque la tête de jésus en
sucre. Et c'est le noir. On entend des bruits de pas
légers, le satin qui file, un verrou complice, une porte.
Plus rien. Le temps d'un silence plein du parfum de
toutes les épices, et le marquis redevient lieutenant.

— Thomas, frottez donc le briquet!

— Je frotte, monsieur. Je frotte. Mais ne bougez
pas surtout. Il ne faut à aucun prix briser les cercles.

... *Le pas sur le trait, c'est le trépas...* Ça, Thomas l'a
appris de madame. Pour être mage, on doit savoir
culbuter les mots.

— Je tiens le flambeau!

Une lueur se fait au bout d'une torche. Elle éclaire
le haut de la voûte. De proche en proche les hommes
rallument des chandelles. Assez pour voir que la
crypte est vide. La marquise a disparu. Au sol il ne
reste rien de ce qu'elle a tracé. On pourrait penser à
un songe, si au pied d'un mur, il n'y avait un petit
monticule avec les grains, les fèves et les poudres

mêlés. Les hommes restent un instant dans la crypte à essayer de comprendre et remontent sans un mot au salon bleu.

La marquise les attend, debout devant la cheminée. Elle les accueille dans une simple robe blanche. La même que celle qu'elle porte sur le grand tableau. Le peintre a simplement rajouté une touche de fatigue et de tristesse à son regard.

— Mes amis, je croyais bien avoir entendu sonner. Je suis descendue à votre rencontre, mais je vous ai manqués. Où étiez-vous donc ? Vous semblez troublés.

— Ce n'est rien, ma chère. Thomas avait cru entendre quelqu'un s'introduire chez nous, par la cave.

— Et alors, mon ami ?

— Une fausse alerte. Rien qu'un vilain courant d'air.

Le marquis fixe sa femme dans les yeux. Il guette un signe de connivence qui viendrait le rassurer.

— C'est aussi à ce vilain courant d'air, mon ami, que nous devons ce désordre de style ?

Elle montre la bergère fracassée. Edmond et Jonathan baissent la tête. Ils sont prêts à revendre quelques arpents d'Amérique pour réparer les dommages. Le marquis leur sauve une parcelle.

— Thomas avait oublié de fermer la fenêtre.

Ce soir, le valet minuscule veut bien être payé pour tout ce qu'il n'a pas fait. Sa fortune est assurée.

— C'est donc pour ça, mon ami que j'ai pu entendre ces affreux aboyeurs donner des nouvelles du procès de la reine.

— Et alors, ma chère ?
— Ils ont arrêté Boze !

*

Fouquier-Tinville se dresse. On dirait qu'il veut ressembler aux griffons sculptés de sa table. Le chapeau encore plus emplumé qu'à l'ordinaire, il pointe son index sur le témoin et tient la pose.

— Gardes ! Arrêtez le citoyen Boze, ci-devant peintre de la ci-devant cour royale !

Un brouhaha gourmand parcourt la salle du tribunal... Assis !... Assis !... On veut voir !... Le visage de Hermann reste sidéré. Il interroge des yeux Fouquier-Tinville... Mais qu'est-ce que tu fais ?... L'accusateur ne cille pas. Marie-Antoinette profite de l'instant pour fermer les yeux et se reposer. Sur son genou elle joue la main droite d'un phrasé de clavecin.

Deux gendarmes emmènent Boze anéanti qui cherche de l'aide tout autour de lui. Marie-Antoinette l'accompagne du regard. Son visage est défait, lui qui avait refusé de retoucher les traits de ses enfants... La vérité est toujours plus belle, majesté !... Non, pas toujours.

— Te voilà encadré, le barbouilleux !

La salle rit sur son passage. Hermann griffonne à la diable un billet... Est-ce que Maximilien est d'accord ?... Fouquier lui retourne... Secret d'Etat, citoyen... A sa manière broussailleuse de le fixer dans les yeux, Hermann comprend qu'il vaut mieux plier.

— Huissier, faites chercher le dernier témoin, le citoyen Jourdeuil.

« Dernier témoin », l'annonce a fait frémir la salle. Il y a de l'excitation, et déjà du regret. Hermann, lui, n'est pas fâché que ça se termine. Il commence à avoir faim.

Marie-Antoinette sent les saignements reprendre sous elle. La vie la fuit tièdement.

*

— Mais, ma chère, pourquoi ont-ils arrêté Boze ? Il a peint aussi bien Louis XVI que Maximilien Robespierre.

— A-t-on besoin d'ennuyer nos amis avec cette affaire ?

Jonathan a l'impression que le marquis et la marquise ont été troublés par l'annonce de cette arrestation. La marquise s'approche d'Edmond.

— Comment vont vos yeux ?

— Merveilleusement madame, grâce à vous. Mais de temps à autre, des choses leur échappent. Par exemple, chez vous à l'instant, dans la crypte...

— Laissons ! Il faut bien plus se méfier de ce qu'on voit que de ce qui s'échappe. Et vous, Jonathan ?

— Ma foi, madame la marquise, je vais comme un homme qui part demain aux Etats-Unis d'Amérique.

— L'Amérique ! Quelle belle aventure. Comme je vous comprends. Un moment, nous y avons songé après la disparition de notre fils. Le marquis avait même formé le projet devenir un nouveau La Pérouse et de retrouver, je ne sais plus quelle voie enneigée vers l'océan Pacifique.

Le passage nord-ouest ! Le marquis est certain de connaître son emplacement. Il le tient de trafiquants de fourrures d'Alaska, rencontrés pendant la guerre d'Indépendance. Mais la faillite lui avait fait replier ses cartes et ranger ses instruments.

— Nous avons renoncé. Il faut que nous soyons là, quand notre Philippe va revenir.

La marquise rit. Un rire bienveillant de mère. Elle tourne sur elle-même une valse lente qui gonfle le bas de sa robe. C'est comme ça qu'elle ouvrira le bal pour fêter le retour de son fils. Elle s'arrête net devant Edmond et Jonathan comme si la musique dans sa tête l'avait abandonnée.

— On ne peut renoncer au retour de son enfant. N'est-ce pas messieurs ?

A cet instant, Jonathan sait qu'Edmond ne viendra pas avec lui aux Amériques... *Compagnie du Sioto. Pour concession exclusive attribuée aux sieurs...* Il sent le cachet de cire des titres fondre sur son cœur.

— Edmond et Jonathan, je vous laisse. Vous avez tant à vous dire. Je vous souhaite bonne chance dans votre aventure. Je suis certaine que vous y trouverez ce que vous cherchez.

Les hommes s'inclinent. La marquise sort. Thomas l'accompagne. La porte se referme. Il tombe dans le salon un silence qui semble venir du lustre. C'est joli, un silence à pendeloques. Edmond et Jonathan se regardent. Jonathan fait signe à Edmond qu'il peut parler pour eux deux.

— Lieutenant, je crois que nous allons accepter la mission.

Sans un mot, le marquis sert trois verres. Les hommes se font face. Ils trinquent.

— A l'enfant !

Ce fut d'une seule voix. Ils boivent d'un trait. Le marquis va dans un angle de la pièce avec une chandelle et tâtonne une frise. Il y a un déclic de ressort. Dans les boiseries, une porte s'ouvre sur une armoire de fer étroite. A l'abri, le marquis joue longuement des serrures et revient avec un coffret de bois laqué d'un pied environ et un autre bien plus petit en cuir vert.

— Approchez, soldats.

Il ouvre le coffret de bois lentement. A croire qu'il va leur montrer le fameux Collier de la Reine. A l'intérieur, c'est mieux encore. Edmond et Jonathan restent sous le coup des deux joyaux, alanguis tête-bêche dans le carmin du velours.

— Soldats... Vos pistolets !

Les dégingandés n'osent pas croire à leurs jouets. Deux véritables porte-foudre à canon long entièrement argentés, habillés de crosses d'ébène gravées à leur chiffre.

— Soldats, un modèle unique de 1738, jamais égalé, jamais reproduit. On dit simplement... des 38 ! Edmond et Jonathan les prennent en main et les font miroiter. On ne se sent pas plus fort, mais sûrement plus craint.

— Et vos insignes de police.

Le lieutenant leur remet deux plaques ovales bleues émaillées avec l'inscription... *En mission pour le peuple.*

— Maintenant, soldats, je peux vous en dire un peu plus.

Il est temps.

— L'enfant que vous devrez trouver et ramener ici
dans maintenant... douze heures, à ma montre, est un
garçon de quinze ans. Il a été enlevé à ses parents. On
ne sait pas exactement par qui. D'après nos informateurs de la 43ᵉ section, l'enfant est actuellement retenu
dans la Nouvelle Haarlem, ce quartier situé derrière le
jardin du palais du Luxembourg, dans le triangle de la
rue de Vaugirard, de la rue d'Enfer et du boulevard
du Montparnasse.

Edmond et Jonathan connaissent. Le marquis le sait
très bien. C'est à Haarlem qu'ils ont retrouvé la tête de
son fils Philippe. C'est là aussi qu'Edmond a eu le
visage brûlé à l'acide. Haarlem ! Ils comprennent mieux
pourquoi le lieutenant fait appel à eux. Ce triangle est
aussi appelé l'Enfer, le Quartier Nègre ou le Clos des
Noirs. Autrefois, des hommes venus de la ville de
Haarlem, en Hollande, y cultivaient des fleurs avec des
jardiniers qu'ils faisaient entrer en fraude de leurs colonies... *Les fleurs sont parties, les Noirs sont restés !*... Autour
d'eux, se sont regroupés, à mesure, les nègres libres et
les marrons échappés à leurs maîtres. Aux îles on se
réfugie dans les mornes, à Paris on habite Haarlem.

— Vos informateurs n'ont pas été plus précis, lieutenant ?

— Non. C'est pourquoi j'ai besoin de vous.

— Qu'est-ce qu'on sait d'autre sur l'enfant ?

— Ça !

Le marquis ouvre le coffret de cuir vert. Il en sort
un médaillon ovale dans un cadre de bois doré.

— C'est le dernier portrait qu'on a de lui. Il devait
avoir huit ou neuf ans.

Edmond et Jonathan regardent la miniature. Elle représente un enfant mulâtre nu le corps et le visage maculés de larges taches claires.

— Soldats, c'est ce qu'on appelle un enfant léopard !

Edmond et Jonathan en ont déjà vu, mais ils laissent le marquis expliquer.

— Je n'ai rien d'autre à vous dire sur lui. Ce portrait date de sept ans. Il a dû beaucoup changer, depuis.

— Et les parents, lieutenant ?

— On sait quelque chose sur eux ?

— Rien que je puisse vous dire, soldats.

Les deux n'en sauront pas plus. Ils le sentent. Le marquis regarde sa montre. Edmond et Jonathan ont l'impression de se faire congédier à l'horloge.

— Voici vos treize louis à chacun.

— Et les chapeaux ?...

Le marquis retourne fourgonner dans l'armoire de fer. Il ne fallait pas moins pour cacher de pareilles reliques.

— Je n'ai pas trouvé pire.

Deux chapeaux mous informes à rebord, en espèce de feutre sombre. Edmond et Jonathan les essaient avec des mines de coquettes chez le fourrier.

— Vous ne m'avez jamais dit pourquoi vous teniez à être payés treize louis et un chapeau !

— Nous aussi, lieutenant, nous avons nos secrets.

Jonathan laisse le sous-entendu se promener dans le salon bleu.

— Parfait, soldats. Je vous attends ici demain avant midi, avec l'enfant léopard. Bonne chance.

Ils se saluent réglementairement. Les deux hommes sortent du salon. Ils envoient bouler Thomas qui écoutait derrière la porte. Il proteste.

— Messieurs, on frappe quand on sort !

— Prends de la lumière, Thomas et suis-nous.

— Je ne suis pas, moi, messieurs... je précède !

Arrivés dans la cour, Edmond et Jonathan s'arrêtent net et se déshabillent en silence. Chacun de leur côté, ils chargent Thomas comme un valet-de-nuit. Le voilà chapeauté de feutres et enguirlandé de 38 argentés.

— Messieurs, vous n'allez pas recommencer à vous battre ! Je vais devoir en déférer à monsieur le marquis.

— C'est ça, défère et tiens la lumière haute.

— Ce ne sera pas long, Thomas.

Edmond et Jonathan se mettent en garde à la manière de boxeurs. Et ils recommencent. Enseveli sous les vêtements, Thomas a du mal à mettre l'œil à la serrure. Il ne voit rien de leur alpagage. Il entend seulement des coups, et des rugissements.

— Tiens la lumière haute, Thomas, que je voie cette face rongée de traître qui vend nos Amériques contre un sourire de marquise.

— Moi, une face rongée !...

Le reste n'a pas d'importance. Edmond et Jonathan finissent par se rhabiller, encore plus frères qu'avant.

— Après ça, Edmond, j'ai envie de t'appeler Ed. Ça fait moins laquais.

— Et moi Jones. Tu sentiras moins le maître.

Thomas se serait bien appelé Tom. Mais, à y réfléchir, ça le raccourcirait encore. Bien sûr, c'est injuste d'être noir, très injuste, mais d'être petit aussi. Ils pourraient y penser, les députés, quand ils aboliront.

Derrière sa fenêtre, le marquis regarde les deux hommes qui s'en vont épaule contre épaule par la rue des Deux-Ecus. Il tire sa montre... douze heures!... Comme c'est court, pour ce qu'ils ont à faire.

Au premier étage, de son balcon, la marquise leur lance un baiser. Ils ne le voient pas. Peut-être en sentent-ils le souffle sur leurs nuques?

Ed et Jones frissonnent.

— Dis-moi, Jones, à ton avis, quelle est la personne la mieux informée de ce qui se passe à Haarlem?

— La patronne de La Vainqueuse

— Et qui fait le meilleur boudin aux trois pommes de Paris?

— La Patronne de La Vainqueuse

— Que dirais-tu de commencer notre mission par là?

— Tu crois qu'on a le temps, Ed?

— A partir de maintenant, Jones, le temps... c'est nous.

3

Ceux-des-Moineaux

Ceux-des-Moineaux ont demandé à la Marmotte de leur apporter le petit chien quand il sera 11 heures au clocher de Saint-Roch. Il a tout le temps, mais il hésite. Est-ce qu'il passe d'abord chez lui, dans sa caverne des Capucins ?... Non !... Il se connaît. S'il fait un « petit détour » par là-bas, il va prendre son livre... *Les Voyages du capitaine Cook*... lire une phrase, puis une autre, encore une dernière... et il va manquer l'heure ! Les histoires, c'est trop dangereux à lire, vaut mieux les vivre.

La Marmotte avance en discutant dans sa tête. Qu'est-ce qui arriverait, si tu n'apportais pas le petit chien à ceux-des-Moineaux ?... Bah, pas grand-chose, mais tu connaîtrais la suite des voyages du capitaine... Non ! ne te laisse pas tenter par ce minuscule serpent vert dans ta tête. Allez ! Va tout droit par Saint-Honoré, jusqu'à la rue des Moineaux. L'histoire, ce sera pour plus tard.

La rue des Moineaux... Tu te souviendras : « Moineaux » comme « un moineau »... Ils doivent le prendre

pour un niaiseux... C'est dans le passage, à côté d'un
marchand de cocardes. Si tu aperçois un ruban patriote
accroché au balcon du premier, tu passes ton chemin.
Et tu ne reviens surtout pas. Ça veut dire que l'affaire
est manquée. Tu rapportes le chien à qui-tu-sais...

Il n'y a pas de ruban. Juste un peu plus haut, un
fiacre sombre qui attend. Le cocher ronfle. La rue est
en pente. Ce serait commode de le délester d'une de
ses roues. Une béquille, et hop! La Marmotte en a
toute une collection chez lui. On verra tout à l'heure si
le fiacre est encore là.

Il y a de la lumière chez le marchand de cocardes. Il
doit préparer sa journée de demain. Le passage d'une
reine, ça doit rapporter. Comme convenu, la porte au
fond du passage n'est pas fermée à clef. De l'autre
côté, il fait sombre à se faire égorger sans s'en rendre
compte. Le chien dort contre sa poitrine. Son souffle
chaud l'apaise. La Marmotte s'aperçoit qu'il n'a pas
encore eu le temps de le remercier pour l'avoir sauvé
de Robespierre, tout à l'heure. Il lui caresse la tête. Il y
a un crissement dans le passage. La Marmotte se colle
au battant de la porte et écoute. Son cœur s'emballe.
C'est bien ça! Quelqu'un est là, derrière. Un quelqu'un
qui le suit.

— Tu n'as pas été filé aux basques, gamin?

L'homme à la lanterne le fait sursauter.

— Non, citoyen. J'ai fait comme vous m'avez dit.

Pas du tout. A les écouter, il aurait fallu qu'il rase les
murs, et se détourne par Chaillot pour arriver ici. Pourquoi pas jusqu'à la barrière de Clichy déguisé en réverbère!

— Tu as le chien?

— Et mon louis?

— Moi, je garde. Tu verras ça là-haut avec eux. Monte!

L'escalier est aussi raide que le garde. Mais l'escalier, lui, au moins a une rampe. Le citoyen porte sa lanterne, deux pistolets en pied de cochon et des questions.

— C'est quoi, ce sabre, gamin?

— C'est le mien.

La porte du palier s'ouvre avant qu'il ait le temps d'être surpris. Une dame ronde en tablier blanc attend. On dirait qu'elle va faire un gâteau. A la place, elle donne dans une sorte de révérence onctueuse. C'est trop d'honneur.

— Suivez-moi, mon garçon. Accrochez votre sabre au portemanteau, s'il vous plaît.

Au moins une qui n'est pas surprise par l'outil. Le garde reste en faction devant la porte. La Marmotte suit la dame encore plus ronde de dos. La flamme d'une chandelle éclaire à peine un long couloir tapissé de tableaux retournés contre le mur. Etonnant, une galerie d'ancêtres qui boudent.

— Entrez. Ces messieurs et la dame vous attendent.

« Ces messieurs » sont trois dans ce cabinet de travail. La Marmotte en connaît un, le docteur. Difficile de dire son âge, même si sa barbe taillée court commence à blanchir. Il est assis à la table centrale à côté d'un homme délicat en habit violine à haut collet et perruqué court. Un vicomte, paraît-il. Le troisième installé au clavecin fait semblant de jouer. Ses longs cheveux noirs vont bas sur ses épaules.

— Dites, Commandeur, si vous nous troussiez plu-tôt une polka, ce serait pas de refus !

L'homme ne répond pas. La dame en fichu qui l'invite est debout à l'écart près de la cheminée, comme si elle avait froid. Elle est accompagnée d'un jeune gar-çon rouquin qui lui parle sans arrêt à l'oreille. Elle est aveugle. Il est ses yeux bruns.

A l'odeur de tabac, ils sont là depuis pas mal. Des rayons vides courent tout autour de la pièce. L'endroit ressemble à une bibliothèque à laquelle on aurait arra-ché les yeux. On sent qu'un lourd lustre en bronze doré devait pendre de ce trou au plafond. Il fait humide. Sur la cheminée un buste dédaigneux se regarde dans un miroir.

La Marmotte s'avance, le petit chien endormi dans les bras. Les trois messieurs se lèvent et ôtent leurs chapeaux avec un ensemble de ballet. La figure a du panache. Cette fois, il se rend bien compte que ce n'est pas pour lui. Ils ont tous les yeux fixés sur le chien.

Le docteur le prend délicatement dans les mains, le lève au-dessus de sa tête et le présente aux autres.

— Messieurs, madame, Coco ! le carlin de Sa Majesté !

Il y a un hourra feutré. Les regards sont émus. Même le buste dédaigneux daigne. La Marmotte met un moment à comprendre que Youki est en vérité Coco et que ce Coco est le chien de la reine. Ce qui veut dire que ce parfum léger, un-peu-comme-du-chèvrefeuille, vient d'elle ! La Marmotte regrette de ne déjà plus s'en souvenir.

— Docteur Seiffert, n'y a-t-il pas un risque qu'à la Conciergerie, on s'aperçoive de la disparition de Coco ?

Décidément, la Marmotte trouve que Coco est un nom qui ne fait pas très royal.

— Aucun, vicomte. Pendant que celui-ci est avec nous, un carlin identique donne le change aux geôliers de Sa Majesté.

Le docteur ronronne. Il a l'air content de son stratagème. La Marmotte aussi. Il aime bien le mot « stratagème ». Le docteur chausse des lunettes à verres bleutés. Il pose sur la table une trousse de cuir et déroule un linge blanc. Il y allonge le carlin qui bâille et s'étire.

— Mon enfant, tu lui as bien administré la potion laxative que je t'avais confiée ?

— Il y a juste une heure, monsieur.

La Marmotte revoit la gargote et le brouet laiteux qui valdingue avec l'écuelle au visage du marin rougeaud. C'est sûrement ça qu'on appelle administrer.

— Parfait ! Messieurs, approchez, nous allons bientôt savoir.

Commandeur vient à la table. Il est immense, plus d'une toise, avec un air farouche et la peau très brune. Le vicomte a l'air d'un pommadé à côté de lui. La femme au fichu et le rouquin restent à l'écart. Le docteur sort de sa trousse une batterie de flacons, une pince effilée, une sorte d'écarteur, un fin roseau et une coupelle d'argent. Il s'enduit les mains d'un onguent jaunâtre et commence à masser le ventre du carlin. Depuis qu'il connaît son nom, la Marmotte trouve à Coco un visage moins cabossé. Ces messieurs sont maintenant penchés au-dessus de la table. Ils observent, l'air grave, tandis que le carlin se laisse aller, les pattes en l'air, la langue étalée comme une serviette autour du cou.

— Messieurs, je demande que par décence, cette intervention sur le carlin de la reine se fasse hors la vue de cet enfant.

— C'est ma foi vrai, docteur. On finit volontiers par oublier ces petits négrillons. On les croit comme des porte-flambeau de plâtre, mais ils épient, pour mieux trahir. Commandeur, vous qui êtes un créole, vous devez en avoir la pratique dans vos plantations de Saint-Domingue.

— Ils ne sont pas tous de cette espèce, vicomte. Il y en a qui sacrifieraient leur vie pour moi. Et moi pour eux.

— J'admire votre élévation d'âme, Commandeur, mais je préfère que cet... individu soit dispensé de tout ça. Et vous, docteur Seiffert?

— Je vous donne raison, vicomte.

Quand un vicomte a raison, on est vite dehors. La Marmotte se retrouve dans le couloir. Il est aussitôt happé vers la cuisine.

— Venez, mon garçon! Aimez-vous la tarte aux pommes?

La Marmotte se demande comment on peut avoir une voix crémeuse de laitière et une poigne de forgeron. La dame ronde y parvient sans changer de tablier. La part de tarte est arrivée avant la réponse à sa question et l'odeur de pomme avant la tarte. Aucune importance, il n'y a pas d'ordre pour le ventre.

— J'espère seulement qu'ils ne vont pas lui faire de mal pour récupérer leur message.

La Marmotte ne comprend pas ce que la dame ronde veut dire. C'est souvent le cas quand il a la bouche pleine. Elle parle comme si elle se racontait les choses, en fixant le volet de la cheminée.

— C'est ma faute. C'est moi qui leur ai dit, qu'une fois, en jouant avec Sa Majesté, Coco avait avalé une perle-poire montée en boucle. Il l'avait restituée le lendemain... tout naturellement. Ça avait fait beaucoup rire Sa Majesté qui appelait ce bijou sa « petite crotte d'oreille ».

La Marmotte vient de comprendre. Il y a un message de la reine dans le ventre du petit chien. Elle lui a fait avaler dans sa prison et la potion laiteuse devait l'aider à faire une crotte d'oreille. Bien trouvé ! C'est mieux que la malle-poste. Il va falloir qu'il revoie ses tarifs. Un louis pour un carlin royal, ce n'était déjà pas bien cher payé, mais pour un carlin royal fourré au secret, c'est du vol.

— Je ne les entends plus de l'autre côté. Je me demande ce qu'ils lui font.

La dame ronde s'est accroupie avec peine dans un coin de la pièce. Elle soulève doucement le volet de la cheminée.

— Venez, mon garçon, vous me direz. Je n'ai plus le jarret assez souple.

Le foyer de la cheminée communique avec l'autre pièce. De là, à quatre pattes, la tête engagée sous le volet, la Marmotte ne voit qu'un fagot de bas de soie. Pas commode de mettre un visage sur des mollets. Heureusement il lui vient des bribes...

— ... Commandeur, tenez bien les pattes avant... Non, ça ne va pas ! Garçon, prenez les menottes dans mon vaste-sac... Oui, c'est ça. Je m'en sers pour les convulsionnaires... Docteur, que comptez-vous faire avec ce roseau?... L'y aller chercher. Vous n'y comptez pas... Aïe! Il m'a mordu l'animal. La queue! Je vous en conjure, monsieur le vicomte, soulevez la queue!... Mais, il n'en a pas!... Les menottes! Mais non, pas sur moi!... Madame, sauf votre respect, vous l'étouffez... Mon garçon, les sels?... Pas ce flacon!... Attention, maintenez-le solidement... J'introduis!... Prenez garde, vous allez le transpercer... Où est la canule?... Je l'ai perdue!... Je l'avais à la main... Qui l'a prise?... Mais retirez-moi ces menottes!...

Suit toute une série de glapissements, de cris, et de jurons intraduisibles.

— Qu'est-ce qu'ils disent, mon garçon?

— Tout va bien.

La Marmotte essaie d'interpréter le menuet de mollets et les trémoussements de derrières.

— Messieurs, j'ai tout tenté. C'est sans espoir. Je ne peux atteindre l'objet. Il ne reste plus qu'une solution : opérer!

Haut-le-cœur général.

— N'y a-t-il pas moyen de laisser œuvrer la nature, docteur Seiffert?

La Marmotte se demande quel effet ça peut faire d'avoir des mots qui se promènent dans le ventre.

— Messieurs, point d'alarme! J'avais prévu l'affaire. Nous allons opérer! Vous verrez, la chose est plaisante.

La Marmotte avait déjà vu des barbiers à l'œuvre pour des extractions de dents, des saignées, et même, une fois, une amputation dans un baquet rempli de lait. Mais jamais d'opération. De l'autre côté c'est le branle-bas. Ces messieurs quittent l'habit. On réclame des bassines, de l'eau bouillante, de la charpie, du vinaigre, de l'ail, des cuvettes, un broc, de la chandelle, un pain de savon.

— Du savon! A un écu la livre!

La dame ronde maugrée. Le docteur Seiffert annonce.

— Messieurs, je vais procéder à l'incision!

Il y a un court silence. La lame doit être suspendue au-dessus du ventre du carlin. La Marmotte sent son nombril se vriller. C'est un peu à cause de lui, si Coco en est là. Tout à coup... Kaîîîhihi!... Un cri. Un long cri de douleur se plante au plafond et jette ces messieurs en arrière. C'est le petit chien. Il vient de jaillir au-dessus des têtes comme un bouchon de vin de Champagne.

— Mordieu, il se sauve!

— Docteur, vous disiez qu'il était endormi.

— Il l'est, vicomte! Scientifiquement, il l'est!

Pour un endormi, il galope le carlin de Sa Majesté. Ces messieurs lui courent aux trousses autour de la table. La femme aveugle guidée à l'oreille par le rouquin n'est pas en reste... Mais coincez-le donc!... Soudain, en pleine galopade, le carlin dérape du train arrière devant la cheminée, et glisse sur le parquet avec élégance. La Marmotte voit passer au ralenti devant lui tout le détail de l'anatomie entrevue sur la table. La glissade est accompagnée d'un mouvement de croupe coquin, d'un petit bruit filé irrévérencieux et d'un...

Tchkic! contre le volet métallique. La malle-poste est à l'heure. Coco vient de livrer son secret. Le vicomte plonge vers le chien, le manque, sa tête déperruquée s'encastre dans l'âtre comme un chenet orphelin. Un rien, et le volet tombait en couperet. 15 octobre 1793 : invention de la première guillotine d'intérieur.

— Je l'ai! Tenez, docteur, est-ce bien ça?

Le docteur prend entre ses doigts une espèce de petit cylindre marronâtre, que lui tend le vicomte à demi assommé. Il l'inspecte et le passe sous son nez comme un cigare d'après repas. Le bleu de ses lunettes s'illumine.

— Messieurs, c'est bien lui. Et il s'est rendu par les voies naturelles, comme je l'avais annoncé.

Il y a un triple ban, avec jeté de chapeaux et congratulations. Le vicomte glisse un mot à l'oreille du docteur Seiffert en désignant la cheminée du menton. La Marmotte sent qu'il a été repéré. Seiffert fait comme si de rien n'était.

— Vite, messieurs, voyons le message de Sa Majesté.

Le docteur nettoie et dépiaute la capsule. Commandeur, le vicomte, la femme aveugle et le rouquin font cercle autour du minuscule morceau de papier translucide que le docteur déroule devant la flamme d'une bougie.

— Messieurs, dans ces coups d'épingle de la reine, il y a tout l'avenir de notre entreprise. Vicomte, c'est à vous qu'échoit la tâche de traduire le message de Sa Majesté. Vous seul possédez assez le chiffre suédois qu'elle utilise.

— Ce sera un honneur.

Le vicomte s'isole à un bout de la table avec une plume, un encrier de voyage, des feuilles de papier et un carnet brun. Le docteur Seiffert récupère Coco qu'on avait oublié sous une chaise, la langue pendante. Il l'emmène à la cuisine et le donne à la dame ronde.

— Vous verrez, Sidonie, il a juste la peau d'incisée.

Elle sabre le docteur du regard. Il repart furieux mais à reculons. La Marmotte trouve que Sidonie, c'est joli. Surtout quand elle sourit au carlin en lui caressant la tête.

— Rien que des barbares, mon Coco! Mais tu vas voir, je vais te broder une couture au point de croix. Ce sera très chic. Toutes les petites chiennes vont adorer ça.

La Marmotte se demande ce qu'il pourrait se faire broder sur le ventre pour que les petites citoyennes le trouvent chic. Dans le cabinet de travail, l'agitation reprend. La Marmotte retourne à son poste d'observation.

— Vicomte, avez-vous terminé de décoder le message de Sa Majesté?

— C'est fait, docteur.

Il présente une simple feuille de papier.

— Lisez-nous, vicomte!

La tête passée sous le volet de la cheminée, la Marmotte refuse le dernier morceau de tarte. Sidonie-c'est-joli s'est rapprochée de lui pour écouter, comme si ces mots-là ne devaient pas être répétés. Le vicomte tient la feuille en haut et en bas. On dirait une proclamation de garde champêtre.

— Voilà, messieurs, ce que Sa Majesté nous dit. J'ai traduit l'esprit. Ses mots sont plus brefs, vous le comprendrez.

Il tousse et lit, le visage ému.

> *Je consens que vous fassiez pour moi*
> *ce que l'honneur vous dicte*
> *Si le malheur frappait votre entreprise*
> *Il me plairait qu'Il me soit exposé*
> *Sur mon chemin*

Le vicomte roule la feuille de papier pour signifier que c'est tout. Personne ne semble oser ajouter un premier mot à ceux de la reine.

— Je vous dois, messieurs, de préciser que « Il » est écrit avec une majuscule.

— Une majuscule !

Commandeur se dresse. Il crève le silence de toute sa stature. Mais sa colère paraît plus grande encore.

— Sa Majesté veut voir cet enfant ! C'est insensé !

— Je vous en prie, Commandeur, contenez-vous !

Il frappe sur la table à la fracasser.

— Me contenir, docteur, quand notre propre reine nous fait cette demande scandaleuse ?

— Commandeur, mesurez vos propos. Il s'agit de la volonté de Sa Majesté !

— En êtes-vous certain, vicomte ? Pour moi, je ne vois que des coups d'épingle sur un papier malodorant d'un côté, et des formules sibyllines de l'autre.

Il rafle le message des mains du vicomte.

— Mettez-vous en doute ma loyauté, Commandeur ? Si c'est le cas, je n'ai pas votre excellence des armes, mais je suis prêt...

— Cessez, messieurs.

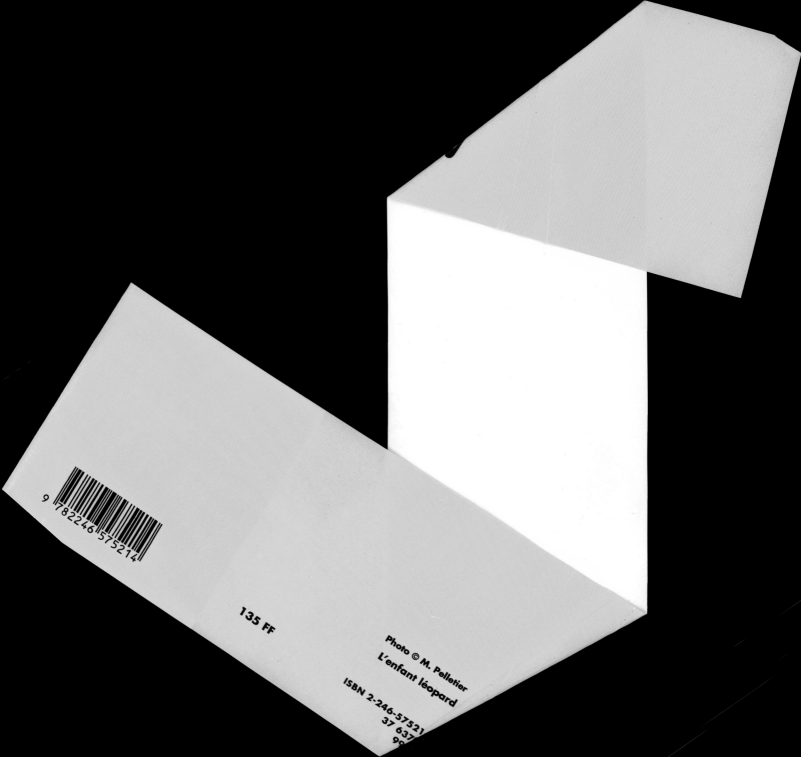

135 FF

Photo © M. Pelletier

L'enfant léopard

ISBN 2-246-57521

37 637

98

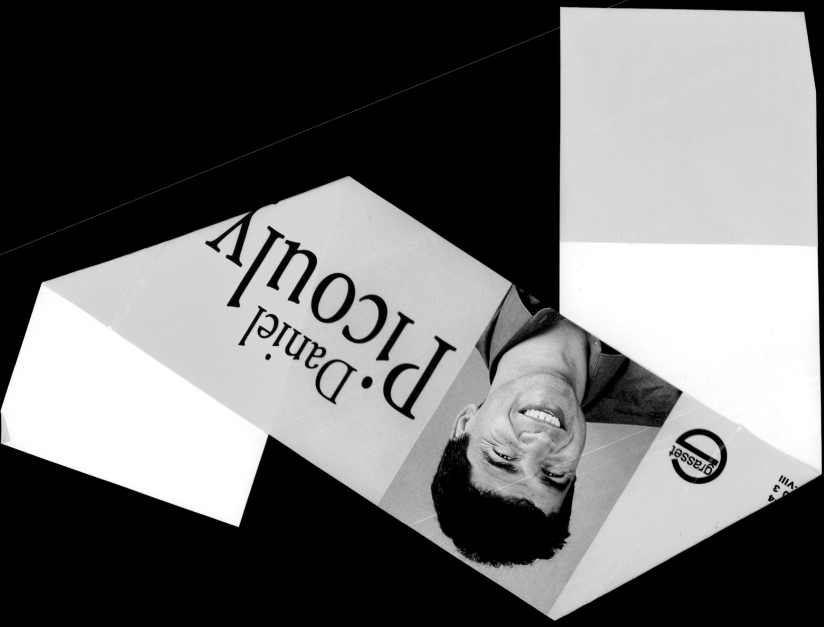

Le docteur Seiffert sépare les deux hommes. La Marmotte se dit qu'à coup sûr, dans un duel, il miserait sur Commandeur le louis qu'il n'a pas encore, plus les deux qu'il mérite. La Marmotte se demande comment fait le rouquin pour tout raconter à l'oreille de l'aveugle. Surtout les regards.

— Je ne mets pas votre loyauté en cause, vicomte, mais, à tout dire, c'est de la volonté de la reine dont je doute.

— Comment osez-vous, Commandeur !

— Allons, messieurs, nous savons tous le calvaire qu'endure Sa Majesté depuis qu'elle est prisonnière. Le roi est mort, elle est séparée de ses enfants, privée de sommeil, de soins et même d'intimité. Son corps est à bout de forces. C'est cette femme qui nous écrit, pas la reine que nous avons connue à Versailles.

— Vous déraisonnez, Commandeur. La reine reste la reine.

— Ne vous payez pas de mots, vicomte. Il n'y a plus de reine, il n'y aura bientôt plus de femme et il reste à peine une mère. Avez-vous vu comment les juges à son procès l'ont humiliée et brisée en l'accusant de rapports contre nature avec son fils ?

— J'ai surtout vu comment Sa Majesté avait ému la salle aux larmes, en lançant son cri aux mères... *J'en appelle à toutes celles qui peuvent se trouver ici !...*

— C'est vrai, vicomte, j'y étais. C'était poignant et insoutenable. Car c'est cette femme qui nous demande cet enfant. Une mère que son propre fils a abandonnée.

— Il suffit, Commandeur ! C'en est trop pour un serviteur loyal de Sa Majesté, comme moi.

— Nous sommes tous des serviteurs loyaux de la reine, vicomte... à des degrés divers.

— A des degrés divers! Voilà une formule bien... sibylline, comme vous diriez, Commandeur. Et bien blessante, si elle m'est destinée! C'est vrai, je le concède, je n'ai pas le « degré » d'intimité de vous deux avec Sa Majesté. Vous, docteur Seiffert, qui étiez le médecin personnel de Mme de Lamballe, l'amie la plus proche de la reine. Quant à vous, Commandeur, votre « degré » d'intimité avec la reine était notoire.

Il y a une soudaine envolée de basse-cour. Le docteur empêche Commandeur de saisir le vicomte au collet et de lui déranger la mise. Le vicomte reste calme et rajuste la queue-de-rat de sa perruque.

— Holà! Holà! mes seigneurs!

La femme aveugle brandit sa canne au-dessus de l'empoignade. Sa voix tonne.

— Holà! Est-ce qu'on est tous ici pour sauver la reine ou pour jouer à savoir qui a été le plus intime avec elle? A ce jeu, nous avons perdu, mon fils et moi.

Le rouquin est son fils! La Marmotte en était sûr. C'est encore mieux, une mère aveugle. On est toujours tout près de son oreille.

— Moi, mes seigneurs, à part le docteur Seiffert, vous ne me connaissez pas. Je suis Catherine Urgon, femme Fournier, ancienne dentellière qui s'est crevé les yeux à l'aiguille. On m'apelle Dame Catherine. Lui, c'est Pobéré, mon p'tit de quatorze ans, décrotteur de son état. Ni lui ni moi, on ne connaît la reine. Nous l'avons peut-être même jamais vue. Pourtant, nous allons la sauver.

Le docteur Seiffert, Commandeur et le vicomte se sont réconciliés dans le silence. Ils écoutent l'aveugle.

— Demain, mes seigneurs, nous serons cinq cents braves rue Saint-Honoré, sur le passage de la reine vers la guillotine. Cinq cents qui la connaissent pas plus que moi. Il y aura des charbonniers, des blanchisseurs, des teinturiers, des perruquiers. Cinq cents hommes armés de deux bons pistolets et de leur couteau. Ils se tiendront aux alentours du Porche Rouge, après la maison du menuisier Duplay, où loge Robespierre. A l'heure dite, ils briseront la garde, enlèveront la reine, et lui feront franchir le Porche Rouge.

— Et après?

Le vicomte n'a pu retenir son exaltation.

— Pour le savoir, mes seigneurs, demandez au docteur Seiffert. Il connaît notre affaire. Ou mieux, joignez-vous à nos braves. Vous aviez l'air d'avoir envie de vous battre à l'instant. Venez! On se rallie au Porche Rouge une heure avant le passage de la reine. Vous êtes les bienvenus pour nous aider à la sauver.

— Madame, je trouve votre entreprise admirable. Mais, permettez-moi une question. Pourquoi faites-vous ça?

— Vous voulez dire, pourquoi d'autres ne le font pas. D'autres qui y ont plus d'intérêts. Bah!... Disons, monsieur le vicomte, que je paye une dette. Le docteur Seiffert est le seul à en connaître toute l'histoire. Mais pour être court, sachez que la bonté d'un homme a permis, un jour, de sauver les yeux de mon p'tit. Cet homme, c'est le duc de Penthièvre, le beau-père de la princesse de Lamballe. Vous voyez ce p'tit, c'est une bien jolie dette, pour une mère.

Dame Catherine enlace son fils par les épaules comme pour le présenter à l'assemblée.

— Une dernière chose, mes seigneurs. Une chose de femme. Si j'étais à la veille de faire le grand saut et que je sache qu'il y a quelque part, dans ce vaste monde, un enfant de mon ventre, ce que je voudrais par-dessus tout, c'est le toucher, et entendre sa voix dans mon oreille... Rien qu'une fois !... Je partirais tranquille et j'emmènerais avec moi au paradis tous ceux qui m'auraient aidée à le retrouver. Bonne chance, mes braves !

Dame Catherine et Pobéré sortent. C'est la mère qui ouvre le chemin à son fils qui porte son tabouret de décrotteur à l'épaule. Ils en laissent du silence derrière eux ! Commandeur est le premier à s'ébrouer.

— Voilà où nous en sommes rendus, messieurs. Nous nous faisons donner la leçon par une dentellière, à propos de ce prétendu enfant !

— Non, Commandeur. Il ne s'agit pas d'un prétendu enfant. Il existe.

— Ah ! J'oubliais, docteur Seiffert, que vous dites même savoir où il se trouve.

— C'est vrai. Je suis sûr de mon informateur.

— Votre informateur ! Le fameux Zamor ! Ce maharadjha qui dilapide notre argent au Valet de Carreau et dans tous les bas tripots du quartier noir.

Sans savoir pourquoi, la Marmotte a l'impression qu'il faut retenir... Soi-disant... Zamor... Valet de Carreau... et... Tripot.

— L'important, Commandeur, était de savoir où est cet enfant, en attendant la décision de Sa Majesté. Elle vient de nous la transmettre. La reine souhaite que nous lui donnions à voir cet enfant, sur son passage. Nous en étions d'accord, vous, le vicomte et moi, pour obéir à la reine.

— Non, docteur ! Je ne le suis plus !

Commandeur frappe la table du poing. Le vicomte va à lui. La différence de taille ne paraît pas l'effrayer.

— Commandeur, je trouve votre revirement bien vif et troublant pour un gentilhomme. Je ne saurais l'expliquer que par des motifs personnels ! Serait-ce lié à votre sang mêlé ?

— Qu'insinuez-vous, vicomte ?

Cette fois, le docteur Seiffert n'est pas assez prompt pour empêcher Commandeur de saisir le vicomte à la gorge.

— Allons, messieurs, pensez à la reine !

Commandeur lâche sa prise à regret et recouvre son calme dans l'instant. Il marche le long de la table.

— En fait, messieurs, j'espérais que la réponse de la reine mettrait fin à cette mascarade, et dénoncerait la fable grotesque de l'enfant secret.

— Commandeur, doit-on comprendre, le docteur Seiffert et moi, que vous désirez reprendre votre serment ?

Ça, la Marmotte sait que c'est impossible. Un serment, c'est comme un baiser, on ne peut pas le rappeler.

— Pour moi, messieurs, l'enfant que réclame Sa Majesté n'existe pas. Il n'y a qu'un dauphin. Il est aujourd'hui enfermé à la prison du Temple. Ses neuf ans sont notre avenir. Le temps viendra où il montera sur le trône de France.

La Marmotte se demande si, ce jour-là, celui qui aime tant qu'il fasse la roue se souviendra de lui... Premier roulailleur du roi... Pas mal, comme titre !

— Ce jour béni, nous pourrons j'espère crier ensemble : Vive le roi !... Vive Louis XVII !...

Le cri de Commandeur n'a entraîné que lui. Ces messieurs se regardent comme on se compte. Il ne semble pas déçu. Il se dirige vers la porte.

— Adieu, messieurs, tout est dit. Je m'en vais faire mon devoir. Sachez qu'à partir de cet instant, je consacrerai toute ma foi et mon énergie à faire disparaître cette fable, par tous les moyens ! Ceci est mon dernier geste de gentilhomme.

Le chapeau sur le cœur, il salue le docteur et le vicomte.

— Chacun pour soi ! Dieu fera son choix !

Commandeur sort. La pièce semble soudain vide.

— Vicomte, au moins les choses sont nettes. Nous voilà seuls, vous et moi, pour répondre à l'appel de la reine.

La Marmotte en a des frissons jusqu'au bord des yeux. Il s'extirpe de sous le volet de la cheminée. Sidonie-c'est-joli s'essuie les larmes avec son tablier.

— Alors, ma bonne Sidonie, Coco est-il prêt ?

Le docteur Seiffert apparaît sur le seuil de la cuisine. S'il est ému, sa barbe le cache bien. Sidonie-c'est-joli lui tend le carlin. Il l'inspecte de façon presque indiscrète.

— Vous êtes une fée. On ne voit rien. Nous allons pouvoir envoyer la réponse à Sa Majesté... par la même voie. Si je puis dire. Le vicomte est en train de chiffrer notre message. Toi, jeune homme, tu sais ce que tu dois faire, maintenant.

— Et mon louis ?

La Marmotte se trouve très courageux d'avoir osé réclamer.

— Tu le toucheras quand tu auras rendu ce carlin à qui tu sais et rapporté l'autre ici.

Le docteur retourne dans la bibliothèque avec le chien.

— Tenez, mon garçon, pour votre route.

Sidonie-c'est-joli lui glisse un peu partout : une pomme, des noix et un petit pâté en chausson tout chaud. La Marmotte se demande jusqu'où a bien pu descendre la main baguée-gantée du marin.

— Prenez bien soin de Coco, mon garçon. Sa Majesté y tient énormément. Moi aussi. Mais j'ai confiance en vous.

C'est tout. Elle ne dit même pas... Il est comme la prunelle de ma prunelle... Ni... Pour votre peine, à votre retour, il y aura plein de pommes, de noix, et de petits pâtés en chausson. Sidonie-c'est-joli ne dit rien, mais ce n'est pas la peine. Elle lui dit si gentiment « vous ».

— Voilà, le message est à la poste !

Le docteur Seiffert lui met le carlin dans les bras.

— Tu seras tranquille, jeune homme, je l'ai anesthésié pour qu'il ne ronge pas sa couture. Nous comptons sur toi. Tu sais ce qu'il te reste à faire.

Le docteur Seiffert tapote la joue de la Marmotte. Sa main empeste la médecine et le sourire dans sa barbe ne sent rien de bon. Il rejoint le vicomte à la bibliothèque et referme la porte. Dommage. La Marmotte aurait bien voulu écouter encore, pour en savoir un peu de plus.

Le garde aux deux pieds de cochon à la ceinture le pousse vers la sortie. Il aurait voulu faire un dernier signe à Sidonie-c'est-joli. Pas le temps. Dans le couloir, les tableaux d'ancêtres boudent toujours. Le garde le presse jusqu'à la porte du passage. Vlam! Le voilà dehors avec trois tours de clef dans le dos et une nuit à la mélasse sur les épaules.

La rue est vide des deux côtés. La Marmotte ne peut s'empêcher d'imaginer le message qui se promène à l'intérieur de Coco. Sans savoir pourquoi, sauf qu'il aime se faire peur dans le noir, il pense au piqueur, avec son engin à percer les ventres. Il peut être n'importe où. Le plus sage serait d'attendre un promeneur et de lui filer le pas. Seulement, quand on reste immobile, la peur pousse mieux. Elle a méchante sève, cette humeur-là. Le poids de Coco le rassure un peu. Mais au cas où il y aurait à courir, il vaudrait mieux l'arrimer et lui nouer une sorte de hamac avec la cape.

— Je peux t'aider, marmouset?

La pique! Avec l'échalas derrière. On a beau s'y attendre, le cœur saute du hamac. Cette fois, ce sera difficile de le semer. Il l'a coincé dans une encoignure.

— Je t'ai déjà dit que je m'appelle Marmotte!

— Si tu veux, mais ça ne te va pas comme nom.

— Tu en as déjà vu, des marmottes?

— Non, mais tu n'y ressembles pas... Hé!... N'essaye pas de m'embrouiller l'esprit. Tu vas me répondre, enfin : c'est toi qui l'as écrit, oui ou non?

Il montre une espèce de boulette de papier fripée. Ce doit être le mot qu'il a laissé sur l'estrade de la guillotine. La Marmotte fait semblant de réfléchir en glissant son sabre sur le côté. L'idée est d'essayer de saisir discrètement la poignée sous sa cape. Et ensuite, en se jetant hardiment, de percer le piqueur entre les bretelles, au ras de la gibecière. Plein ventre ! Pas de danger qu'on y dérange un message royal. Après, il faut retirer la lame en posant le pied sur le sternum. Le plus difficile est de ne pas se salir.

— Pourquoi tu me demandes ça, citoyen ?

— Parce que je suis plus poli que ma pique.

— Si c'est une question de politesse...

La Marmotte s'incline... Là !... Grâce à la fausse courbette, il a presque attrapé le sabre.

— Oui, c'est moi.

— Donc tu sais écrire.

— Pardi !

Ça y est. La Marmotte vient d'affermir sa main sur la poignée. Une fois qu'il aura lardé Piqueur, il lui donnera l'adresse de la Sidonie-c'est-joli pour la cicatrice au point de croix.

— Et tu sais lire aussi, Marmotte ?

— C'est vendu avec.

— J'en étais sûr !

Piqueur se jette sur lui. La Marmotte n'a rien vu venir. Trop tard. L'échalas le saisit à bras-le-corps, le soulève et le plaque contre le mur. Il y a triche. La Marmotte ne s'était pas préparé au corps à corps. L'autre est une vraie pieuvre édentée qui pue le scorbut. Cet égout à ciel ouvert va l'étouffer ! L'affectueux le bise. Il aurait dû s'en douter. Piqueur est un chevalier du jacquet, un croque-chérubin, un gobeur de chaperon, un sodomite, une cocarde trouée... Les mots et le souffle lui manquent.

— Tu sais lire! Tu sais écrire! Donc... tu vas m'apprendre!

Piqueur lâche la Marmotte qui le regarde ahuri. Apprendre à lire! C'est ça qu'il veut.

— Pourquoi moi?

— Parce que tu es petit et noir : donc je dois y arriver.

Avec des raisonnements pareils, l'apprentissage ne sera pas aisé. Mais feignons d'être d'accord avec cet échappé de Bicêtre.

— Citoyen, je te préviens, ce ne sera pas facile d'apprendre tout ça, ce soir. D'autant que je dois me rendre près du Pont-au-Change

— Je t'accompagne, Marmotte.

Un homme, une pique et un enfant pieds nus, ça ressemble plutôt à l'escorte d'un prisonnier.

— Tu sais, Marmotte, j'ai besoin de connaître les lettres, c'est tout. Les mots, je les ai. Regarde!

Il ouvre sa gibecière. Elle est bourrée de morceaux de papier de toutes les tailles.

— Tiens, celui-là c'est ma dernière prise.

« Moineau », le nom de la rue d'où il vient. C'était bien lui qui le suivait.

— Ça, c'est mon plus long. Je l'ai trouvé par terre.

Très fier, Piqueur lui tend « Logotachygraphe », en souriant. Puis « Convention », « Egalité », « Pain », ... Ils marchent. La Marmotte lit. Piqueur lui tend les mots comme des friandises. La Marmotte le regarde. Un chasseur de mots dans les rues de Paris! C'est le premier qu'il rencontre. La Marmotte manque percuter un réverbère éteint, le mot « Opinion » à la main.

— Pourquoi tu as une pique, si tu ne t'en sers pas ?

— Pour passer inaperçu. Tout le monde en a une.

La Marmotte donne à Piqueur son pâté en chausson sans savoir pourquoi. Soudain d'une ruelle surgit la cavalcade d'un groupe de braillards avec des flambeaux.

— Elle est foutue, l'Autrichienne ! Hermann et Fouquier la tiennent. Elle passe un vilain quart d'heure au tribunal. On va lui voir le museau. Vous venez avec nous ?

Piqueur hausse les épaules désolé. Il montre la Marmotte.

— On peut pas. Il faut qu'il m'apprenne les lettres.

La bande rit et reprend sa course. Une fille lance une carmagnole. Les autres reprennent. Ça chante et dévale à la torche la rue de l'Arbre-Sec avec des ombres disproportionnées. C'est le chemin pour le Tribunal révolutionnaire. La Marmotte et Piqueur poussent plus loin dans Saint-Honoré.

*

Enfin le regard de Marie-Antoinette croise celui de Commandeur. Il est debout derrière la balustrade. Pour arriver jusque-là, il a dû jouer des épaules et de la bourse à travers la Grand-Chambre. Quelle curée obscène ! Dans quelques heures, le moindre corps flasque de cette foule sera plus vivant que celui de la reine.

Comme elle a vieilli !

Commandeur l'observe tandis qu'elle ferme les yeux. Ces cheveux blanchis, ce cou décharné toujours fier, cette gorge qui tente encore de se dresser. Commandeur admire sa volonté farouche d'habiter de noblesse tout cet écroulement.

Enfin elle le voit.

La reine reconnaît d'abord la longue chevelure noire lâchée libre sur ses épaules. Sa poitrine se soulève. Elle voudrait se lever. Aller vers lui. Effleurer d'un doigt le dos de sa main comme par distraction. La dernière fois, c'était chez Mme de Polignac, sur le piano-forte du salon de musique. Il jouait si délicatement cette pièce de Gluck... La reine ne se souvient plus laquelle, mais sa main a meilleure mémoire. Elle s'agite sur le bras du fauteuil. Aussitôt le silence se fait autour d'elle. Elle n'entend plus les vociférations de Fouquier-Tinville qui beugle sans conviction son réquisitoire. Les notes de musique viennent voleter en ribambelle autour de sa coiffe de linon.

Tout à coup, comme dans une trouée, la reine voit la main de Commandeur lui répondre sur la rambarde. Elle se souvient à présent de ce code musical qu'ils utilisaient pour se parler en secret, à la vue de tous... *Tutto a te mi guida*... Il lui rappelle sa devise de jeune fille. Pourquoi ?

Du bout des doigts, Commandeur lui fait maintenant une demande douloureuse. Son cœur se serre. Elle répond. Commandeur insiste avec cette fougue du phrasé qu'elle appréciait tant. Mais la main de la reine reste ferme. Oui... *Il me plairait qu'Il me soit exposé...*

Commandeur lâche la rambarde comme on claque le couvercle d'un clavier. Des yeux il prend congé.

D'un coup, le bruit de la salle revient exploser aux tempes de Marie-Antoinette. Elle suit la longue chevelure noire qui s'éloigne. La voix de Fouquier-Tinville tonne.

— Voilà pourquoi au nom de la Patrie, pour la veuve Capet, nous demandons... la mort!

Marie-Antoinette devient livide. Commandeur a disparu. Il s'est caché à son regard. Adossé à une colonne pour qu'elle ne le voie pas faillir, il a écouté l'accusateur. Comme il eût préféré que ce fût pour lui qu'on demandât la mort. On l'aurait saisi, assailli, il aurait résisté, assez pour être percé de piques et de lames sur-le-champ. Cette bonne fortune l'aurait ainsi dispensé de commettre ce qu'il allait commettre.

*

La Marmotte et Piqueur avancent côte à côte dans la rue Saint-Honoré.

— Dis Marmotte, où on va?

— On va échanger un chien.

— Quel chien?

Il entrouvre sa cape.

— Celui-là.

— Tu vas le vendre pour faire un ragoût? Il n'y a pas grand-chose à en tirer.

— Non, je vais l'échanger.

— L'échanger contre quoi?

— Un autre chien. Le même.

— Comme ça, t'es sûr de pas y perdre. T'es malin toi! Dis, Marmotte, après le chien tu pourras m'apprendre à accrocher les lettres.

La Marmotte grogne quelque chose qui peut vouloir dire... Bon, d'accord, après... Piqueur a l'air content. En chemin, il attrape et recopie des noms de rue, des calicots, des morceaux d'affiche. Sa gibecière va finir par craquer. La Marmotte n'avait jamais remarqué qu'il y avait tant de mots en liberté.

— Dis Marmotte, tu habites où?

— Dans des livres.

— Dedans! Comment tu as fait?

— Je me suis fait une cabane.

— Elle est où?

— Entre le jardin des Tuileries et la place de Vendôme, dans l'ancienne église des Capucins. Elle a été transformée en dépôt de livres. C'est là qu'on a rangé tous ceux qu'on a pris dans les couvents quand ils ont été fermés. Il y en a des milliers et des milliers!

— Tu les as tous lus?

— Non, seulement un!... *Les Voyages du capitaine Cook.*

— C'est une histoire de pirates?

— ... Chut!... Regarde.

La Marmotte montre à Piqueur une roue à rayons jaunes! La plus belle des roues. Elle est devant eux, dans la rue Betisy. Elle a des rayons jaune soleil, avec capote, timon, marchepied, sellette, cheval et cocher. Tout ce qu'il faut pour faire un fiacre endormi. Un titubant s'approche, et réveille le cocher avec sa canne.

— Rue Saint-Cyr et au trot!

— Holà, citoyen! Sais-tu pas qu'y-a-pu de saint de nos jours?

— C'est juste. Alors, allons rue Cyr!...

— Sais-tu pas, non plus, qu'y-a-pu d'sire...

— C'est juste aussi. Bon... s'il n'y a plus de saint ni plus de cyr, me voilà rendu!... Tiens, voilà dix sous pour ta course, mon brave.

Le titubant s'en repart et le cocher s'en rendort. La Marmotte et Piqueur descendent jusque vers Châtelet. Le temps pour Piqueur d'attraper quelques mots et ils sont devant une enseigne de bois peinte... « Café de la Barillerie »... Elle plaît à Piqueur. Tant mieux. C'est là que la Marmotte a rendez-vous avec Qui-tu-sais, pour l'échange des carlins. Piqueur reste sur le pavé.

— Moi, je préfère dehors.

Il est déjà reparti en chasse.

A l'intérieur, l'endroit est presque désert. Deux endormis se chauffent à l'œil. Le patron bâille. Assis derrière une bouteille de compagnie, Qui-tu-sais attend sous un chapeau de cocher. Il a mis son visage passe-partout et fait une patience avec des cartes délavées. Dès qu'il voit la Marmotte, il ramasse son jeu, et vient à sa rencontre comme pour l'empêcher d'aller plus loin.

— Tu as le cabot, ramoneur?

La Marmotte n'aime pas qu'il l'appelle comme ça. L'autre le sait. Il lui montre sous la cape le carlin brodé qui dort. Il pèse de plus en plus lourd dans ses bras.

— Viens par là!

Qui-tu-sais fait ressortir la Marmotte du café et l'embarque par une porte voûtée juste à côté. La Marmotte se retrouve dans une cour pavée. Il y a un arbre encore feuillu planté contre un mur, des tonneaux alignés et une lune qui fait réverbère.

— Donne-moi le cabot.

— Et l'autre?

— Quel autre?

— Le chien que je t'ai donné tout à l'heure, citoyen. Tu dois me le rendre. C'était convenu. Moi, il faut que je le rapporte au docteur.

— Pas de nom! On t'a dit pas de nom!

Inutile de s'échauffer. « Docteur », ce n'est pas un nom. Même Piqueur sait ça.

— Ha, oui!... L'autre cabot. Non, ça a changé. Ce n'est plus la peine qu'ils ont dit.

— Et mon louis?

— Quel louis?

Il y a de l'écho dans la cour.

— Celui qu'ils devaient me donner.

— Tu verras avec eux. Allez, passe-moi le cabot, je suis pressé!

— Mon louis d'abord.

— Ça suffit ramoneur! Donne ça!

Qui-tu-sais fait virer à la fureur son semblant de visage. Il bouscule la Marmotte et lui arrache le carlin des bras. Un morceau de cape vient avec, le sabre gicle en ricochets sur le pavé, avec les noix qui rigolent et la pomme qui roule. Ploc! La main gantée-baguée du marin tombe à ses pieds. La Marmotte se sent tout nu.

— Fini de jouer ramoneur. Ce n'est pas une histoire de gosse. Paraît que tu en as beaucoup trop entendu, qu'ils ont dit.

Comment peut-il déjà savoir? C'est de la faute de Piqueur. A force de faire l'école buissonnière et de cueillir des mots en chemin...

— Résultat, maintenant, c'est à moi de rattraper les bêtises. Alors, on va rattraper.

Qui-tu-sais pose le petit chien endormi sur une barrique. On dirait un saint-bernard nain qui s'est trompé de tonnelet. L'homme tire de sa botte une baïonnette.

— T'inquiète, c'est une amie. On fait tout ensemble. Je veux qu'elle voie ça.

Il la plante en patère dans le tronc de l'arbre. La Marmotte a peur. Qui-tu-sais est trop calme. Sa voix trop paisible. On dirait qu'il l'a déjà fait. La Marmotte reste figé. L'homme le saisit au cou. Ses yeux sourient. Il faut hurler. Ce type veut te tuer. La Marmotte lâche sa terreur qui grimpe dans son corps comme un feu de cheminée. Ce sera un embrasement. Même pas. Deux pouces s'enfoncent dans sa gorge et lui coupent le souffle comme une clef de tirage. Ne perce qu'un misérable chapelet glaireux qui s'étrangle et va mourir en bave sur ses lèvres. Frappe-le ! Dégage-toi ! La Marmotte s'agrippe. Il fait non ! non ! et encore non ! avec la tête. L'autre rit, le décolle de terre. Ses pieds se glacent, sa tête bourdonne. Passe une énorme roue aux rayons jaunes. Elle se voile. Ses paupières basculent.

— Ouvre les yeux ! Je veux que tu me voies !

Il le lâche pour le gifler. C'est toute la nuit de l'arrière-cour qui s'engouffre par un trou béant dans sa poitrine. Son corps hoquette. Il y a un parfum dans l'air. Tilleul ! C'est un tilleul, cet arbre.

— On va en finir. Je n'ai pas que ça à faire.

L'homme reprend son étreinte comme on se remet à une besogne. Ça ne l'amuse plus. Il va bâcler. Sa poigne est brusque. Le froid gagne. La roue aux rayons jaunes repasse... *Toujours pas d'amateur?*... Elle grince, et grelotte. La Marmotte voudrait courir derrière, mais il bute sur la chemise de l'homme... Tu vas crever le nez dans le coton, négrillon!... Soudain, le blanc du tissu se déchire et fleurit d'un grand coquelicot.

Il y a un craquement d'os. Le sang gicle.

L'homme regarde sans comprendre la pointe de la pique qui vient de lui transpercer la poitrine. Qu'est-ce qu'elle fait là?... Aâââhh!... Le cri a dû venir bien avant, mais c'est bon de l'entendre, même avec du retard. Piqueur pourra le recopier. C'est une bonne prise.

Recroquevillé sur le pavé, la Marmotte écoute chaque parcelle de son corps se remettre en place. Il lui manque le bas du ventre.

— Tu pourrais m'aider, Marmotte!

Piqueur, le pied calé dans le dos du transpercé, essaie de récupérer sa pique.

— Pas facile d'extraire huit livres de rosace de fer de cette viande!

Ça en fait de la particule, pour une phrase de sans-culotte! La prise est bien harponnée mais finit par lâcher. La Marmotte regarde Qui-tu-sais. Il a retrouvé un semblant de visage pour mourir.

— Voilà un louis de perdu.

Il faut qu'il se refasse, ou c'est la banqueroute façon Law. Pendant que Piqueur nettoie son outil dans la rigole, la Marmotte cherche à tâtons la main baguée-gantée. Son trésor! Il la récupère au milieu des noix et des pommes. Avec ça, il va pouvoir s'en offrir des roues de fiacre, de berline, de tilbury, de wiski et cabriolet. Il retire délicatement le gant qui colle à la main poisseuse. Même un gros rubis suffira à le faire rentier. Bon sang ! La Marmotte regarde sur la main tranchée l'énorme perle noire enkystée à l'annulaire. Une perle poilue monstrueuse.

Une verrue !

C'est une verrue en grappe de taille à ronger un homme jusqu'à l'os. La Marmotte a tout juste le temps de se jeter contre l'arbre pour vomir. Agrippé à la poignée de la baïonnette, il se vide de sa soirée. Tout ça pour un louis. La prochaine fois, j'accepte les assignats.

Il récupère son sabre. Piqueur charge le carlin sur son épaule comme un faon endormi.

*

De son fiacre, Seiffert regarde le gamin noir flanqué du sans-culotte descendre vers le quai de la Mégisserie. Le fier-à-bras a raté son coup. Il y a demi-mal. Ils ont encore Coco. Suffit de le récupérer. Le docteur ouvre une trousse étroite en cuir. Il en sort un scalpel au galbe effilé.

— Cocher, suivez ces deux drôles !

*

— Marmotte, maintenant que je t'ai sauvé la vie, tu vas m'apprendre comment s'accrochent les lettres ensemble.

— Non !

— Tu exagères. Qu'est-ce qu'il te faut de plus ?

— Une roue avec des rayons jaunes !

4

La Vainqueuse

Ed et Jones descendent de front la rue des Prou-
vaires. Un boyau sombre, avec des façades pas
commodes, toujours à l'affût d'un mauvais coup sur le
quidam égaré.

— A l'eau!

Une gerbe jaunâtre vole d'une fenêtre au deuxième
étage. Ed et Jones ont juste le temps de se garer et elle
se fracasse sur le pavé dans leur dos. Inutile de se
retourner pour inspecter l'humeur des éclaboussures...
C'en est!... L'odeur suffit.

— Encore heureux qu'il ait prévenu.

— Sinon on était perruqués au vase de nuit.

Occupés à briquer leurs bottes sur une borne, ils ne
remarquent pas au croisement le fiacre qui stationne en
retrait dans la rue Betisy. Deux ombres s'affairent
autour. Le cocher aurait avantage à se réveiller et à
faire claquer sa chambrière.

Chacun de son côté pense à la mission du marquis.
Douze heures pour retrouver un enfant inconnu! Ed

se dit qu'il faut être bien stupide pour avoir accepté. Mais madame l'avait regardé d'une telle manière. Jones préfère ne pas trop se répéter que les effets de messes noires de la marquise sentaient le coup monté.

Ils s'arrêtent devant une gargote à peine éclairée de l'intérieur, La Vainqueuse. Au-dessus de la porte, une bastille en tôle rouillée pendouille à sa potence. Sous peu, un client se fera décapiter par l'enseigne.

— Dis-moi, Ed, ça s'appelait bien La Gamelle de la Révolution, avant ?

— Oui, mais la Patronne a changé le nom, pour protester contre une injustice.

— Quelle injustice ?

— Tu verras, on n'y coupera pas... Silence !

Tout à coup, Ed s'accroupit. Il fait signe à Jones de se mettre en couverture et dégaine son 38. Il y a un éclair argenté dans l'obscurité. Ed s'approche de l'entrée et colle son oreille à la porte. Il reste un instant dans la position du mari jaloux, puis se met à renifler à hauteur de la serrure.

— Tu sens, Jones ?

— Non, je sens rien.

— Justement. C'est pas normal. Ça devrait sentir.

Jones attend les explications mais son équipier continue à jouer le fox-terrier.

— Sentir quoi, Ed ?

— La pomme !

Ed envoie le signal qui veut dire... Attention, on fracasse et on entre... Jones soupire. La mission commence bien. On va martyriser l'huisserie d'une gargote parce que ça ne sent pas la pomme. Ce soir, avec Ed, il n'y a pas intérêt à laisser traîner une odeur.

— Prêt?

Un coup de botte dans le battant et les deux se jettent à l'intérieur, les 38 en porte-drapeau.

— A vos rangs!

— Fixe!

Ed et Jones ont crié les ordres. Pas d'écho. La salle est vide avec tout un désordre de chaises et de tables renversées pour meubler.

— C'est quoi, ce carnaval?

La tête de la Patronne apparaît sous un banc. Elle est à quatre pattes, une mèche blonde en rideau devant le visage, et le tonnelet d'eau-de-vie en sautoir. Elle essore une serpillière rougeâtre au-dessus d'un seau.

— Vous ne pouvez pas entrer comme tout le monde, citoyens? En toquant.

— Excuse-nous, citoyenne. Ça ne sentait pas.

— C'est le propre des maisons honnêtes, mes gaillards.

— Heu... Je voulais dire que ça ne sent pas la pomme. Et quand ça ne sent pas la pomme chez toi, on s'inquiète.

La Patronne relève ses cheveux.

— Edmond Cercueil! Je ne t'avais pas remis, avec ton chapeau d'épouvantail.

— C'est peut-être mon nouveau sourire.

— Faut dire que l'acide, ça te change un homme.

Elle inspecte son visage.

— Bel ouvrage. On voit que c'est une femme qui s'est occupée de toi.

Ed se referme. Il n'a pas envie d'entendre la Patronne parler de la marquise. Elle le sait et remet de l'ordre dans sa tenue en se rajustant à pleines poignées démonstratives. Elle découvre Jones.

— Tu es là, toi aussi ! Les deux affreux sont réunis. Ça promet de l'animation dans la section.

— On dirait, citoyenne, que tu en as eu ton compte, ce soir.

Ed montre le désordre de la salle.

— Tu fais toujours cercle républicain ?

— Je peux plus. Viennent d'interdire les clubs de citoyennes. Belle trouvaille ! Je dois débiter à boire qu'ils m'ont dit, pas des idées. Surtout des idées de femmes. Paraîtrait que ça tache plus que le rouge. Mais ils vont s'apercevoir que même quand on frotte, ça a du mal à partir et que ça laisse des auréoles. On a déjà nos saintes : Mme Roland, Rose Lacombe, Théroigne de Méricourt. Tiens, l'auteur de la nôtre...

Elle montre le mur où est placardée la déclaration des Droits de la Femme.

— ... Olympe de Gouges. Ils vont la guillotiner, alors qu'elle est enceinte ! Vous croyez qu'ils feraient ça à un homme ?

Jones veut avancer une objection anatomique, mais quand il voit la Patronne tordre sa lavette comme si c'était le cou d'un député, il renonce.

— Je vois bien, les affreux, que vous n'êtes pas venus pour pétitionner en faveur du vote des femmes... La guillotine, oui ! les urnes, non !...

Jones se dit qu'avec la Patronne, ce devait être animé une réunion de club de citoyennes. Elle entreprend de rouler une barrique vers la porte. Ed l'arrête.

— Citoyenne, tu crois qu'on est venus là pour écouter tes doléances femelistes ? On n'a pas le temps. On n'a que la nuit.

— Une nuit ! Ça me suffit, mon Edmond. Si c'est une nuit papillon. Quinze heures d'amour ! On a déjà connu tous les deux !

Jones n'avait jamais vraiment essayé de savoir ce qu'il y avait eu entre Ed et la Patronne. Ni ce qu'il y avait encore. Mais il y avait. Ed fixe la Patronne... Ah, ces yeux ! S'il avait voulu, celui-là, aujourd'hui, tous les deux tiendraient le Procope et on l'appellerait *Madame* !

— J'ai compris, les affreux. Installez-vous. Je vais vous trouver à boire.

Les deux font un brin de ménage et s'assoient à une table. La Patronne revient avec deux verres et une bouteille poussiéreuse. Ed reconnaît la cire rouge du bouchon. C'est du bon. Ils ont récupéré ce vin ensemble, chez Réveillon quand on a brûlé sa manufacture en 89. Rien que de bons souvenirs. La Patronne lui lance un clin d'œil.

— Causons, mes mignons. La dernière fois, vous cherchiez une tête de nègre aux yeux bleus dans Haarlem. Cette fois, c'est quoi ? Des pieds palmés de baron au Jardin du roi ?

— Non. Un enfant léopard !

La Patronne éclate de rire. Il y a du tressauté dans la mamelle.

— Qu'est-ce que je disais ! Vous devriez ouvrir un bureau tous les deux... Les Affreux, Recherche de monstres et curiosités... Désolé, ce coup-là, je peux pas vous aider. Pourtant ici, j'en vois défiler du pas ordinaire.

— Même du comme ça?

Jones présente à la Patronne la miniature ovale à la manière d'une plaque de police.

— Pauvre gosse!

Ed est certain qu'elle a cillé.

— Parole, ils l'ont passé à l'acide. Dis donc, Edmond, ce serait pas un de tes enfants? Tu trouves pas, Jones, qu'il y a un air de famille?

— Me cherche pas, citoyenne! Dis-nous plutôt si tu le connais.

Ed lui saisit le poignet et ne le lâche pas. Ce type la tuerait sur place sans broncher. Comme il la tuait d'amour sur place, sans qu'elle bronche. La Patronne s'enfile une rasade directement au tonnelet. Ed lui arrache l'eau-de-vie de la bouche.

— Si tu sais quelque chose, citoyenne, vaut mieux le dire.

— Ce soir, on n'a pas le temps d'être galants.

— Toi, Edmond, t'as jamais été menacé par ça. D'abord, vous lui voulez quoi, à ce gosse?

— Le retrouver. Le reste, c'est pas ton affaire.

— Je dirai rien. Vous pouvez me cogner, me tisonner, démolir la maison.

— Alors, tant pis pour toi, citoyenne. Regarde ça!

Ed claque sur la table sa plaque bleue émaillée.

— Ça veut dire qu'on est en mission officielle. Tu connais la nouvelle loi sur les suspects. Avec elle, on peut t'attraper par les cheveux, te tirer jusqu'au premier comité de surveillance. Tu connais la suite, c'est le Tribunal et la charrette. Alors, tu dis quoi, citoyenne?

La Patronne se dresse. On dirait qu'elle va lui cracher au visage.

— Je dis, Edmond, que tu es un foutu animal. Et que c'est pas parce que tu as une plaque bleue de laquais que tu restes pas un sale...

— Un sale quoi?

Ed a saisi la Patronne aux épaules et la secoue.

— Un sale quoi? Dis-le! Un sale nègre! C'est ça?

Oh non! Le cœur de la Patronne se vide. Ce n'est pas ce qu'elle veut dire. Edmond le sait. Il la connaît. Il ne peut pas penser ça. Il n'a pas pu oublier. La Patronne en pleurerait de rage. Des petits négrillons de lui, elle en a tant voulu! Plein. De quoi remplir la maison, en avoir dans les jambes, les voir courir partout, brailler, et rire comme des lampions. Elle était prête à rester grosse à demeure, et pondre comme la statue de la Liberté avec un trident à la main en manière de pelle à gâteau.

— Ça suffit, Ed. Lâche-la! Tu vas trop loin.

Ed donne l'impression de se réveiller en sursaut. La Patronne sanglote dans son tonnelet. Bêtement, Ed essuie une table comme si c'était elle qu'il fallait consoler. Bien sûr, ce n'est pas ce qu'elle a voulu dire, il le sait. Mais depuis qu'on lui a brûlé la peau à l'acide, la couleur est plus sensible. Comment on dit pardon, en pataud? Heureusement, la Patronne parle sa langue. Elle accepte les excuses qu'il ne lui présente pas et se mouche en trompette dans son tablier.

— D'accord, les affreux, on va causer. Vous l'aurez voulu. Parfois il vaut mieux ne pas savoir. J'aurais prévenu. Après, faudra pas venir vous plaindre de mon ragoût. Surtout toi, Ed.

La Patronne leur laisse une chance. Personne ne saisit. Alors, elle cause.

— Il y a deux-trois jours, j'allais fermer, quelqu'un est venu tout encapuchonné comme un conjuré. Le quelqu'un cherchait après un enfant. Il m'a fait voir son portrait. C'était lui.

Elle montre l'enfant léopard.

— Qui c'était, ce quelqu'un ? Tu l'as reconnu ?

— Oui, c'était la marquise d'Anderçon.

Ni Jones ni Ed n'ont l'air surpris. Seulement assommés. Ed se lève et tourne parmi les tables, Jones boit. La Patronne guette Edmond. Elle a peur de ses premiers mots.

— Vas-y, citoyenne, raconte-nous ton histoire.

— Elle est simple. La marquise est venue...

— Pourquoi chez toi, citoyenne ?

— Hé ! Tu me laisses raconter, Edmond, ou tu me découpes tout de suite comme un lapin ?

Qu'est-ce qu'il peut se sentir maladroit avec cette femme ! Mais par où la prendre ? Il a toujours l'impression que c'est elle qui le saisit. Jones fait signe à la Patronne de continuer.

— La marquise me parle d'un fils disparu qu'elle recherche. Elle l'avait confié à un couvent, mais quand les sœurs ont été chassées, elle n'a plus eu de nouvelles. Elle me dit qu'il ne lui reste que ce portrait, qu'elle est inquiète et qu'elle veut retrouver son fils.

— Ça ne tient pas debout, citoyenne. Pourquoi confier son enfant à un couvent ?

— A cause de son apparence. Avec sa maladie de peau, il n'était pas facile à montrer dans le monde, votre enfant léopard.

— De la part de la marquise, pour moi c'est inimaginable, citoyenne.

— Edmond ! Je croyais que la marquise t'avait sauvé les yeux. Je crois plutôt qu'elle t'a rendu aveugle.

— Attention, tu recommences, citoyenne !

Jones les sépare. Ça devait être quelque chose, leurs réconciliations. La Patronne repart au feu.

— Vous oubliez, les affreux, que l'enfant noir caché, c'est un vieux classique. Si vous lisiez un peu plus les gazettes, vous sauriez que ça va d'Anne d'Autriche, à Restif de La Bretonne, en passant par l'ambassadeur américain à Paris, le Thomas Jefferson.

Ed et Jones se demandent dans quelles gazettes on peut trouver tout ça.

— Le Jefferson, lui c'était le pire. Il trouvait que les Noirs sentaient mauvais. Mais à Paris, il se promenait partout avec son esclave Sally. Faut dire qu'elle était belle. Presque autant que la marquise. Il lui a fait une ribambelle de gamins, et pas qu'à elle...

Ed préfère ne pas essayer de comprendre les sous-entendus de la Patronne, sinon il va l'étrangler avec le cordon de son tonnelet.

— D'accord, d'accord ! citoyenne. Continue l'histoire de l'enfant.

— Malheureusement pour vous, les affreux, cet enfant léopard n'est pas un enfant... c'est un dieu !

Ed et Jones ont un hoquet.

— Je te l'ai toujours dit, citoyenne. Tu devrais lâcher la bouteille.

— Qu'est-ce que tu nous mijotes comme plat de chien ?

— Mijoter ! C'est une bonne idée, les affreux. Vous êtes venus pour mon boudin. Vous en aurez !

La Patronne est déjà aux fourneaux. Les gamelles, poêles et casseroles volent au-dessus de sa tête. Elle a au moins sept bras et dix mains. C'est à croire que tout le monde est dieu, ce soir. Surtout elle.

— Oui, mes mignons, un dieu! Un dieu pour une bande de cinglés qui vous écharperont si vous vous en approchez.

— C'est quoi cette histoire?

— Vous voulez la recette? Choisissez quelqu'un de particulier, ni blanc, ni noir, mais les deux.

La Patronne prend la posture de la Déesse au Fourneau. D'une main, elle pèle ses pommes, de l'autre verse du lait dans une jatte, et de la troisième touille sa purée.

— Attention, il faut qu'il soit bien tendre. Un enfant. L'innocence, la pureté, c'est parfait, pas la peine de vous faire réchauffer, vous connaissez.

De la quatrième main, elle découpe des parts de boudin géantes.

— Vous ajoutez un peu de mystère. On ne sait pas d'où il vient, ce gosse, ni qui sont ses parents.

Elle saupoudre d'ingrédients secrets avec la sixième.

— Pas même une petite idée, Patronne, pour son père ou sa mère?

— On regarde pas sous les voiles de la Vierge. J'ai appris ça chez les sœurs des Blancs-Manteaux

— T'as passé chez les sœurs, citoyenne?

— Oui mon Edmond, « j'as passé ». C'est le jardinier qui m'a donné ma première communion dans la cabane à outils. Depuis, j'ai de la religion et la main verte. C'est ma septième. Chez l'homme, je peux tout faire fleurir. T'en sais quelque chose, mon Edmond!

Il ne relève pas. Cette femme ou il la tuera, ou il la mariera. Mais ce sera encore elle qui aura choisi.

— Pour compléter la recette du dieu-enfant, t'ajoutes au mystère un peu de malheur : le gosse est muet.

Ed et Jones idem.

De la huitième main elle goûte à pleine bouche.

— Voilà la tambouille. Y'a plus qu'à annoncer le plat du jour : Un gosse qui guérit de tout, apporte la paix, la fraternité et te donne les numéros de la loterie du Pont-Neuf si tu ajoutes une pièce. Tout ça sans un mot. Si avec ça tu ne remplis pas les troncs... Attention chaud ci-devant! Le boudin aux trois pommes de la patronne!

De la neuvième main, elle sert et de la dixième, elle sourit. Enfin la Patronne se rajuste une mèche blonde, avec cette cinquième main qu'elle vient de retrouver.

— Et j'ajoute un pot de véritable moutarde du sieur Maille, cadeau d'un admirateur!

Suit un silence de ruminants béats.

— C'est fameux! Je savais que c'était fameux, mais je me souvenais plus comment c'était fameux.

— Y'a pas plus garce que la mémoire, Jones. Ça te prive, mais tu sais pas de quoi.

— Tu ne manges pas avec nous, citoyenne?

— Moi, je mange pas, je nourris. Ça me profite déjà assez.

Et elle empoigne à deux mains ce qui de visu a déjà bien profité.

— Dis donc, citoyenne, tu sais où il loge ton Jésus?

La Patronne croise les bras sous sa poitrine. Là, on fait dans le monumental.

— Jones, admire ton équipier, le brigadier-chef Edmond Cercueil! Un modèle de policier. La bouche pleine, le ventre rempli, et le cœur ému, il ne peut pas s'empêcher de poser une question de routine. Même pendant l'acte-patriote, il en était capable!

Jones essaie d'imaginer la scène.

— Tu crois que le brigadier-chef Edmond Cercueil lâcherait son enquête, une seconde, pour dire que c'est bon?

— C'est bon!

Dans la bouche d'Ed, la Patronne réussit à démêler le compliment du borborygme, du boudin et des trois pommes. Elle sourit.

— Pour répondre au mal élevé, je lui demande s'il a une idée du nombre de dieux en pension à Haarlem.

— Paraît que là-bas y a plus de congrégations, églises et sectes que d'habitants.

— Te moque pas, Jones. Nous, on a bien nos saints, nos miracles, nos reliques, avec des bouts de rotule, de tibia, et même de prépuce.

Ed et Jones repoussent leurs assiettes. Tout à coup, ils trouvent un goût au boudin.

— Si on reparlait plutôt de la marquise? Tu ne nous as pas dit...

Jones s'interrompt. La porte de la gargote est ébranlée. Quelqu'un pèse dessus pour l'ouvrir. Un banc la cale. On frappe des coups autoritaires.

— C'est fermé, citoyen!

La Patronne a braillé de sa place, sans bouger. Mais ça insiste sur la poignée. Elle se lève brusquement, un coup de chaud aux joues, souffle sa mèche, et rafle Sanson, l'air rageur.

— Quand je dis que c'est fermé, c'est que c'est fermé !

Elle dégage le banc d'un coup de sabot et ouvre la porte comme pour l'arracher.

— Est-ce que tu es sourd, à la fin !

— Non, seulement aveugle.

La Patronne se retrouve face à deux yeux blancs qui la fixent sans la voir. Elle manque en lâcher sa hache.

— Citoyenne, tu ne vas pas refuser à une pauvre infirme et à son p'tit de se réchauffer les os.

— Il approche minuit. Je ne veux pas d'ennuis avec la patrouille.

— Rien qu'un instant.

D'autorité, la femme aveugle entre, suivie d'un jeune garçon roux. La Patronne laisse passer. Ed et Jones font disparaître leurs 38, les plaques bleues et le portrait. L'aveugle et le garçon vont s'asseoir à une table encoignée au fond de la salle.

— Tavernière, ce sera deux mouniers pour nous !

Jones intercepte la Patronne au passage.

— Qu'est-ce que c'est, un mounier ?

— D'où vous sortez, les affreux ? Un mounier, c'est un verre de vin servi dans deux verres. Tu en bois un pour toi, et le deuxième en pensant à quelqu'un d'autre et en disant... A qui je pense !...

La Patronne s'en repart. Jones la retient par la manche.

— Et ça vient d'où, ce nom ?

— Dis, Jones, tu me prends pour *Le Moniteur* ? Mounier, c'est le rédacteur des premiers articles de la constitution. Paraît qu'il voulait inscrire dedans... *Le droit de boire seul et de se souvenir...*

La Patronne souffle sur sa mèche et fixe Ed dans les yeux.

— Tiens, ça me donne envie d'en boire un. Pas toi, Edmond?

Ed fait celui qui ne comprend pas. La Patronne sourit et va préparer la commande des arrivants... Plus vite servi. Plus vite parti...

*

La lame de la machette est levée au-dessus de la tête de Commandeur. Il est à genoux, la joue collée contre le billot. Sa longue chevelure noire, tirée en arrière, a été tressée en natte. L'extrémité, nouée d'un ruban violet, est fichée dans le bois par un coin d'acier.

— Va, Jean-Baptiste!

— Je ne peux pas, maître. Il ne faut pas faire ça.

— Va je te dis, c'est un ordre!

Le jeune mulâtre qui tient la machette a le visage luisant. Il sue comme aux champs.

— Va, et tu seras libre.

La lame de la machette s'abat sur le billot et tranche la natte au ras de la nuque. Commandeur se relève et réconforte son valet.

— Tu verras, avec quelques coups de ciseaux et de rasoir, ce sera très bien. Montons à mon cabinet.

Commandeur récupère la natte tranchée. Il la glisse dans un fourreau de velours noir et quitte la cuisine avec Jean-Baptiste.

Dans le cabinet de Commandeur, le maroquin du secrétaire est recouvert de lettres cachetées à la cire et marquées à son chiffre.

— Si demain à 13 heures, je ne suis pas revenu...

— Maître !

— Ecoute-moi. Tu iras les apporter à ce bon M. Deboval, mon notaire, place des Victoires. Tu m'y as déjà acompagné.

— Je me souviens.

— Lui saura quoi faire. Dans une de ces lettres, il y a ta liberté. Ne pleure pas ! Plus maintenant. Plus jamais.

Jean-Baptiste ne pleure pas parce qu'il est libre, mais parce que son maître va mourir.

— Il y a aussi pour toi de quoi vivre en honnête homme, ici ou au pays, qu'il s'appelle Saint-Domingue ou redevienne Haïti. L'Histoire choisira. Pour l'heure, j'ai besoin de tes talents de barbier.

Commandeur regarde son crâne rasé dans le miroir. Il lui fallait ce nouveau visage pour le reste de la nuit. Il va à une porte dans un angle de la pièce et l'ouvre sur un autel. Commandeur allume un cierge sous une croix nue, s'agenouille et prie.

— Jean-Baptiste, s'il te plaît, aide-moi à me préparer, maintenant.

Commandeur glisse une dague dans chaque botte et deux pistolets à sa ceinture. Jean-Baptiste l'aide à ajuster par-dessus son gilet le carquois de cuir qu'il porte dans le dos. Commandeur va à un râtelier sur le mur et choisit une machette à poignée-sabre. Il l'inspecte et la glisse dans le carquois. Il finit de s'habiller.

— Ne t'inquiète pas, Jean-Baptiste, je vais seulement couper de la mauvaise canne.

*

La Patronne sert les mouniers à la vieille femme aveugle et au garçon rouquin. Ed fait signe à la Patronne qu'ils n'en ont pas terminé avec elle, côté questions. Elle les rejoint. Les trois s'attablent en conspirateurs.

— On en était à la marquise et son histoire de fils retenu dans une secte à Haarlem.

— Tu y crois, toi, citoyenne ?

— J'avoue qu'au début, en écoutant la marquise, j'ai pensé que c'était... faites excuses... une pauvre femme dérangée par la mort de son unique fils et qui cherche à tout prix à le remplacer. C'est souvent, après la perte d'un enfant.

Ed regarde l'aveugle boire son mounier. Il pense à la marquise. Sans elle, lui aussi boirait avec ces yeux blancs. La Patronne continue son histoire.

— Je me suis dit ça, les affreux, mais après, j'ai remarqué la couleur de votre enfant léopard. Il est clair. Alors, je me suis dit qu'il avait sûrement un père blanc comme le marquis. Mais si ça avait été lui, il vous l'aurait avoué. A moins... que ce ne soit pas lui le père.

Cette fois, c'est certain, Ed va étrangler la Patronne à mains nues, en la regardant dans les yeux.

— Tavernière ! peux-tu m'indiquer le petit trône du peuple ?

La femme aveugle est arrivée dans leur dos sans un bruit. Est-ce qu'elle a entendu leur conversation ?

— La porte derrière le poteau, citoyenne.

Dame Catherine et Pobéré quittent la salle avec une bougie. A peine dans la cour, le garçon sort de sa vareuse un plan qu'il déplie.
— Raconte-moi, p'tit!
— C'est comme prévu, la mère. A droite et devant toi, deux bâtiments hauts. Impossible de passer. A gauche le mur qui doit donner dans un jardin. De là, on peut rejoindre la rue de l'Arbre-Sec.
— Vérifie! Il faut toujours tout vérifier.
Le garçon s'aide du treillage et grimpe à califourchon sur le haut du mur.
— J'y suis.
— Raconte-moi, p'tit. Raconte-moi, derrière...

*

La Patronne et Jones sont étonnés par le calme d'Ed. Il boit longuement un verre de vin qu'il vide bien au-delà du fond.
— Vas-y, citoyenne, mitonne-nous une de tes jolies fables.
— Ecoute, d'abord. Le marquis part avec La Fayette aux Amériques en 77, pour la guerre contre les Anglais. D'ailleurs, faudrait pas qu'ils oublient, les Américains, que la France s'est ruinée pour les libérer! Deux milliards de livres, ça nous a coûté! Sans nous ils seraient encore anglais.
— Laisse ta harangue, citoyenne. T'es pas à ton club. Reviens à la marquise.
— D'accord mais il fallait le dire... Donc, la marquise est seule ici et le marquis est donné pour mort.

C'est vrai, il avait été porté disparu et n'était réapparu qu'avant le siège de Yorktown en 81. Il avait parlé d'une bande de trappeurs qui l'avaient recueilli blessé, sans mémoire, et emmené avec eux dans le Nord.

— Elle a une faiblesse de femme. Un enfant naît. Le marquis est retrouvé. On ne peut pas garder le fruit du péché. On le confie à un couvent.

Jones compte sur ses doigts. La supposition de la patronne aurait autour de quinze ans. Ça colle.

— Le marquis revient. On garde le secret. Un jour, l'enfant disparaît. On se dit que c'est la volonté divine. On prie et on oublie. Et c'est le drame, la guillotine passe. On perd son fils unique et superbe. Alors on veut retrouver l'autre. Même s'il est un peu léopard.

— Ça suffit, citoyenne !

Ed caresse la peau ravagée de ses joues. C'est sa manière de réfléchir. Jamais il n'aurait pensé qu'on pouvait faire un portrait de la marquise rien qu'avec des « on ». Il lui voit presque l'ovale du visage.

— Je te l'accorde, citoyenne, ta fable se tient. Mais ça ne change rien pour Jones et moi. Peu importe d'où vient cet enfant. Notre mission, c'est de le retrouver !

Braoum !

Il y a un coup de canon contre la porte de la gargote. La serrure s'arrache. Les débris tromblonnent à travers la salle. Ça carillonne jusque dans les gamelles. Le battant part à l'horizontale avec gonds et ferrures. Un courant d'air s'engouffre dans la pièce. C'est le retour de la comète de Winsley. Le disque lumineux rebondit sur une table, éclate cruchons et verres, gicle en l'air et s'encastre dans les poutres du plafond.

La Patronne, Ed et Jones regardent l'engin suspendu au-dessus de leurs têtes. L'objet volant est identifié. C'est une roue de fiacre à rayons bouton-d'or. Elle trouve ça plutôt joli et voit déjà la chose appareillée en lustre.

— Ma roue! Excusez-moi, m'dame. Est-ce que vous pouvez me rendre ma roue?

La Marmotte est arrivé en courant à la suite de l'engin. Il tire sur le tablier de la Patronne.

— Encore toi! Ça t'a pas suffi le chambard de tout à l'heure? T'es un vrai marchand de calamités ambulant. T'as pas d'autres endroits à dévaster? Tu veux des adresses?

— Allez, m'dame, fais pas tes gros yeux Tu me la rends, ma roue?

Mais il essaie de me faire fondre, ce morceau de pain d'épice, avec sa bouche en moule à bécots, et son sourire de savoyard. Pas question. Ed et Jones inspectent ce négrillon qui vient de surgir. Ils tournent autour, la miniature ovale à la main. Lui ne les voit même pas. Il ne lâche pas des yeux la Patronne.

— M'dame, vous pouvez me la rendre s'il vous plaît.

Plus les deux regardent le portrait, plus ils se disent que... Pourquoi pas... On ne sait jamais... Le hasard... Ce serait une mission vite menée...

— Déshabille-toi, gamin!

— Qu'est-ce qui te prend, mon Edmond? Tu croques le marmot, maintenant.

— Dis pas de bêtises, citoyenne. Je veux seulement savoir s'il a des marques blanches.

La Marmotte découvre les deux masses renfrognées qui veulent le mettre tout nu. Il reste bouche béante.

— Ed Cercueil et Fossoyeur Jones !

Les deux interpellés bombent le torse. Ils ne savaient pas qu'ils étaient connus à ce point.

— Bande de traîtres ! Sales menteurs ! Abandonneurs !

Ils n'entendent pas le reste. La Marmotte s'est jeté sur eux et les frappe à coups de tête, de poings et de pieds nus. Pas facile à arrêter, un gamin en furie. Un citoyen, c'est plus simple. Un coup de crosse sur l'arête du nez, un crochet au flanc, et il est calmé. Mais ce moucheron convulsionnaire, faut déjà le saisir. Ce serait plus aisé si la Patronne ne s'était pas piquée de jouer les démêleuses.

— Lâchez-le, ce gamin !

— Ote-toi citoyenne !

Ed parvient à plaquer la Patronne sur une table. Ça ressemble plus à des retrouvailles qu'à une arrestation. Jones a davantage de mal avec la Marmotte qui braille.

— Arrête, tu vas ameuter la section !

Ça lui donne plutôt des idées, au moucheron.

— Au secours, patriotes ! On tue un enfant !

Jones bâillonne la Marmotte qui se débat tel un furieux, puis tout à coup abandonne. Son corps a de gros hoquets de pantin. Il pleure contre la poitrine de Jones, agrippé à sa chemise. Jones regarde Ed et la Patronne avec des yeux de naufragé... Qu'est-ce que je dois faire ?... Rien. Les trois entourent la Marmotte en silence. C'est la crèche, avec un jésus qui renifle, un bœuf en carcasse et un âne bâté. La Vierge Marie a été revisitée par des formes de tenancière et Joseph doit être en train de recharpenter la porte de la gargote soufflée par le Saint-Esprit.

Par-dessus l'épaule de Jones, la Marmotte voit sortir l'aveugle et le rouquin. Ceux-des-Moineaux! Qu'est-ce qu'ils faisaient là? Est-ce qu'ils l'ont vu? Oh! comme elle devient compliquée, cette nuit! La Marmotte commence à regretter *Les Voyages du capitaine Cook*.

*

Devant La Vainqueuse, une patrouille de six gardes nationaux croise une vieille femme aveugle et un décrotteur qui porte son tabouret à l'épaule. Le sergent fait saluer. La troupe s'éloigne.

— Tu vois, Pobéré, demain, ceux-là, il faudra peut-être les égorger pour sauver la reine.

— Alors, on les égorgera, la mère.

— Viens, avant de retrouver les autres, il faut encore qu'on aille vérifier notre affaire rue Saint-Honoré. C'est le plus important.

*

La Marmotte lâche Jones et sèche ses larmes.

— Pourquoi vous ne m'avez pas emmené avec vous aux Amériques?

Ed et Jones toisent le négrillon qui les interpelle... Qu'est-ce qu'il raconte, ce morveux?... Ça leur dit pourtant quelque chose cette bouille ronde... Mais oui! Ils le remettent.

— La Marmotte!

— Pardi! t'as drôlement changé en un an. T'es devenu un vrai gaillard.

La Patronne ne s'y retrouve plus.

— Vous le connaissez, cet embarrasseur?

— Un peu qu'on le connaît, citoyenne.

— Il nous a sauvé la vie.

Elle s'en laisse tomber sur un banc, et les abandonne à leurs effusions. Ed et Jones expliquent à la Marmotte pourquoi ils ne sont pas partis aux Amériques. Ils racontent dix fois à la Patronne comment, il y a un an, ils ont retrouvé à Haarlem la tête du fils du marquis. Ils décrivent cent fois comment ils l'ont arrachée au Nègre Delorme et à sa bande.

— Justement, les affreux, à propos de Delorme...

— C'est de l'histoire ancienne, citoyenne.

Ed préfère éviter d'en parler sinon sa peau le brûlerait de nouveau. Jones et la Marmotte, montés sur des chaises, s'amusent à rejouer la course-poursuite en fiacre dans Haarlem, avec Delorme et sa bande de uhlans à leurs trousses. Non, ils n'ont pas abandonné la Marmotte. Ils le croyaient mort. On arrose la résurrection au vin de Réveillon, et à la limonade.

— Et moi, m'dame?

Piqueur, le carlin à l'épaule, passe la tête à la porte.

— C'est qui cette quenouille?

— Il est avec moi, m'dame. C'est mon copain.

— Alors viens, citoyen. Un de plus, un de moins.

— Il n'entre pas dans les maisons, m'dame.

— Et pourquoi ça?

— Paraît qu'il n'y a pas assez de mots à trouver.

La Patronne n'essaie pas de comprendre. Ce n'est pas sa soirée. Ça arrive. Elle lui sert un verre de vin. Piqueur recopie « Amaryllis » écrit sur l'ardoise. Il lui montre.

— C'est quoi?

— Ça remplace sainte Thérèse d'Avila sur l'alma-
nach. C'est une fleur rouge. De forme, ça ressemble à
des... attributs masculins.

— « Attribut », vous pouvez me l'écrire, m'dame?

— Non, mais je peux te montrer...

— Citoyenne!

Ed l'interrompt. Bon! Si on ne peut plus être gri-
voise chez soi, autant fermer. Le chien en profite pour
aller finir les verres tandis que les deux affreux rede-
viennent des soldats en mission.

— La Marmotte, tu as toujours ton négoce de roues
de voitures, sur Haarlem?

— Toujours. Mais avec tout ce qui se passe en ce
moment, c'est plutôt calme, monsieur Jones.

— Lui, tu l'as déjà vu dans Haarlem?

Jones montre à la Marmotte la miniature ovale. Il
regarde, l'air ailleurs.

— Je gagne quoi?

— Une raclée! Et après, si tu ne réponds pas, on te
noie dans un bocal d'eau-de-vie.

— Et on met une étiquette avec écrit dessus
« Négrillon têtu ».

*

Le président du tribunal poursuit la lecture de l'acte
d'accusation

— C'est le peuple français qui accuse Antoinette...

Comme elle aime qu'on l'appelle Antoinette! Si
Hermann le savait, il y renoncerait. Toinette serait
encore plus agréable.

— ... tous les événements politiques qui ont eu lieu depuis cinq annnées déposent contre elle.

Marie-Antoinette soupire. Depuis le début, elle n'a entendu que témoignages vagues, affirmations non fondées, accusations sur commande, mauvaise foi, et volonté de nuire. Elle y a répondu pied à pied. Il a fallu qu'ils aillent jusqu'à l'ignominie pour essayer de l'abattre. Comment ont-ils pu oser faire témoigner le fils contre la mère ? Le dauphin contre la reine ? Souiller les liens sacrés d'une maman avec son enfant ? Parler d'inceste ! Pauvre Chou d'Amour. Tu es si seul dans ta prison. On doit te dire que je t'abandonne, pour mieux te convaincre de me trahir. Marie-Antoinette s'en veut... Trahir !... Elle voudrait effacer ce mot, mais la voix de Hermann tonne.

— Citoyens jurés, vous aurez à répondre à quatre questions.

Antoinette croise les mains sur son ventre. Est-ce qu'il y aurait, là, à l'intérieur, une malédiction sur sa lignée de mâles ? Le premier dauphin mort si jeune et le second qui se meurt aussi. Quelle faute veut-on lui faire expier ?

Les jurés se lèvent.

Mon Dieu ! Elle n'a pas entendu de quoi on l'accuse. Il est trois heures. Comme la nuit a déjà basculé loin.

*

— D'accord, monsieur Cercueil, je vous réponds, mais vous promettez de m'emmener avec vous.

— Pas question, la Marmotte.

— La Patronne a raison, t'es un marchand de calamités ambulant.

— Alors vous pouvez me tuer sur place. Je ne dirai rien. Je ne crierai même pas.

La Marmotte prend la pose héroïque du jeune Viala assailli par les insurgés royalistes. La Patronne se dit qu'avec un caractère pareil, ce gamin pourrait être son fils. En choisissant Ed comme père, elle est certaine qu'on ne criera pas *au voleur!* quand ils se promèneront tous les trois au Palais-Royal en mangeant des beignets.

— D'accord, la Marmotte, on t'emmène.

Ed jette un œil de compère à Jones.

— Allez, déballe ta marchandise.

— C'est juré? Crachez!

Ed et Jones crachent par terre. La Patronne ne réagit même pas. Après tout ce chambard, elle peut revendre sa gargote comme remise à pourceaux.

— Celui de la peinture, je le connais. C'est Face-de-Pie. Il tenait les livres de comptes chez le Mac à Haarlem. Mais vous le connaissez déjà.

Un peu qu'ils le connaissent. C'est chez ce petit maquereau qu'ils avaient retrouvé la tête du fils du marquis.

— Il y est encore?

— Non, il a quitté au début de l'année. Je parle de quand l'année commençait encore un 1ᵉʳ janvier.

— Il a travaillé combien de temps chez le Mac?

— Aucune idée. Faudra lui demander.

Et comment! Le Mac est le premier nom sur leur carnet de bal à Haarlem. Depuis longtemps, ils rêvent de le faire danser, celui-là. Ed et Jones sentent l'excitation monter. La Patronne remet un brin d'ordre dans la salle, mais il lui faudrait une compagnie de sapeurs.

— Qu'est-ce que tu pourrais nous dire d'autre pour nous aider à le retrouver ?

— Qu'il faut se dépêcher si on veut entrer dans Haarlem sans se faire égorger.

La Marmotte a raison. Ed et Jones ramassent leurs affaires. Ed va vers la Patronne, le chapeau à la main. C'est elle qui parle, ça lui évitera de bafouiller.

— Il faut que je te dise. Fais attention, Edmond, là-bas tu vas retrouver...

— Ne t'inquiète pas pour moi, citoyenne. Garde mes treize louis. T'en prends un peu pour réparer le désordre, citoyenne, mais tu ne puises pas trop dedans pendant mon absence.

La Patronne fait sauter la bourse dans sa main. Elle souffle sur sa mèche, et lui glisse un coup d'œil coquin.

— Souviens-toi, j'ai toujours su la tenir au chaud. J'attendrai ton retour pour la vider.

Elle se demande si Edmond sait que le roi quand il se marie achète sa femme treize louis.

Ed rougit. Ça veut dire que sa peau est un peu plus claire aux boursouflures. Heureusement que les autres se sont éclipsés pour la scène d'adieu.

D'ici, on ne peut pas trop voir la suite des effusions. Jones, la Marmotte et le carlin attendent devant la gargote. Piqueur est en face, plié en deux devant un morceau d'affiche.

— Voilà un fiacre, gamin. Arrête-le. Surtout, lui dis pas qu'on va à Haarlem !

— Pour qui tu me prends, monsieur Fossoyeur.

La Marmotte s'avance au milieu de la rue, le carlin dans les bras. Le fiacre gris arrive lentement, presque au pas. La Marmotte le détaille, des fois qu'il y ait à récupérer. C'est un modèle fatigué, tassé sur ses lames, qui va lanternes éteintes, volets descendus, le cocher emmitouflé comme un enfant abandonné. La voiture s'arrête à sa hauteur.

— Merci, citoyen.

Le cocher reste sans réaction sur son siège. Doit revenir d'une mauvaise course. La Marmotte ouvre la portière. Une ombre jaillit de l'intérieur. Elle lui arrache le petit chien. Une lame cingle vers la gorge. La Marmotte l'évite. Quelque chose le frappe dans le ventre. Un coup de talon. Il voit la botte et va bouler à la renverse contre le mur. Sa tête cogne, le fouet claque, le cocher hurle... Yéhââ!... L'attelage s'arrache du pavé.

— Arrêtez-le!

C'est idiot, mais c'est ce que la Marmotte a crié. Essayer d'arrêter mille cinq cents livres de viande ferrée et de guimbarde lancées au galop. Faut être fou! Ça tombe bien, Piqueur l'est. Le voilà qui court derrière le fiacre gris, comme s'il voulait à tout prix recopier un mot écrit au cul de la voiture. Il porte sa pique en javeline au-dessus de la tête. Soudain, il arme son bras à l'antique et propulse l'engin dans les airs. La courbe à hauteur des balcons est gracieuse et la retombée précise. Le fer ouvré de la pique se fiche comme un mât dans le toit du fiacre. Jones dégaine son 38 et tire sur la voiture au-dessus de Piqueur qui contemple son œuvre.

— Couche-toi, bougre d'échalas!

Piqueur ne bouge pas. Les balles lui sifflent au bonnet et ricochent au sommet de la hampe avec des éclairs bleutés. Dans la nuit on dirait que la voiture puise l'électricité au ciel pour rouler. La pique tangue sur le toit. Elle finit par valdinguer au moment où le fiacre gris tourne pour disparaître vers Saint-Germain-l'Auxerrois.

— Qu'est-ce qui se passe ?

Ed sort de la gargote, le porte-foudre à la main.

— On a volé le chien du gamin.

La Marmotte en a le ventre encore enfoncé. Mais c'est surtout une odeur qui lui a coupé le souffle. Une odeur de médecine dans le fiacre gris. La même que celle des mains du docteur Seiffert, quand il lui a tapoté la joue, chez ceux-des-Moineaux. Pour l'instant c'est la Patronne accourue qui lui masse le ventre à l'eau-de-vie.

— Si elle te respire, ta mère va croire que tu as bu.

— Je n'ai pas de mère, mais je veux bien boire un coup, pour lui donner raison.

Le gamin montre le tonnelet. La Patronne aime bien sa réponse. Pour la peine, il a droit à une rasade généreuse, la tête calée contre sa poitrine. Ed regarde la scène et se dit que c'est encore loin, l'Ohio. Il faut vite attraper un fiacre, avant qu'il ne demande à s'inviter au tonnelet.

— Allez gamin, rends-toi utile. Trouve-nous un vrai fiacre.

— Je vais en chercher un jaune !

— Et pourquoi, un jaune ?

— Ce sont les seuls qui osent entrer dans Haarlem.

5

Haarlem

Le cocher du fiacre jaune fait tournoyer son fouet comme une fronde et lance son cri de guerre.

— Yaîl! Ho! Kab!

Le cheval brun se cabre. Ses sabots battent l'air à en décrocher l'enseigne branlante de La Vainqueuse. Sur le pas de la porte, la Patronne s'inquiète pour sa bastille en tôle. La mouche du fouet vient siffler aux oreilles du rétif. Ça n'a pas le goût de lui plaire. Il abat ses sabots sur le pavé, la rage au mors, et arrache le fiacre à pleins jarrets. A l'intérieur, la secousse désarçonne Ed, Jones et la Marmotte, de la banquette défoncée. Le choc les projette en désordre contre les parois de la cabine. Devant la gargote, la Patronne agite son tablier. Ed tente de passer la tête à la portière, pour lui rendre son au revoir. Les cahots le font ressembler à un coucou suisse indécis. Tant pis pour les adieux.

L'attelage dégringole au galop la rue de la Monnaie. On file à la Seine comme à la noyade.

— Citoyen cocher, évite le Pont-au-Change. La foule doit déjà être grosse autour de la Conciergerie.

Un coup de fouet demande à Jones de se mêler de ses affaires.... Yaîl! Ho! Kab!... Le vacarme des roues et des sabots bouscule les façades. A ce train, le cocher va les tuer avant le pont Notre-Dame. Un certificat rassure. C'est bien un homme qui conduit l'engin... *Licence de chauffeur n° 910011 attribuée au sieur patriote Loïc Le Gallou pour fait de vigilance citoyenne...*

— C'est quoi, « vigilance citoyenne »?

Ed et Jones, occupés à dompter la banquette en gros cuir, une main cramponnée sous l'entrejambe, l'autre en moulin à vent, ont du mal à répondre à la Marmotte. Le gamin croit comprendre que...

En gros.

Après la fuite du roi à Varennes, un député breton du Club des Jacobins a demandé à l'Assemblée qu'on peigne tous les fiacres en jaune pour mieux repérer la fuite d'émigrés. Les cochers de Bretagne ont formé leur compagnie. Une confrérie farouche. Des corsaires. Tous en descente de flibuste. Inutile de cogner de la canne pour demander grâce. Le quidam est une prise de mer. Les cabines tranchent la ville. On s'écarte sur leur passage... Yaîl! Ho! Kab!... Du gaélique, certainement. C'est leur cri de guerre. Ils naviguent à l'injure, écrêtent le haut du pavé. Quand une cabine jaune se montre, ça veut dire... Vigilance, citoyen! Souviens-toi de Varennes... Ce n'est pas du fiacre qui roule, c'est de la mémoire qui passe. Voilà ce que la Marmotte a compris.

En gros.

— Pourquoi il traverse encore par le pont Saint-Michel, le monsieur ?

Ed et Jones, toujours en voltige, essaient de faire comprendre au gamin que ce n'est pas le meilleur moment pour poser des questions. On ne réfléchit pas sur un tape-cul. On sauve ses fesses. Eux aussi aimeraient bien avoir le temps de penser à leur mission. A cet enfant léopard. Peut-être que le marquis les trompe. Peut-être que la marquise est sa complice. C'est étrange comme « peut-être » ressemble à un tape-cul.

— Hein, pourquoi il est passé deux fois ?

Comment dire à ce gamin agaçant de stabilité que les cochers de fiacres jaunes ont une inclination fâcheuse à faire payer une taxe à chaque pont. Que ce travers les conduit à inventer des enjambements à la Seine et même à la Bièvre s'il le faut. Mais que grâce à eux Paris a un goût de Venise où on soigne son mal de lagune en vomissant à la portière.

La Marmotte s'essuie la bouche. Il vient de dégobiller au vent le rhum de la Patronne. Ce devait être du cœur de foudre à 72° ! Ed et Jones pâlissent. On les dirait sortis d'un bain d'eau de Javel. Quant à Piqueur, il a voulu rester dehors, en équilibre sur la sellette.

Le fiacre ne mollit pas d'allure. Il s'enfile dans la rue de la Huchette comme un hérisson de ramoneur. Presque sans ralentir, l'attelage prend à main gauche dans la rue de la Harpe et se retrouve englué par un cortège d'hommes, de femmes et d'enfants qui portent lampions et lanternes. Ils descendent dans la brume vers la Seine. La Marmotte passe son museau et avise un sans-culotte à moustache.

— Qu'est-ce qui se passe, citoyen?

— On va à la pantomime! C'est pas tous les jours qu'on écourcit une reine.

— Ça y est, c'est déjà dit, ils vont guillotiner Marie-Antoinette?

— C'est tout comme.

*

Assise à l'écart sur une chaise, Marie-Antoinette attend. Elle se demande ce que les jurés peuvent dire d'elle. Ils sont restés à côté, dans la Grand-Chambre. Le gendarme qui la surveille lui tend un verre d'eau. Comme elle est fraîche! Presque aussi douce que son eau de Ville-d'Avray. En un autre temps, pour ce geste, elle aurait fait de ce lieutenant un colonel de dragons, avec quinze mille francs. Il est bien civil et fort aimable, sans faillir en rien à sa mission. Elle lui rend le verre vide... Lieutenant de Busne!... Il lui sourit fort gracieusement. Allons! ne comptons pas nos faveurs. Faisons-le général de brigade avec vingt mille francs et rang de baron. Voilà un office qui ne coûtera guère au Trésor.

Marie-Antoinette entend un peu d'agitation du côté de la Grand-Chambre. Elle a confiance en les jurés. Tout au long de ces deux jours, on n'a rien articulé contre elle de sérieux Au pis on l'éloignera, avec ses enfants. Il y a bien cette méchante Guyane, mais l'air y serait trop contraire à la complexion de son pauvre Chou d'Amour. Ce serait un crime. Une abbaye lui

siérait à merveille, pourvu qu'il y ait un maître de cha-
pelle de qualité.

La sonnette du président tinte dans la Grand-
Chambre. Marie-Antoinette frissonne.

C'est l'heure du jugement.

*

Le fiacre jaune avance au pas. Il se fraye un passage
à contre-courant, parmi ceux qui descendent vers la
Conciergerie. La Marmotte est silencieux, recroquevillé
dans un coin. Ed et Jones le regardent. C'est étrange
comme ce gamin, quand il est triste, donne l'impression de bercer son chien.

— Dites, on a le droit de tuer une maman?

Les affreux ne savent pas quoi dire quand le gamin
les regarde avec ces yeux en auréoles.

— Dites, on a le droit?

— On ne tue pas une maman, on juge une reine.

— Alors, quand on est une reine, on n'est plus une
maman?

Ed et Jones regrettent soudain les cahots, les cris,
les coups de fouet. Tout ce qui évite de répondre à
des questions qui contiennent le mot « maman ».

— Moi, je dis que dès qu'on a commencé d'être
une maman, on ne peut pas s'arrêter.

La Marmotte enlace son sabre et câline la poignée
contre sa joue. Le fiacre jaune parvient en haut de la
rue de la Harpe. Un grand feu est allumé place Saint-
Michel. On y mène à brûler un épouvantail, coiffé
d'une charlotte. Des soldats et des femmes chantent.
Le cheval souffle. Le cocher aboie.

— L'enfer! L'enfer! On y est!

C'est sa manière d'annoncer la rue d'Enfer au débouché de la place. Le fiacre jaune glisse le long du Luxembourg jusqu'au-delà de la rue Saint-Dominique. En face du porche des Feuillants des Anges, il s'engage à main droite sous une porte de pierre et la franchit. Aussitôt il pleut du caillou sur le fiacre jaune.

— Pour sûr, on est arrivés !

Ed et Jones se montrent à une portière avec le 38 nickelé en armoirie. L'ondée cesse aussitôt.

— Angle, Lenox Avenue, anciennement Les noix et 125ᵉ ! Vous y êtes. Ça fait sept livres trente.

— C'est le prix du cheval, citoyen ?

Le cocher le toise du haut de son siège. Pas commode, le sieur Le Gallou. Ed rengaine sa plaisanterie et paye. Pour le même prix, Piqueur apparaît. Il saute de la sellette son outil à la main. La Marmotte a envie de se jeter dans ses bras. De lui demander quels mots nouveaux il a trouvés en chemin. Mais il lui sourit. C'est mieux. Ed et Jones s'étirent comme s'ils descendaient de la diligence. Le fiacre jaune repart en labourant le pavé... Yaîl ! Ho ! Kab !...

Les voilà seuls à Haarlem.

— Au moins, y'aura pas trop à chercher notre homme !

Ed montre un immense calicot rouge qui mange le dernier étage d'une maison, à deux blocs d'immeubles de là... *Mac, le roi de l'en-bourgeois*... En lettres jaunes de trois pieds.

— Eh bien ! Il a prospéré, le restaurant du Mac, depuis la dernière fois. Allons lui rendre une petite visite.

Ed et Jones en tête, la troupe remonte dans la 125ᵉ en direction du calicot. La rue est animée comme le Pont-Neuf et éclairée façon Versailles.

— Dis, Marmotte, pourquoi c'est tout droit avec des numéros, les rues ?

— Avant, Haarlem, c'était un jardin avec des fleurs et des allées. On a gardé le même plan.

Malgré l'heure, tout le quartier a l'air dehors. On croirait les états généraux des pickpockets, escarpes et bouises. Ils sont réunis par ordre, sur les perrons d'entrée et causent doléances, en guettant la chaîne de montre, le dupe ou le chaland à raccrocher. Piqueur ne sait plus où donner des yeux et du crayon. La Marmotte a du mal à l'empêcher de se faire enlever à chaque pas.

— Si tu montes avec ta pique, c'est double tarif ! Pour le p'tit, c'est gratuit !

— Pourquoi on monte pas, Marmotte ? Elles sont gentilles, les dames.

— Avance !

Piqueur est déçu. Il se rabat sur tout ce qu'on lui distribue, qu'il enfourne dans sa gibecière... *Retour d'affection... Loterie galante...* Des colporteurs chargés comme des portefaix vantent leurs marchandises... *Images-Images ! Qui croira mes images ?... Le Brooks ! L'incroyable mais véridique représentation d'un navire négrier et de sa cargaison d'hommes !... Images-Images !... 1 sou pour me croire !*

Un petit homme en rondeurs, entièrement vêtu de doré, poursuit Ed et Jones, sa carte de visite à la main.

— Moka ! Je suis Moka. Il faut que je vous parle, citoyens !

Son visage et ses mains grêlés engagent plutôt à presser le pas. Ed et Jones l'écartent. Ils sont arrivés devant l'enseigne « Mac, le roi de l'en-bourgeois ».

L'entrée du restaurant est gardée par deux statues de nègres rigolards en plâtre peint. Chacun porte un plateau chargé d'un vrac de billets qui vantent une poudre dentifrice. Piqueur fait ses provisions.

— Moi, je reste dehors pour recopier.

Piqueur se met en faction. Ed, Jones et la Marmotte entrent dans le restaurant. La salle est décorée au ruban et à la cocarde. Les murs affichent des natures mortes qui représentent les différents en-bourgeois proposés... « Marat », « Egalité », « Patrie »... On les mange debout. Il n'y a pas de tables. Seulement de hauts guéridons.

Un long comptoir sépare de la cuisine, où une piétaille de commis costumés en sans-culottes s'affairent aux fourneaux. D'autres découpent, assemblent et empaquettent en psalmodiant des chants de travail.

Ed et Jones vont directement au comptoir. Vaguement troublés, ils écoutent les belairs des Antilles. Une jeune servante leur sourit, un carnet à la main.

— Je vous écoute, citoyens ? Cette semaine, pour toute commande, notre figurine-cadeau, est, au choix : Voltaire ou Rousseau. Qu'est-ce que vous prenez ?

— Le patron !

Ils montrent discrètement leurs plaques bleues. La jeune fille en reste le crayon en l'air. Ed lui glisse à l'oreille.

— Va dire au Mac que les officiers de police Ed Cercueil et Fossoyeur Jones demandent à lui parler.

— Mais donne-nous quand même un Voltaire et un Rousseau pour le gamin.

La servante s'exécute, et disparaît au fond de la cuisine par deux portes battantes.

— La Marmotte, où est-ce qu'il travaillait, l'enfant du portrait?

— Derrière ça.

Il leur montre au fond de la cuisine une sorte de cloison formée par un paravent en bois sculpté.

— Comment tu pouvais le voir?

— Je passais derrière, par la porte des barriques.

— Qu'est-ce que tu trafiquais par là?

La Marmotte cherche une réponse acceptable. Ça laisse le temps au Mac de faire son entrée.

— Ed Cercueil et Fossoyeur Jones, mes amis!

Le Mac a changé d'allure depuis leur dernière rencontre. Il est toujours aussi massif et poupin à la fois. Mais il s'est encore chargé la bouche en or du Pérou. Maintenant, il sourit comme une boîte à bijoux. Côté peau, il a éclairci de deux teintes, grâce au Baume des Isles. Pour parachever, il porte une perruque à la chien démodée.

— On visitait ta gargote, le Mac!

— Gargote, gargote! Ed Cercueil est sévère. Le Mac est maintenant à la tête du plus grand restaurant-rapide de Haarlem. Et même de Paris.

Ed et Jones se rendent compte que le Mac est toujours aussi content de lui à la troisième personne.

— Franchement, mes amis, le Mac en a fait du chemin depuis notre dernière rencontre.

— Faut espérer. La dernière fois on a trouvé chez toi une tête coupée prête à partir en pâté-Fraternité

— ... et un cadavre d'homme blanc dans tes petits pains.

— Taisez-vous, taquineurs, on pourrait vous entendre.

C'est déjà fait. Un grand café au lait reste la bouche ouverte devant son Double-Egalité, les yeux horrifiés comme s'il voyait la viande grouiller à l'intérieur. Le Mac prend Ed et Jones par le bras et les entraîne à l'écart.

— Mes amis ! Fi du passé. Allons fêter nos retrouvailles à l'étage derrière un bon verre de Coquin.

— Garde ta limonade à la suie !

Le Mac prend une mine offusquée et docte.

— Sachez, mes amis, que le Coquin du Mac est à base de plantes des Amériques, aux vertus médicinales reconnues sur les embarras de la digestion et le mal de flegme. Il est agréable au goût et coquine au palais. D'où son nom. En outre, le Coquin peut régénérer l'éclat des bijoux, timbales, couverts en argent...

Jones l'intercepte en plein boniment.

— Justement, le Mac, si on allait derrière ton paravent vérifier l'argenterie ?

De l'autre côté, il y a bien la table, le porte manteau, et les casiers à registres que la Marmotte leur avait décrits. Un vieil homme aligne des chiffres à la plume et à la bougie. Sa couronne blanche de cheveux crépus et ses yeux enfiévrés le font ressembler à un moine-soldat.

— Trinité ! Tu peux laisser le Mac et ses amis ?

Sans un mot, l'homme porte ses additions à côté.

— Est-ce que tu le connais ?

A peine derrière le paravent, Jones montre le portrait de l'enfant léopard au Mac. Celui-ci fait semblant de réfléchir sous sa perruque.

— Non, jamais vu.

Ed l'alpague au revers de la redingote. Au toucher, l'étoffe est à cher l'aune. Il l'assoit de force sur une chaise.

— Mauvaise réponse. Ce n'est pas ce qu'on dit quand on voit pour la première fois un visage pareil.

— Ben... qu'est-ce qu'on dit, alors ?

— Par exemple : Quelle horreur !... Mon Dieu !... ou Qu'est-ce qu'il lui est arrivé ?

— C'est vrai ça, qu'est-ce qu'il lui est arrivé ?

Vlim-vlom ! Ed n'a pu retenir ni l'aller, ni le retour, de la calotte.

— Il a trop utilisé de Baume des Isles.

— Tu vois ce qui t'attend, le Mac.

— C'est vrai ?... Quelle horreur !... Mon Dieu !...

Il se palpe le visage pour vérifier qu'il ne part pas en lambeaux. Pour l'instant, ce sont plutôt les molaires qui branlent.

— Donc, tu ne l'as jamais vu. Même si on te disait qu'il a travaillé là.

— Juste où tu es assis.

Le Mac regarde sous lui comme s'il cherchait quelqu'un de caché.

— Sûrement pas... Ça m'étonnerait... Peut-être... Mais le Mac pense qu'il nous est impossible de connaître tous nos employés.

Ed reprend sa distribution de soufflets et torgnoles.

— Ça, c'est pour le Mac ! Ça c'est pour « il » et ça c'est pour nous !

Tassé au fond de la chaise, le Mac se demande combien il lui reste de pronoms personnels à prendre sur la figure.

— Puisque t'as du mou dans le souvenir.

— Nous allons, aussi, t'éclaircir la mémoire.

Jones va récupérer la Marmotte. Dès qu'il le voit, le Mac en claque sa boîte à bijoux de rage et se précipite sur lui. Ed l'intercepte et le renvoie valdinguer sur la chaise.

— Qu'est-ce qu'il fait là, ce babouin ! Il a volé au Mac assez d'en-bourgeois pour nourrir l'armée du Nord en campagne.

La Marmotte regarde ailleurs et joue aux petits soldats sur sa cuisse, avec Voltaire et Rousseau.

— Il dit avoir vu le gosse du portrait à ta place.

Le Mac sort un porte-lorgnon incrusté de brillants, et approche une bougie du cadre ovale. La lueur semble faire vivre le regard de l'enfant léopard.

— Là, je vois mieux. Maintenant ça me revient ! C'est vrai, il a dû venir une ou deux fois pour un remplacement.

Ed saisit un énorme registre et le brandit au-dessus de la tête du Mac.

— Non ! Pas les comptes !... Bon, d'accord, le Mac le connaît. Il veut bien en parler, mais il faut le débarrasser de la vue de ce sale babouin voleur et mouchard.

La Marmotte a compris. Il s'en va en raflant au passage en cuisine de quoi largement nourrir Piqueur qui attend dehors.

— Revenons à ce portrait.

— D'accord, le Mac le reconnaît, il a employé ce garçon ici. Mais comme ses papiers n'étaient pas très francs, le Mac ne voulait pas lui causer d'ennuis.

— Ça veut dire quoi, pas très francs ?

— Le Mac se souvient seulement que ses papiers disaient qu'il était indien.

— Indien ! Ça change tout. On nous a dit qu'il était noir.

— Noir ! c'est dépassé, mes amis. Aujourd'hui, il n'y a plus de Noirs à Haarlem.

Ed et Jones regardent dans la salle du restaurant. Pourtant ça ressemble.

— Non, mes amis, il n'y a plus de Noirs de la Côte, ni de nègres de Guinée ! Rien que des Indiens. Sur leurs papiers, ils viennent tous des Indes ! C'est la dernière nouveauté. Bientôt, à Haarlem, il n'y aura plus que des fils de maharadhjah, et les vaches sacrées descendront la 5ᵉ Avenue pour aller brouter à Notre-Dame-des-Champs.

— Commence pas à essayer de nous embrumer avec tes divagations. On te connaît.

— Je vous assure, mes amis, il y a même des Noirs RCB.

— C'est quoi, encore ?

— Des Noirs Reconnus Comme Blancs.

Ed et Jones sont intéressés, mais ce n'est pas le moment.

— Revenons à l'enfant. Il avait quel âge ?

— Lui disait dix-sept. Le Mac pense qu'il avait moins.

— Tu te moques encore de nous. Toi, tu as confié tes comptes à un gamin?

— Attention, mes amis, fallait voir comment il jonglait avec les florins, les livres, les marks, les sous, les liards. Pour le Mac, il avait une machine dans la tête. Ma Félicité d'épouse pensait même qu'il était inspiré par un archange. Vous saviez que Gabriel connaissait le nombre des plumes d'un oiseau rien qu'à le voir voler?

— Qu'est-ce qu'elle devient cette bonne Félicité? Elle arnaque à quoi, en ce moment?

— La dernière fois, elle transformait des assignats en louis d'or dans un poêle à bois.

— C'est fini, ce temps. Parole de Mac! Elle tient un Salon de Causeries Républicaines à l'étage.

Le Mac montre le plafond. Ed essaie d'imaginer les trois cents livres de causeries de Félicité. Jones regarde les poutres. Une idée lui vient.

— Dis-moi, il habitait où, ce gosse?

— Le Mac, dans sa gentillesse, lui avait trouvé une chambre au cinquième.

— On peut la voir?

— C'est Trinité qui l'occupe, maintenant.

Le Mac désigne l'enfiévré penché sur ses colonnes de chiffres. Il fait mine de ne pas entendre. Mais Ed et Jones sont certains qu'il écoute tout depuis le début. Ils se questionnent des yeux et tombent d'accord. Cette chambre, il faut aller la voir. Mais pour l'instant, ils vont continuer à faire cracher le Mac.

— L'enfant est parti quand, de chez toi?

— Le Mac se le demande encore. Un matin, la chambre était vide. Il n'était plus là. Je ne l'ai jamais revu.

— C'était quand ?

— Un peu après votre dernière visite.

Ed abat ses deux poings sur la table à la fracasser par le milieu. Le Mac saute sur sa chaise. Ed se retient de le fendre en deux. Il choisit le calme.

— Excuse mon impatience. Mais tu vas comprendre quand je t'aurai résumé ce que tu nous as dit. Quelqu'un que nous cherchons, en pleine nuit, pour des raisons impérieuses, mandatés par les plus hautes instances de la nation, et que tu ne connaissais pas, il y a cinq minutes, a tenu tes précieux livres de comptes, habité ta confortable maison et disparu du jour au lendemain, juste après notre passage.

— Tu comprends notre impatience, le Mac ?

Résumé comme ça, il comprend, mais le revers de Jones est moins compréhensif. Il lui coûte ses molaires branlantes et une boursouflure aux lèvres.

— Alors, réponds simplement avant carnage. D'où venait ce gosse ? Comment est-il arrivé chez toi ?

— Par un ancien fournisseur. Un frère qui a une ferme en pays de Beauce. Il cultive de la pomme de terre.

— Tu peux être plus précis ?

— Vous savez, pour le Mac, en dessous de la 110e rue, c'est déjà la Savane.

— Comment il s'appelle ton nègre cultivateur ?

— Zamor ! Encore un qui se dit des Indes. Il s'habille même en maharadjah.

Jones remarque Trinité qui s'éclipse en douce de ses comptes, comme si le nom de Zamor lui donnait une soudaine envie républicaine.

— Ne le traitez pas de cultivateur, il vous arracherait les yeux. C'est un seigneur. A l'en croire, il a connu Versailles, et la cour de Louis XV.

— Où on peut le trouver, ton Zamor ?

— Demandez à ma Félicité d'épouse. C'est un client à elle, maintenant. Elle en est liquide de ce maharadjah. Faut dire qu'il est beau causeur.

Au ton aigre du Mac, on devine que ce Zamor est un ancien fournisseur pour lui, mais qu'il fournit toujours son épouse. Si l'on considère les trois cents livres de Félicité, c'est un sacré marché !

— On voudrait la voir, ta Félicité.

Le Mac sort une montre en or, un rien moins grosse que l'horloge de la Conciergerie.

— Le jeudi à cette heure elle tient une séance de magnétisme animal.

— C'est quoi cette arnaque, du vaudou ?

— Non, le vaudou, c'est le lundi.

— Ça ne fait rien, on prendra ce qu'il y a.

Une commise efflanquée avec des yeux de grenouille toque au paravent et passe son calot derrière.

— Citoyens. C'est votre ami, le Blanc avec la pique, qui est dehors. Il dit que c'est très important. Il y a des citoyens qui veulent le fourrer dans un sac et le jeter à l'eau.

Ed et Jones bondissent.

— Toi, le mac tu ne bouges pas de là.

Ed lui en assène une dernière, histoire de le clouer à son siège. Le Mac crache dans sa main une pépite ensanglantée. Il note sur son carnet... *Paraît qu'on fait des dents en porcelaine. Se renseigner...*

Les affreux sautent par-dessus le comptoir. Ils fendent la salle et le quidam comme du sapin sec. On voit gicler en l'air de l'en-bourgeois, des gobelets en carton et du jus noirâtre.

— Citoyens! Il faut que je vous parle!

C'est encore ce Moka. L'homme doré à la face grêlée leur barre le passage. Il tend sa carte, Ed passe tout droit. Moka boule contre un mur. Ed et Jones surgissent hors du restaurant. Devant l'entrée, Piqueur est entouré d'un groupe d'avinés menaçants. La Marmotte n'a plus l'air d'être là. Les deux affreux brisent le cercle à l'épaule.

— Où est le p'tit?

— Il a suivi le vieux Noir tondu avec des cheveux blancs.

— Par où?

— Il a pris la ruelle qui passe derrière la maison où il y a écrit « Nouveautés ».

Jones s'en veut de ne pas avoir suivi Trinité, lui aussi. Cette espèce de moine a tout de l'illuminé. Le gamin est allé aux soucis. Il faut se débarrasser de ces excités.

— Qu'est-ce qui se passe, Piqueur?

— Je faisais des tours pour amuser les enfants, quand celui qui a une peau de lapin autour du cou a commencé à monter les autres.

Ed et Jones repèrent le provocateur. Ils avancent d'un pas, mettent l'arme au clair et aboient.

— A vos rangs !

— Fixe !

On se tétanise et on recule devant les deux 38 nickelés façon parade.

— Qui c'est, ces deux bouseux ?

Peau de lapin l'apprend de Jones à pleine bouche.
Fossoyeur le cisaille d'un gauche en crochet au râble et
redouble au menton. Deux chicots volent, les lèvres
éclatent solidaires et le nez se retient d'en faire autant.

— On se calme ! Nous sommes Ed Cercueil...

— Et Fossoyeur Jones, officiers de police !

Ils montrent leurs plaques bleues. Murmures et ron-
ronnements dans l'assistance. Ça en impose.

— C'est pas nous, patron ! C'est ce Grand Blanc.
C'est un sorcier. Il nous fait sortir des idées de partout,
même des oreilles et du chapeau.

Le courtaud à front étroit ne devrait pas se plaindre.
D'où veut-il qu'il lui en sorte, sinon ?

Manière de démonstration, Piqueur fait apparaître
du nez d'Ed un morceau de papier sur lequel est écrit
« Retour d'affection ». Il enchaîne sur Peau de lapin qui
regarde épouvanté lui tomber de tous les orifices
« Affection » « Argent » « Santé » et « Fidélité ». L'assistance recule. Peau de lapin s'agite horrifié et entre en
transe. Il tourne sur lui-même en se frappant comme
s'il était couvert de cancrelats.

— Des mots ! Des mots ! Il y en a partout !

La danse du possédé attire une foule qui s'agglutine
dans la rue et commence à s'échauffer.

— Faut l'arrêter, Jones. C'est comme ça que ça
commence une émeute à Haarlem.

— Regardez là-bas !

Piqueur montre un fiacre gris qui traverse au croisement avec Lenox Avenue.

— Tu crois que c'est le moment de regarder passer les fiacres !

— C'est celui de tout à l'heure. Sa capote est déchirée.

Piqueur a raison. La trace de son engin y est encore. Ed se jette à sa poursuite. Mais le cercle se referme avec des visages butés et toutes sortes d'ustensiles tranchants à la main.

— Gare, mes frères ! ils veulent s'échapper.

La foule reprend comme un chœur... Gare !... Gare !... et commence à taper dans les mains lentement en rythme.

— Les chants, Jones ! Les chants à Haarlem, il n'y a pas pire.

*

Le docteur Seiffert écarte un coin de rideau du fiacre gris. Il observe les deux grands épouvantails noirs et le flandrin avec sa pique, devant chez le Mac. La troupe d'écumants qui les entoure semble vouloir leur faire un vilain sort. Ce sont bien les mêmes qu'il a vus à La Vainqueuse quand il est allé récupérer le carlin. Il manque le négrillon. Mais si tout le monde se retrouve ici, c'est que ce morveux a déjà parlé de ce qu'il a entendu. Le docteur s'en veut. Le vicomte lui avait bien montré que le mioche espionnait par la cheminée Il a trop tardé à s'en débarrasser.

Le docteur demande au cocher de presser l'allure. Il va aller, comme convenu, attendre Zamor à son club de jeu. Le Valet de Carreau est dans la 115ᵉ, ce n'est pas très loin. Seiffert pense à Commandeur. L'homme est dangereux. Bien plus encore si le vicomte a raison à propos de ses origines.

*

Difficile de lire dans les yeux du vicomte s'il a raison. Pourtant ils sont grands ouverts. Sa bouche aussi. La boule de papier enfoncée jusque dans la gorge donne l'impression qu'il a voulu avaler un secret trop gros pour lui. C'est ce que pense Commandeur. Le vicomte n'aurait pas dû parler devant les autres de sang mêlé.

— Oui, Vicomte. Je peux faire cette confidence à un mort. Je ne laisserai rien derrière moi qui puisse donner à penser qu'il y a du sang noir dans ma lignée. Rien. Même pas vous.

Commandeur fouille les papiers d'un meuble secrétaire en acajou. Il récupère quelques passeports, ordres et commandements. Le vicomte était un faussaire habile. Il n'y aura que sa mort qu'il n'aura pas réussi à imiter. Commandeur feuillette le livre qu'il a trouvé sur le bureau... *Les Voyages du capitaine Cook*... Quand il est entré par surprise, rendre sa visite, le vicomte traduisait une lettre chiffrée. Il s'aidait du texte du livre, où des passages étaient soulignés. Commandeur sait que la reine lisait ces Voyages dans sa cellule. Ce livre était devenu une sorte de signe de ralliement pour ses fidèles. Lui-même en avait un. Il l'avait brûlé ce soir avant de quitter sa maison. Est-ce

que la reine utilisait ce livre pour communiquer avec
l'extérieur ? Commandeur ne le saurait jamais. Il avait
étouffé le vicomte avec la carte de la première expédition du capitaine Cook. Celle partie de Norfolk le
22 janvier 1768.

— Bon voyage, vicomte !

*

De la fenêtre du premier étage, le Mac contemple
Ed Cercueil et Fossoyeur Jones encerclés par une foule
qui chante et tape dans les mains. On dirait un morceau de pâte à oublies dans de l'huile bouillante. Le
Mac sourit avec son reste de dents en or rangées par
ordre alphabétique. Il note... *Animations devant le restaurant : bonne idée...*

— Prêt à percer, Jones ?

— Prêt !

Piqueur les arrête et leur montre un morceau de
papier copié par la Marmotte. Ils le lisent, l'air dubita-
tif, et haussent les épaules.

— Qu'est-ce qu'on risque ?

— Rien. Tout est possible.

— On est à Haarlem !

Ils l'ont dit ensemble. Deux coups de feu en l'air
ponctuent la sentence. Deux coups des 38 nickelés à
canons longs. Jones brandit le mot de Piqueur.

— « Gratuit » ! Citoyens, citoyennes ! Nous avons le
plaisir de vous annoncer...

— Que le Mac vous offre, un quart d'heure... gratuit ! sur tous les en-bourgeois. Mais, dépêchez-vous !

— Il n'y en aura pas pour tout le monde !

Une seconde d'incrédulité sur les visages à la ronde. Et soudain, il y a un cri comme à Valmy. La horde se rue dans le restaurant. Quatre jeunes à bonnets rouges retournés profitent de l'émoi pour embarquer les statues de plâtre de l'entrée. On voit deux nègres de cour partir les pieds devant, comme pour une course de gisants dans Haarlem. A la fenêtre, le Mac note sur son carnet... *Gratuit : mot très dangereux, mais efficace...*

Ed, Jones et Piqueur n'ont pas le temps de savourer le plaisir de ne pas être écharpés. L'homme doré se plante devant eux. Il tend toujours sa carte de visite.

Moka

Mémoire vivante

245 Lenox Avenue, Haarlem

— C'est moi, citoyens. Il faut que je vous parle.

— Désolé, on n'a pas le temps.

— Je vous assure, citoyens, je serai bref...

Ed et Jones sont déjà en mouvement vers la ruelle. Piqueur les précède.

— C'est par là. Ça donne derrière le restaurant.

A l'odeur de pain chaud, Piqueur semble avoir raison. Ils se glissent par une palissade dans une cour sombre encombrée de rats et de panières sur roulettes. Certaines vides et d'autres remplies de pains ronds prêts à la livraison.

— J'ai accompagné la Marmotte jusqu'à l'échelle. Après il m'a dit de retourner vous prévenir. Mais... j'ai fait mes tours de magie...

Ed et Jones ont envie de corriger l'échalas, mais il a déjà l'air si malheureux. L'échelle dressée rejoint une sorte de coursive en bois qui monte par paliers sur toute la façade.

— Piqueur, tu prends ton poste. T'embroches tout ce qui veut passer.

— Et cette fois, tu ne bouges pas !

Piqueur promet. Ed et Jones grimpent. Ça branle et croule. D'après ce qu'a dit le Mac, ils savent qu'il faudra monter jusqu'au cinquième. Une fenêtre est ouverte. Ils se collent de part et d'autre les 38 au clair. La chambre n'est pas éclairée. On entend fureter quelque part à l'intérieur. Ed fait signe que c'est lui qui entre en premier. Il enjambe l'appui et se glisse. Une odeur d'encens et de chandelles mouchées emplit l'obscurité. Ed dégage sa silhouette de l'embrasure de la fenêtre. Il s'accroupit et écoute. Trop de silence. Même les rats guettent. Il y a quelqu'un dans la pièce. Quelqu'un de parfaitement immobile qui filtre son souffle et apaise les battements de son cœur. Le type n'a pas peur. La trouille a une odeur. Surtout ne pas bouger. A ce jeu le premier qui cille est mort. L'autre se dit la même chose, la lame de son couteau bien à plat contre sa cuisse. Il est peut-être là à portée. Il a distingué son profil. Il va le frapper à la nuque.

— Ed ! ça va ?

Ne pas répondre. Jones comprendra. Ed tâtonne le sol pour repérer un meuble ou un mur. Reconstituer la pièce pour bondir vers ce rien de tache blanche toute proche qu'il vient de localiser. Sa main rencontre ce qui a l'air d'être une bougie, puis une jambe. Un corps est allongé sur le sol. Ed sursaute. Il a bougé ! Aussitôt, la tache blanche fond droit sur lui, un éclair à peine argenté jaillit par en dessous, Ed se jette au hasard, une douleur lui déchire l'épaule. Il roule. L'ombre bondit par la fenêtre.

— A toi, Jones, il se sauve !

— Je prends !

Ed suit à l'oreille une cavalcade débraillée le long de la coursive. Affalé sur le dos, il se fouille et bat le briquet. La lueur éclaire des pieds nus.

— La Marmotte !

C'est à lui, ce corps inerte à moitié engagé par la tête sous le lit. Dehors un coup de feu. Une vitre de la fenêtre part en étoile. On entend un long cri et un choc mou lointain. Ed se précipite.

— Jones ! C'est toi ?

— Tu me déçois. Qui veux-tu que ce soit ?

— Rigole pas. Le gamin est là. Je crois qu'il est mort.

On donne un mieux de lumière avec une lampe à huile. Ed et Jones tirent le corps de la Marmotte de sous le lit. Du sang coule d'une oreille. Il tient encore serrées dans son poing les figurines de Rousseau et Voltaire. Son visage fait l'angelot sous la lampe. Le cœur des affreux se broie. Jones tâte palpe, et tapote. Il y a, un peu partout sur le corps, des traces de vie mal dissimulées. Cet enfant ne doit pas savoir très bien mentir. Quelques gifles lui rendent ses yeux, déjà inquiets.

— Où ils sont mes soldats ?

— Tu les as dans la main.

La Marmotte sourit en retrouvant Voltaire et Rousseau et grimace en se palpant le crâne.

— Pas d'alarme. C'est juste du sang de peau.

Jones rassure, mais la Marmotte trouve le sien quand même drôlement rouge

— Ed, c'était bien Trinité, le citoyen que tu as poursuivi ?

— Oui, et plutôt coriace au couteau, pour un commis de plume. Ça l'a perdu, la plume, il a dû croire qu'il pouvait voler et il a chuté de cinq étages.

— T'es blessé, Ed ?

— Pas grand-chose. C'est dans le confortable de l'épaule.

Jones regarde autour de lui. Sa cicatrice le démange. Quelque chose ne va pas. Mais il ne sait dire quoi.

— Ed, tu ne trouves pas qu'elle est étrange, cette chambre, avec toutes ces bougies posées par terre autour du lit, et pas d'autre meuble ?

— C'était plutôt le genre moine, ce Trinité. A ton avis, qu'est-ce qu'il venait chercher, ici ?

— Aucune idée, Ed. Je sais juste que le nom de Zamor lui a fait de l'effet. Il faut qu'on aille voir Félicité pour qu'elle nous parle de ce maharadjah. C'est une bonne piste pour l'enfant léopard. Ça me démange !

— D'accord, Jones. Mais on va quand même aller fouiller le corps du Trinité volant.

Il a atterri, Trinité. Il a même apani. Le voilà couché dans le pain destiné à *Bicêtre*. C'est marqué sur la panière. Endormi dans sa nacelle, on dirait un aérostier orphelin de son ballon. Jones plonge dans les petits pains, la Marmotte joue avec Rousseau et Voltaire. Piqueur tient une lampe au bout de son engin et note... *Enfants trouvés*... Ed se recoud à vif la blessure avec son nécessaire de campagne.

— C'est tout ce que j'ai retrouvé dans ses poches.

Jones rapporte sa prise. Une chaîne en or avec un médaillon rond dont l'image est recouverte de sang mais où on devine l'enfant léopard.

— A mon avis, Ed, on est tombés sur une sorte
d'adorateur de l'enfant léopard qui conservait son
ancienne chambre comme un sanctuaire.

— Ce n'est pas rassurant. Ça veut dire que la
Patronne disait vrai. On cherche un dieu.

— Pour ce genre d'arnaque, je ne vois que cette
bonne Félicité pour nous éclairer. Si on en croit le
Mac, à cette heure, elle doit être en pleine séance de
magnétisme animal.

6

Moka

Le magnétisme animal!

Jones ne daigne pas en dire plus. Inutile. L'explication est derrière cette porte capitonnée. La Marmotte et Piqueur sont restés en bas dans la rue. Piqueur parce que c'est dehors, et la Marmotte à cause de sa blessure à la tête. C'est ce qu'il a dit. Un prétexte. En réalité, sous son crâne fendu, il a un plan. D'abord, retrouver le fiacre gris qu'il a vu passer devant le restaurant du Mac. Ensuite, reprendre le carlin au docteur Seiffert. Puis, ramener Coco à Sidonie-c'est-joli, comme il lui a promis. Et enfin, manger une grosse part de tarte. De leur côté, Ed et Jones ont toujours le même plan... On verra bien... Ils se font guider jusqu'à l'étage.

— C'est au fond. Dans le couloir. Une porte. Il y a une grille. Madame. Elle n'ouvrira pas.

La servante qui parle au hachoir se trompe. Félicité ouvre. Bien sûr, Ed et Jones doivent d'abord montrer par le judas leurs 38 effilés, expliquer comment ils vont faire sauter la serrure et déplorer la forte commotion

qui résultera sur la clientèle de leur entrée à coups de
bottes. Félicité est convaincue. Elle ouvre en grand sur
ses trois cents livres d'ébène luisante et cette façon
bien à elle d'être toujours enceinte de douze mois. Elle
apparaît en tenue de cour, la gorge mouchetée de taffe-
tas rose, au bord de quitter son enveloppe. Félicité est
gonflée à la fureur et parle en chuchotant, ce qui donne
l'impression qu'elle se dégonfle.

— Ed Cercueil et Fossoyeur Jones ! On est déjà
monté me dire que vous avez vu le Mac et qu'il y a eu
du charivari. Mais je vous préviens que si vous causez
du trouble ici...

Ils font briller leurs plaques bleues. Ça évite à Félicité de parler de ses appuis au Comité. Elle s'adoucit
l'humeur et les fait entrer de plain-pied dans une sorte
de boudoir tout en chinoiseries laquées noir et rouge
avec des dragons dorés. Les murs sont chargés d'un
embarras de miroirs, de brevets, patentes... *Société
d'Energie Savante...* et de planches encyclopédiques.
L'endroit sent le lupanar reconverti en cabinet des
merveilles. Jones sort le portrait ovale de l'enfant léopard.

— Parle-nous de lui, et d'un certain Zamor.

— Evite de nous dire que tu ne les connais pas,
c'est ce qui cause du charivari.

— Chut ! Je ne dis pas que je ne connais pas. Seulement, je suis en pleine séance d'unité des flegmes. Il
m'est impossible d'abandonner mes patients.

— Tu veux dire tes malades.

— Taisez-vous, malheureux ! Ici, il n'y a pas de
malades. Seulement des patients, victimes d'une parti-

tion de l'énergie. Je ne peux pas les laisser seuls. L'enseignement du docteur Mesmer est intraitable sur ce point. Je risque de laisser le fluide essentiel vagabonder hors d'eux. Ça pourrait les tuer. Venez avec moi. J'en ai bientôt fini, nous pourrons causer.

Ed et Jones la suivent derrière une porte-miroir, dans un endroit entièrement obscur. Quelque part, un pianoforte joue une mélodie traînante. Ils finissent par distinguer, au milieu de la pièce, une masse ovale en bois d'une vingtaine de coudées de long. La forme fait vaguement penser à une chaloupe ventrue.

— Ah! c'est ça, le fameux « baquet de Mesmer »!

— C'est ce que disent ses ennemis comme ce francmaçon de Guillotin qui préfère raccourcir que guérir. En réalité, il s'agit d'un concentrateur de magnétisme.

Jones s'excuse d'avoir confondu. Il détaille l'engin. Des tiges coudées flexibles sont plantées dans le couvercle à espaces réguliers. Chacune est tenue par un patient assis dans un fauteuil, qui applique l'en-bout sur une partie du corps. On croirait des naufragés accrochés à leur canot de sauvetage. Une veilleuse laisse deviner des hommes et des femmes bien mis. Félicité se déplace autour du groupe comme un cortège à elle seule. Ed et Jones lui collent à la traîne en courtisans. On n'entend que le glissement de sa robe, sur la mélodie feutrée du piano-forte. Elle parle haut avec une voix de prêtresse.

— *Souvenez-vous. Il n'y a qu'un seul mal. Qu'une seule guérison! Laissez partir le flegme... Laissez monter le fluide en vous.*

Félicité alterne avec aisance les imprécations aux patients et les chuchotements à Ed et Jones.

— *Regardez ! Votre magnétisme est éparpillé...* Ce sera difficile de vous approcher de l'enfant du portrait...

— Tu le connais ?

— C'est l'enfant léopard... *Nous allons le rassembler...* Tout le monde le connaît à Haarlem... *Prenez chaque morceau un à un...* Mais personne ne vous en parlera.

— Pourquoi ?

— A Haarlem, il naît un dieu par semaine... *Sentez votre propre magnétisme se reconstruire !...* J'en ai vu du messie, du marabout ou du prophète défiler... *Sentez-le !...* Mais cet enfant, c'est différent. *Il monte !...*

— Comment tu peux dire ça, Félicité ?

— C'est mon métier, l'arnaque... *Freinez-le encore un peu...* Un moment, j'ai même pensé faire Sauveur, comme la Mère de Dieu, Catherine Théot. Ça marche bien. Elle a même Robespierre comme client... *Retenez-le captif en vous...* L'enfant léopard, ça n'a rien à voir. Lui, c'est le Vrai !

Ed et Jones se disent qu'ils assistent à un événement. Félicité est sincère !

— Et ce Zamor, qui prétend avoir connu Versailles, la cour de Louis XV...

Jones chuchote à la manière de Félicité.

— C'est vrai. Il a été le valet de queue de la du Barry... *Extirpez ce flegme !...* La favorite du roi... *Laissez venir le fluide essentiel !...*

— Tu as l'air de bien le connaître. Paraît qu'il est client chez toi.

— Disons qu'il est inquiet pour son... outil de travail. Il a eu des ratés ces derniers temps... *Attention, pas trop vite la montée !...* Alors il vient le régénérer ici... *Vous devez garder la maîtrise...*

— Ça marche?

— Mieux que l'anneau de Venise. Vous voulez que je vous offre une séance, Ed?... *Respirez fort!...*

— Dis-nous plutôt s'il est là ce soir, ce Zamor?

— *Maintenant vous pouvez commencer à laisser aller...* C'est lui, au milieu!

Félicité leur désigne en passant une sorte de maharadjah à turban qui porte une perle à l'oreille. Ed et Jones l'auraient deviné. Au fond de son fauteuil, le Zamor est en plein magnétisme animal. Il est recroquevillé sur son en-bout flexible, avec ondulations des hanches, râles et chavirement des yeux.

— *Attention! Le magnétisme opère!...* Pour votre intervention, vous attendez la fin de la séance. Qu'il ait payé au moins! Et du doigté!... *L'unité des humeurs se forme. Sentez-la!...* Vous ne me l'abîmez pas. Promis?

— Pourquoi, Félicité, tu en as l'usage?

— Disons qu'il me fait profiter de son trop-plein de magnétisme animal, les jours où j'en manque... *Maintenant vous pouvez libérer toute l'humeur qui est en vous... Allez!... Allez!... Encore!...*

Félicité encourage l'assemblée comme une sage-femme à la poussée. C'est alors qu'Ed et Jones s'aperçoivent que le rythme du piano s'est accéléré et que Zamor fait des émules au fond des fauteuils. C'est la convulsion et le râle généralisés. On échange les flexibles, le fluide circule. Ed et Jones comprennent mieux comment l'ancienne maquerelle a pu se reconvertir si vite dans le baquet.

— *Allez! Ensemble!... Maintenant!*

Dahong! Dahong!

Les murs tremblent, le sol gronde. C'est la pâmoison suprême. L'extase. Le cri ! Ça va du tocsin à gros bourdon à la sonnette de service. Chacun son registre. Alléluia !... On se regarde ébahi. Jamais personne n'avait ressenti une telle visitation.

Dahong !... Dahong !...

L'assemblée dégrise. Ça sonne pour de bon. De vraies cloches. On reconnaît celle de l'église Sainte-Zita, dont le clocher est quasi mitoyen. Un jour d'envolées de Pâques, il fendra l'immeuble en deux.

Dahong !.. Dahong !..

Dehors on entend des cris qui montent de la rue.

— La mort ! La mort !

Félicité tire les rideaux. Le jour surprend les patients qui remisent les flexibles, se rajustent le magnétisme et accourent aux fenêtres. Sur le parvis de l'église, une foule est ameutée.

— La mort !... Ils ont voté la mort !... Tous à la Conciergerie !

Tout à coup, d'un seul mouvement, la troupe d'impatients se jette en désordre vers la porte et renverse Félicité. La porte-miroir explose en des milliers de fois sept ans de malheur.

— Jones ! Notre homme se sauve.

Dans cette cohue d'incendie, Zamor n'est pas le moins pressé. Il se faufile comme un volontaire au feu. Jones fonce à la suite du maharadjah, mais il reste bloqué dans l'étranglement du boudoir. Inutile d'insister. Ed repêche les trois cents livres de Félicité affalée à la proue du concentrateur d'énergie. On dirait une baleine éperonnée par une chaloupe.

— Les foutre de faisandeurs en ont profité pour partir sans payer!

Ed et Jones vont à la fenêtre. Au clocher de Sainte-Zita, il est 4 heures. Ils ont compris. Là-bas, au-delà de Haarlem, au-delà de la Seine, au-delà de la balustrade de bois, on a voté la mort de la reine.

*

— La peine de mort!

Marie-Antoinette n'est pas certaine d'avoir entendu, mais elle a compris. Avec son cœur, avec son ventre, avec ses chairs douloureuses qui s'ouvrent sous elle, elle a compris. Antoinette se sent défaillir. Aucune frivolité dans cette soudaine langueur. Rien de parfumé. Seulement le corps qui abandonne. Pas ici. Pas devant ces gens. La voix de Fouquier-Tinville lui paraît lointaine et embrumée.

— ... *Que l'accusée soit condamnée à la peine de mort, conformément à l'article premier, de la première section, du titre premier de la deuxième partie du code pénal...*

Il lui semble qu'on veuille réduire sa mort à un simple alinéa. Mais ce n'est pas suffisant. Ils essaient maintenant de la démembrer De l'écarteler.

— *Et encore de l'article 11 de la première section du titre premier de la seconde partie du même code.*

En combien de pièces me veulent-ils? Elle qu'on disait... *un morceau friand...* quand elle est arrivée à Versailles, la voilà à la curée. Fasse que ceux qui m'aiment ne me voient pas ainsi dépecée. Surtout vous, mes enfants. Tous mes enfants. Mes pensées vont à vos âmes. Quelle mauvaise mère je fais de partir avant vo

— *Antoinette, avez-vous quelques réclamations à faire sur l'application des lois invoquées par l'accusateur public ?*

Réclamations ! Quelle inconvenance. Comme s'il s'agissait d'un caprice chez sa modiste... *Madame Bertin, j'ai bien des réclamations à vous faire, à propos de ce vilain pincé d'épaule...* Son cœur se serre. Qu'il soit dit, au moins, que je n'ai pas donné le spectacle d'une coquette qui défend sa vie comme un ruban.

— *Le Tribunal, d'après les déclarations unanimes du jury, faisant droit sur le réquisitoire de l'accusateur public, d'après les lois, par lui citées, condamne ladite Marie-Antoinette, dite Lorraine d'Autriche, veuve de Louis Capet, à la peine de mort.*

Marie-Antoinette descend de l'estrade. Elle n'entend, ni ne voit autour d'elle. Son pas va sans trébucher. Elle regarde le portillon de la balustrade. C'est au-delà, maintenant, que tout commence.

*

Ed et Jones s'affairent autour de la magnétiseuse qu'ils ont du mal à remettre sur ses pieds.

— Félicité, tu crois qu'il nous avait repérés, ton Zamor ?

— Avec votre allure, ce n'est pas difficile. Mais ce genre de citoyen a intérêt à courir avant de réfléchir. Il a toujours quelqu'un au derrière.

— C'est quoi, son derrière à lui ?

— Le jeu et les maris.

— A ton avis, Félicité, il y a un rapport entre l'enfant léopard et Zamor ?

— Moka vous dirait ça mieux que moi. Dès qu'un nègre est concerné, il sait tout.

— Moka ? Le fou doré ? La mémoire vivante ?

— Ce grêlé qui nous court après ?

— Un peu de respect, jeunes gens. Gamin, il a été canonné sur un bateau négrier.

Ed et Jones savaient qu'en cas de mutinerie des esclaves, les équipages tiraient sur eux aux pois secs, pour ne pas trop abîmer la marchandise.

— Où on le trouve, ce Moka ?

— C'est lui qui vous trouvera.

— D'accord, pour Moka, on attendra. Mais pour ce Zamor, tu as bien une idée sur la question, Félicité.

— Citoyen, je suis magnétiseuse patentée de la Société d'Energie Savante, pas devineresse.

C'est certain, sinon elle aurait vu venir la réaction d'Ed et Jones. Ils l'agrippent sous les bras et charrient chacun cent cinquante livres de mauvaise volonté, jusqu'au baquet. Jones soulève un pan du couvercle.

— Que dirais-tu d'un bain de siège ?

— Vous n'avez pas le droit de regarder. C'est un principe secret breveté.

Le secret ressemble à un alignement de bonbonnes d'apothicaire opaques, posées sur une litière de limaille de fer. La magnétiseuse regarde avec horreur les dessous de son art révélés.

— Ecoute, Félicité, on t'avait prévenue. C'est comme ça qu'arrive le charivari.

— Tu vas pas nous faire croire que tu éponges le magnétisme de ton maharadjah sans qu'il te fasse quelques confidences.

— Inutile de froisser ma robe. Je veux bien vous éclairer, si ça me débarrasse de vous.

— Intéresse-nous et on débarrasse.

Ed et Jones lâchent Félicité. Ils ont l'impression d'abandonner une bouée.

— Avec Zamor, c'est difficile de savoir, il se vante tellement. Il a été l'étalon de la du Barry, ça c'est sûr. Mais, il n'y a pas très longtemps, il a eu une histoire avec une écrivaine, Olympe de Gouges. Une qui croit connaître les Noirs parce qu'elle a écrit une pièce de théâtre sur l'esclavage.

Félicité n'a pas l'air de porter l'Olympe dans son corsage.

— Zamor en était envoûté. Ça le faisait reluire. Pour une fois, on s'intéressait plus à son turban qu'à son en-bout. Mais elle s'est lassée. Pour moi, c'est le genre qui a besoin d'un Noir pour écrire sur les Noirs, et d'un cheval pour écrire sur les chevaux. D'ailleurs, après l'avoir congédié comme un laquais, quand elle a été emprisonnée à la Force, l'Olympe l'a rappelé pour qu'il l'engrosse et qu'elle évite la guillotine.

Ed et Jones font semblant de ne pas s'étonner de ce que dit Félicité.

— Mais ça n'a pas marché. Résultat, l'Olympe en veut à Zamor et lui, croit qu'il a l'en-bout sec. C'est pour cette raison qu'il vient à mes séances.

— Et l'enfant léopard dans cette histoire ?

— Zamor s'en est occupé un moment, et le gosse a disparu.

— Et après ?

— Je vous le répète, personne ne vous en parlera à Haarlem. Sauf Moka. Allez le voir ! Cet homme sait tout. En plus de fabriquer le meilleur café de Paris, c'est une bibliothèque à lui seul.

Ed et Jones abandonnent Félicité qui va s'installer seule à son baquet comme on s'assoit devant une bouteille pour s'enivrer. Ed et Jones retournent devant le restaurant du Mac. La Marmotte et Piqueur ont disparu.

— Qu'est-ce qu'on fait maintenant, Jones ?

— On attend Moka.

— Je n'aime pas jouer le planton. On pourrait au moins faire semblant de marcher d'un pas décidé.

— Pas la peine. Regarde !

Le petit bonhomme doré surgit d'un coin de foule. Moka fond sur eux, une carte de visite à la main.

— Citoyens ! Citoyens ! Je vous en prie. Je suis...

Ed l'arrête avant que la Mémoire Vivante ne récite tous ses titres.

— Ça va, Moka, ne vous fatiguez pas. Nous sommes d'accord !

Sans même s'en rendre compte, Ed et Jones quittent leur chapeau devant lui.

— C'est vrai ?... Oh, citoyens, quel honneur ! Attendez, je vais tout de suite prendre mon nuancier.

Le petit bonhomme doré sort de sa sacoche une sorte d'éventail de languettes de papier. Elles sont teintées dans un dégradé de marron. Il les place alternativement devant le visage d'Ed et celui de Jones.

— Mais qu'est-ce que vous faites, Moka ?

— J'essaie de savoir de quelle couleur vous êtes.

*

La Marmotte s'est glissé sous un fiacre gris, en station dans la 121ᵉ. La voiture est vide. Elle attend devant un cercle de jeu, Le Valet de Carreau. C'est bien la voiture du docteur Seiffert. Tout y est, la déchirure de la capote, et l'odeur de médecine. La Marmotte colle son oreille à la portière. Peut-être que le docteur a laissé Coco dans le fiacre. Pendant ce temps, Piqueur détourne l'attention du cocher.

— La 121ᵉ rue, citoyen?

— Mais tu y es, face d'endormi!

La Marmotte a beau tendre l'oreille, il n'entend rien à l'intérieur. Le carlin n'y est pas.

— Pas la peine de vous énerver. Moi, c'était juste la 121ᵉ rue que je cherchais.

— Peste du jeanfoutre! Tu vas tâter de mon cuir!

La Marmotte fait signe à Piqueur de le rejoindre. Ils se mettent en poste derrière le fiacre, pour surveiller l'entrée du Valet de Carreau.

— Dis, Marmotte, pourquoi tu es sûr qu'il est là, ton docteur?

— Parce que j'ai fait un raisonnement.

— C'est quoi, un raisonnement?

— J'ai pris une chose que tu m'as dite, le fiacre gris qui passe devant chez le Mac, et une chose que j'ai entendue chez ceux-des-Moineaux... *Votre informateur! Le fameux Zamor! Ce maharadjah qui dilapide notre argent au Valet de Carreau...* Je mets les deux choses ensemble.

— C'est ça un raisonnement?

— Non, ça c'est un rapprochement. Après avoir regardé les deux choses, je me dis...

— Faut se parler dans un raisonnement?

— Surtout, tu te parles comme si tu ne te connaissais pas. Pour voir si tu te comprends.

— Moi, j'ai besoin de personne, pour pas me comprendre.

— M'embrouille pas, Piqueur. Où j'en étais? Le fiacre... le Valet de Carreau... Zamor... le docteur... Ça y est! Je ne m'y retrouve plus dans mon raisonnement. Il faut que je reprenne au début.

— Pas la peine, Marmotte, le voilà qui rapplique, ton raisonnement.

Piqueur montre Zamor en maharadjah qui sort du Valet de Carreau et vient dans leur direction. Le docteur Seiffert apparaît à son tour. Il court derrière Zamor pour le rattraper. Hop! La Marmotte et Piqueur se cachent au cul du fiacre gris. Les deux qui arrivent discutent vivement. Ils ont dû perdre gros. Le docteur pousse le maharadjah dans le fiacre.

— Ecoute-moi bien, Zamor. Il me faut l'enfant!

— Docteur Seiffert, je vous ai dit que je m'en occupais.

— Tu crois que c'est en perdant au passe-dix et au 31, que tu vas le récupérer.

— Calmez-vous. Je dois d'abord voir la du Barry dans sa prison. Mais le guichetier qui peut me faire entrer à Sainte-Pélagie m'a dit d'attendre 7 heures.

— Ta comtesse est toujours d'accord?

— Elle n'a pas le choix. Il lui faut de l'argent. Et beaucoup, si elle veut aller à Charonne dans la maison de santé de votre confrère le docteur Belhomme.

— Une bonne fois pour toutes, Zamor, Belhomme n'est pas mon confrère! Ce n'est qu'un ancien ébéniste qui fait profession d'éviter la guillotine à ceux qui peuvent payer très cher sa pension.

— Justement, la comtesse ne peut plus payer.

— C'est donc vrai ce qu'on dit dans Paris. Il ne reste

plus rien de la fameuse cassette de bijoux que Louis XV lui avait constituée.

— C'est vrai.

— On dit aussi, Zamor, que tu as beaucoup contribué à la vider. Surtout depuis que la comtesse est en prison, et qu'on t'a chargé de veiller sur les scellés de son domaine de Louveciennes.

— Si c'était le cas, docteur, pourquoi ferais-je tout cela pour sortir la du Barry de sa prison?

— Je me le demande. Je ne crois pas vraiment à ton attachement pour cette femme. Elle t'a tellement humilié. Il y a autre chose.

— Docteur Seiffert, je suis étonné que vous mettiez en doute mes sentiments. Souvenez-vous qu'on a fait de même pour vous, avec la princesse de Lamballe. Et quand je dis « on », vous savez de qui il s'agit.

Seiffert a envie de balafrer Zamor au scalpel. Ce n'est pas à ce maharadjah de lui rappeler ce jour d'octobre 1787, où sur ordre de Marie-Antoinette, la princesse l'a abandonné en Angleterre pour rejoindre la reine. Il ne l'a pas oublié et ne l'oubliera jamais. Marie-Antoinette lui paiera!

— Restons-en là, Zamor! Cela vaut mieux. Puisqu'on a du temps, explique-moi plutôt comment ta comtesse peut nous aider pour l'enfant, si elle n'a plus rien.

— Rien, sauf une chose, docteur, un trésor! Un trésor qui peut lui sauver la vie. La Perle Noire du maréchal de Saxe!

Le docteur Seiffert soupire. Zamor lui a expliqué cent fois l'histoire de cette perle unique, offerte par Louis XV à Maurice de Saxe après sa victoire à Fontenoy. Perle que le maréchal avait un jour donnée en récompense à un des uhlans de sa garde noire. Ce uhlan était le père du Nègre Delorme. Plus tard, dans des conditions que le docteur avait oubliées, la perle fut reprise à ce uhlan et offerte à la du Barry par Louis XV. Et maintenant, Delorme, en mémoire de son père, veut à tout prix la récupérer. Il lui faudra bien une cent unième explication pour vraiment comprendre.

— En fait, la chose est simple, docteur Seiffert. Vous êtes trois dans cette affaire : Delorme, la du Barry et vous, docteur.

Zamor dessine un triangle sur la buée de la vitre du fiacre.

— Chacun possède quelque chose que l'autre veut. Delorme tient l'enfant. La du Barry possède la Perle Noire. Vous, docteur, vous tenez la liberté de la du Barry dans vos mains.

— C'est vite dit.

— Docteur, vous êtes le seul à pouvoir obtenir un ordre de transfèrement pour la du Barry, de sa prison à la pension Belhomme. Et là, tout fonctionne.

Zamor reprend sa démonstration sur la buée de la vitre. Seiffert fait semblant de suivre.

— Regardez ! Nous échangeons à la du Barry la Perle Noire contre sa liberté. Nous donnons la perle à Delorme, et il nous remet l'enfant. Ce n'est qu'un banal échange à trois.

Le docteur Seiffert examine le dessin sur la buée de la vitre. Il espère que la réalité sera plus simple que le schéma.

— D'accord, Zamor. Mais si je n'obtiens pas le transfèrement de la du Barry à la pension Belhomme ?

D'un revers de manche, Zamor essuie la vitre. Il ne reste qu'une trouée grise. Là, c'est plus clair. Cette fois, Seiffert a compris.

— C'est l'heure, docteur ! Allons à Sainte-Pélagie, voir la du Barry.

La Marmotte et Piqueur se glissent sous le fiacre. Ils n'ont pas tout saisi de cette histoire de perle, de comtesse et d'enfant, mais ça leur a donné envie d'être du voyage, même s'il risque d'être inconfortable, accrochés sous les essieux.

*

Ed sent la peau de son visage frissonner de rage.

— Comment ça, Moka, vous voulez regarder de quelle couleur on est ? Ça ne se voit pas ?

Il ne sait comment fusiller des yeux le petit bonhomme doré, tant il est déjà percé de partout.

— Vous ne voyez pas qu'on est noirs tous les deux ? Comme vous ?

— Ce n'est pas si simple, frères ! Regardez, vous, Cercueil, vous êtes...

Il déploie son éventail-nuancier devant le visage d'Ed.

— Vous êtes... Cul de chaudron... Alors que Fossoyeur est plutôt... Fusain léger.

Ed et Jones se regardent comme s'ils se redécouvraient.

— C'est quoi, cette farce, Moka ?

— Ce n'est pas une farce, frères. C'est scientifique. On a recensé et nommé soixante-quatre teintes différentes de mulâtres et de Noirs. Il faut que j'aie celle qui vous correspond exactement pour réaliser votre figurine.

— Quelle figurine ?

Ed et Jones trouvent Moka de plus en plus grêlé, de plus en plus doré et de plus en plus fou.

— Je pensais, frères, que vous étiez au courant. Je parle de celles qu'on trouve dans mes paquets de café. Il y a déjà Mirabeau, Louis XVI, la princesse de Lamballe, Marat, Voltaire, Rousseau. Il y en aura d'autres.

Ed et Jones se disent qu'il ne risque pas de manquer de modèles.

— Dites, Moka, ce sont les figurines que nous avons vues chez le Mac ?

— Exactement. Mais devant la demande à Haarlem, j'ai décidé de lancer une série avec des héros de couleur ! J'ai déjà retenu le chevalier de Saint-George, un des esprits les plus accomplis de notre temps, le général Alexandre Dumas-Davy, aux armées en ce moment. Bien sûr, les chefs de la révolte de Saint-Domingue, Biassou et Toussaint, d'autres encore et... vous ! Ed Cercueil et Fossoyeur Jones, les deux premiers officiers de police noirs de Haarlem.

Ed et Jones prennent une teinte « Contents d'eux » qui ne doit pas être sur le nuancier.

— Et Zamor ?

Jones trouve qu'il a bien amené sa figurine.

— Lui aussi, bien sûr. Il est homologué comme amant officiel de la comtesse du Barry, favorite du roi Louis XV. Il faut y ajouter sa liaison avec la dramaturge Marie Olympe de Gouges...

— Et Delorme. Vous allez le figurer ?

— Il l'est déjà.

— A quel titre, Moka ? Comme un des assassins de la princesse de Lamballe, ou pour m'avoir fait brûler le visage à l'acide ?

— Messieurs, mon travail n'est pas de faire son procès. Moi, je figure. L'Histoire jugera.

— C'est un peu commode. Vous laissez les autres agir, et vous, vous figurez !

Moka s'arrête net de marcher, déchausse ses lorgnons et fixe Ed dans les yeux.

— Regardez-moi bien, Edmond Cercueil. Savez-vous d'où me viennent toutes ces traces sur le visage et le corps ?

— On nous a dit une canonnade sur un bateau.

— Exactement ! Des canons chargés aux grains de café pourris. C'était sur l'*Apollon*, un navire négrier, commandé par René Auguste de Chateaubriand. J'avais déjà quinze ans quand on est venu m'enlever en Afrique. En route, nous nous sommes mutinés. On ne s'est pas contentés de figurer. Et voilà le résultat !

Moka montre la marque des grains enchâssés dans sa peau. Ed voudrait s'excuser. Mais il ne sait pas.

— C'était il y a près de quarante ans, messieurs, et la douleur ne m'a pas abandonné un seul jour depuis. Quand je suis devenu libre, j'ai voulu retourner voir ce capitaine, juste pour lui montrer les traces sur mon corps. C'était loin, en Bretagne. En passant par Saint-Malo, j'étais fier. Comme c'était riche et propre ! Un peu grâce à nous. Mais quand je suis arrivé à Combourg, chez M. de Chateaubriand, que j'ai vu cette belle pro-

priété, j'ai eu honte. Pas honte de lui, honte de moi.
Honte d'être là, sale, loqueteux, fatigué et pauvre.
C'était moi, l'esclave qui avait honte devant son maître !
Je suis resté une nuit dans le fossé à pleurer et je suis
rentré ici. C'est ce jour que j'ai décidé de faire des figu-
rines, pour qu'on se souvienne.

Ed et Jones se trouvent embarrassés de leurs carcasses maladroites. Alors, Ed pose une question.

— Qu'est-ce qu'il est devenu, ce capitaine ?

— René Auguste de Chateaubriand ? Il est mort, et
aujourd'hui, son fils, François René, crève de faim à
Londres, avant de revenir dans ses terres, pour raconter
ce qu'il n'a pas vécu. Ce jour-là, j'en ferai une figurine !

Moka éclate de rire. Un rire qui devrait lui faire sauter
les grains de café de la peau. Ed et Jones rient à sa suite.
Comme ça lave, un bon rire ! Ils finissent par s'arrêter
devant une enseigne... *Moka Fabricateur de café depuis
1632...* Moka les a menés là, sans qu'ils s'en aperçoivent.

— Messieurs, ma fabrique !

— Mais c'est une église !

— C'est Sainte-Zita, des Causes Perdues. Je l'ai
acquise au moment de la vente des biens du clergé. Je la
paye avec des assignats qui perdent chaque jour de la
valeur. Plus j'attends, moins elle me coûte. Il y a
six mois, on prenait l'assignat de cent livres à
trente francs, aujourd'hui à dix. Alors, j'attends.

— Seriez-vous un spéculateur, Moka ?

— C'est le temps qui spécule, pas moi.

Ed et Jones préfèrent ne pas songer à la fonte de
leurs pensions de soldats.

— Vous verrez, à Sainte-Zita, dans mon atelier, il y a
des personnages qui vous intéresseront.

— Quel genre de personnages ?

— Vous deux.

*

A plat ventre sur le toit, Commandeur observe sa prochaine visite à travers la verrière. Il fredonne une complainte espagnole de chez lui. La chanson du Caïman. Un chant de traque... *Hoye que te coge ese animal. Y te puede devorar...* Fuis car cet animal va t'attraper et te dévorer... Mais celui qu'il observe n'aura pas le temps de fuir. C'est un vieil homme aux longs cheveux blancs. Il est penché au-dessus d'un corps nu allongé sur une table de pierre. Celui d'un garçon maigre. A côté de lui, à hauteur de la hanche, est posé un sablier que le vieil homme retourne. Aussitôt, un scalpel incise le ventre à la hauteur de l'aine. Une ouverture courte et nette. Commandeur admire le travail de la lame. Malgré son âge, Norcia a gardé la main et le geste.

Le reste de l'opération, Commandeur le connaît. Il faut aller vite, sinon la pourriture noircira l'intérieur jusqu'à l'os. Norcia glisse l'index et le majeur sous la peau. Il fouille les entrailles. Trouve le cordon et les testicules. Il tire, sectionne et ligature. Voilà ! C'est tout. Il retourne le sablier. Il n'y a plus qu'à recoudre. C'est comme ça depuis des siècles qu'en Italie, les barbiers de chez lui, à Lecce, fabriquent des castrats qui mourront dans les jours qui suivent ou deviendront des princes adulés dans toute l'Europe. Sauf qu'aujourd'hui, le jeune garçon castré est un cadavre, qu'il a la tête tranchée et que c'est Norcia qui chante.

Le vieil Italien a aussi gardé sa voix de fausset.

Ça lui en fera des choses à emporter, au moment de

mourir! Commandeur vérifie que la lame de sa machette coulisse librement dans son fourreau. Il soulève le panneau vitré et se laisse tomber de la verrière. Il se reçoit sur le sol juste dans le dos de Norcia. Le vieil homme ne bronche pas. Il prend calmement le scalpel sur la table de dissection et se retourne. Norcia a le visage du docteur bolonais de la commedia dell'arte. Pas même étonné.

— Commandeur! Ma... Ça fait longtemps.

Norcia a aussi gardé des coquetteries d'accent italien. Il montre le cadavre à la tête tranchée.

— Tu as vu mon opération? Oui, tu as vu. Bien sûr. Tu étais caché là-haut. Tu es toujours comme la panthère noire. Jamais on te voit et... pffft!...

Le vieil homme mime un coup de patte de fauve. Commandeur se dit que Norcia est encore vif. Il va falloir se méfier. Commandeur s'adosse à une des vitrines poussiéreuses encombrées d'instruments et de moulages d'organes peints.

— Tu as vu! J'ai battu le sablier. Les yeux fermés, mes doigts peuvent aller dans le ventre d'un homme toutes seules, sans rien me demander.

Le vieux chirurgien agite ses mains comme des marionnettes et escamote le scalpel en le glissant dans la manche de son habit. Commandeur enregistre.

— Et toi, Commandeur, qu'es-tu devenu, depuis la dernière fois que tu as eu besoin de mes services? Toujours dans tes îles avec tes belles négresses? Elles sont contentes, j'espère? Tu es un bon bouc? C'est un peu grâce à moi, non?

Les bras croisés, Commandeur continue à regarder le vieil homme sans rien dire.

— Ah, c'est vrai! Toujours le mystère. Le silence!
Comandatore che dice niente!... C'est toi que j'aurais dû opérer pour la voix, pas l'enfant.

Le vieux chirurgien s'arrête net. Il sent que la lame est
allée trop loin dans la chair. Il désengage le fer. Trop
tard.

— Norcia, tu as parlé de l'enfant le premier. Continue.

— J'ai eu tort. Pour cet enfant, j'ai déjà été puni.
Regarde! On s'est détourné de moi. Avant, j'étais Norcia da Lecce! Aujourd'hui, il ne reste que Norcia qui
doit s'entraîner sur des cadavre de guillotinés.

— A qui la faute, Norcia?

— A moi, c'est vrai. Mais souviens-toi, Commandeur! A toi, j'ai rendu plus que la voix. Ce sont des
choses qu'un homme ne peut oublier.

Norcia fixe Commandeur dans les yeux. Il a le regard
d'un marchand d'argent qui vient présenter un billet.

— Je ne te dois plus rien, Norcia. Je t'ai payé pour ce
travail.

— Ce travail! C'est comme ça que tu appelles le privilège d'aimer les femmes sans risquer de leur fabriquer
des bâtards. Tu traites mon « travail » comme un vul-
gaire condom en baudruche?

Commandeur reste silencieux.

— Je te connais. Si tu ne me réponds pas, c'est que tu
es venu pour me tuer.

— Probablement

— *E la vita*!... Mais avant, tu accepteras bien de boire
avec moi.

— Seulement si c'est de l'amarone.

— Suis-moi.

Norcia et Commandeur sortent du laboratoire, l'un surveillant l'autre. Ils traversent des coulisses encombrées, derrière un rideau rouge en velours. Ils le franchissent et se retrouvent sur la scène d'un minuscule théâtre à l'italienne. Posés au centre comme un décor, deux fauteuils, une table basse, quatre verres à pied et une bouteille d'amarone.

— Tu vois, Commandeur, je t'attendais.

*

Ed et Jones découvrent l'atelier de Moka. Il ressemble à celui d'un santonnier. Le feu sous le four en brique éclaire la pièce de plus d'ombres encore. Les étagères sont surchargées d'une armée poussiéreuse de personnages en terre cuite blanche.

Moka donne à Ed et Jones leurs figurines. Chacun la pose sur sa paume ouverte. Elles les représentent en train de tirer en l'air au 38. Comment Moka peut-il les connaître si bien ? Ed et Jones ont l'impression qu'ils vont s'entendre crier... A vos rangs !... Fixe !... Etrange sensation, que celle de se tenir dans la main. Moka continue la visite.

— J'ai installé cet atelier dans une des caves de Sainte-Zita. L'église a été construite sur une ancienne carrière. On ne l'imagine pas, mais sous nos pieds, il y a d'immenses grottes et un bras mort de la Bièvre.

— Moka, vous ne nous avez pas amenés jusqu'ici pour nous raconter l'histoire de Sainte-Zita.

— Encore un peu de patience. Regardez !

Le bonhomme doré allume un lustre en cuivre de trois lampes à huile en opaline émeraude qu'il hisse avec une chaîne au plafond. La lumière éclaire le drap d'un billard.

— Comme souvent à Haarlem, cette cave a dû servir de tripot. La table était là. Vous voyez, j'ai reproduit dessus le plan des paroisses de Paris.

Sur ce vert pré, on dirait la ville transportée à la campagne. Ed et Jones ne pensaient pas qu'il y avait eu un tel semis de saints sur Paris.

— Comme vous le constatez, j'y ai disposé quelques figurines historiques, dont certaines devraient vous intéresser.

Ed et Jones reconnaissent... Marat dans sa baignoire, Charlotte Corday avec son couteau à manche d'ébène, Camille Desmoulins, une feuille de chêne à la main, Fouquier-Tinville debout derrière sa table... Ed et Jones se disent qu'on reconnaît l'homme à l'accessoire. Il faut y songer quand on veut passer à la postérité.

Sur le plan, à l'emplacement de la Conciergerie, Marie-Antoinette est seule, un peu à l'écart. Jones paraît le plus intrigué.

— Moka, comment faites-vous pour savoir tant de choses sur ce qui se passe ?

— J'ai tout un réseau d'informateurs. Je les appelle mes araignées. Elles sont cachées dans la moindre fente des murs et tissent une toile sur toute la ville. Moi, je suis au centre et j'attends.

Jones reste incrédule. Il a envie de vérifier la toile de Moka.

— Dites-nous, pour voir, où est Zamor sur votre plan ?

— Là ! Il est en route, entre la 121ᵉ et l'ancien couvent de Sainte-Pélagie...

Il leur désigne un maharadjha en turban. Ed lit sur le socle... *François Sébastien Zamor (1751 -   )*

— Votre Zamor, messieurs, va visiter la du Barry dans sa prison.

Jones examine la comtesse... *(1743 -   )*... Pas très rassurant, ce blanc qui guette la date de naissance.

— Moka, si vous voulez vraiment nous aider, c'est peut-être le moment de faire apparaître l'enfant léopard.

— Vous avez sa figurine ?

— A quel titre, messieurs, aurais-je représenté cet enfant ?

S'ils pouvaient répondre à cette question, Ed et Jones n'auraient plus besoin de jouer aux petits soldats avec lui. Moka regarde longuement sa montre à cadran tricolore en comptant sur ses doigts.

— Désolé, messieurs, je dois partir. Ça va bientôt être l'heure de ma tournée des Postérités. Mais avant, je vais vous aider un peu.

Moka prend des figurines et les place sur le plan de Paris du billard, en les faisant glisser avec un râteau de croupier.

— Posons d'abord ces dames, Marie-Antoinette et la du Barry nous attendent déjà. Poussons la marquise d'Anderçon chez elle.

Ed trouve que c'est la plus belle de toutes. Il n'ose imaginer qu'il pourrait prendre la marquise dans sa main.

— Voilà pour les dames. Passons aux messieurs, ce sera plus rapide. Cette histoire est une histoire de femmes...

— Ça suffit, Moka ! Pourquoi vous ne répondez pas directement à nos questions ?

— Parce que, messieurs, devenir une figurine, ça se mérite !

— Nous, on ne veut pas devenir des figurines ! On veut trouver l'enfant léopard, le ramener au marquis d'Anderçon et devenir fermiers dans l'Ohio !

Moka éclate de rire.

— Fermiers dans l'Ohio ! C'est ça que vous voulez ?

— Oui ! Avec des vaches, des cochons, des poules !

— Alors, si c'est ça, messieurs les fermiers, le voilà, votre enfant léopard !

Moka tire une boîte en bois d'une étagère et l'ouvre au-dessus du billard. Il en descend une pluie de figurines qui tombent sur le plan de Paris. Elles sont projetées les unes sur les autres, rebondissent, et se mêlent sans se briser. Le plus gros s'est amoncelé en tas à l'endroit de Haarlem. On a même l'impression d'entendre une grêle de géants frapper le toit de Sainte-Zita.

— Messieurs, l'enfant léopard est là ! Il est à vous. Moi, je vais faire ma tournée des Postérités. On m'attend à Sainte-Pélagie.

— C'est quoi, cette tournée des Postérités ?

— La postérité ne vous intéresse pas, messieurs. Vous, ce sont les vaches !

Moka ramasse sa sacoche, met son chapeau doré, son visage en colère, et sort par l'escalier qui monte à l'église. Ed et Jones restent désemparés par la sortie de Moka et les bras ballants devant ce chaos de figurines. La Patronne discute avec la marquise, tandis que Zamor sous l'œil de la du Barry est collé contre une Marie-Antoinette indifférente.

— Jones, tu crois que tout ça a un sens ?

— Au moins autant que ce que la marquise nous a dit dans la crypte. On est à Haarlem, tout est possible !

Timidement, Ed tire une figurine de l'amoncellement, comme s'il avait peur de réveiller les autres.

— Qu'est-ce que c'est que celui-là ? Il ressemble à un coupeur de canne à sucre avec son coutelas.

— Et cette vieille femme, ça ne te dit rien ?

Ed et Jones revoient l'aveugle et son fils, à la gargote de la Patronne. Et celui-là ?... Et celle-ci ?... Maintenant, Ed et Jones fouillent les figurines avec l'excitation d'une chasse au trésor.

— Ça y est, Ed ! Je l'ai trouvé ! Regarde. Je tiens dans ma main... l'enfant léopard !

Il le promène comme sur un trône.

— Mais non ! Ça, c'est la Marmotte.

Jones vérifie. C'est vrai, le gosse a son sabre au côté et son air de se moquer du citoyen.

— Qu'est-ce qu'il fait dans cette histoire ? C'est étrange, surtout que j'ai trouvé ça, près de la reine.

Ed ouvre la main. A l'intérieur, assis sur la ligne de chance, il y a un petit chien avec une grande langue qui pend.

*

La Marmotte et Piqueur sont accrochés sous le fiacre. Ils regardent défiler le pavé, dans le vacarme des roues et les craquements de la caisse. Elle va finir par rompre à la prochaine secousse. Ils imaginent Zamor et le docteur qui devisent, confortablement installés au-dessus d'eux.

— Marmouset, tu peux m'écrire le bruit des sabots ?

La Marmotte bâcle l'onomatopée... Caloclong!... Caloclong!... Elle plaît à Piqueur, et sûrement aux chevaux qui la copient aussitôt... Caloclong!... Caloclong!...

Le ventre prêt à se défaire, la Marmotte pense à Coco. Il a promis à Sidonie-c'est-joli de lui rapporter. Il doit d'abord le reprendre au docteur et se sauver avec. La Marmotte est imbattable à la course. Le fiacre ralentit et s'immobilise. La Marmotte passe sa tête par en dessous... Sainte-Pélagie... Piqueur et lui se palpent. Ils sont intacts...

*

Ed et Jones abandonnent les figurines sur le billard, grimpent l'escalier qui mène à l'église et courent dans la nef centrale.

— Moka! Attendez-nous!

L'église est pleine. Les travées sont peuplées d'une foule sage de nègres de plâtre peint : porte-flambeaux, joueurs de guitare, candélabres ou valets-de-nuit. Moka est assis sur un prie-Dieu. Ses lorgnons sur le nez, il est occupé à trier des feuilles de papier jaune sur sa sacoche.

— Que se passe-t-il, messieurs, vous avez perdu vos vaches?

Moka n'a même pas levé les yeux de ses papiers pour lancer cette amabilité qui tonne dans l'église. Ed et Jones ne souhaitent pas avouer que toutes ces figurines leur ont donné le vertige et qu'ils ont besoin de Moka pour s'y retrouver. Ils préfèrent changer de sujet.

— Dites, Moka, qu'est-ce que c'est que toutes ces statues?

— Des jeunes d'Haarlem ont organisé un Front pour la Libération des Nègres de Cour. Ils les raflent partout où ils trouvent... ces figurations humiliantes du Noir... C'est comme ça qu'ils disent. Puis ils les remettent en liberté dans la forêt de Bondy.

Ed et Jones restent ébahis. Ils n'imaginaient pas qu'il y avait autant de Noirs en captivité.

— Allons, pressons, messieurs. Nous allons passer par le presbytère prendre ma voiture pour aller à Sainte-Pélagie.

La prison de la du Barry! C'est ce que traduisent Ed et Jones. L'idée de rencontrer la comtesse allume chez eux toutes sortes de démangeaisons. Ils arrivent au presbytère.

— C'est ça, votre voiture, Moka?

— Absolument!

Au début, ce devait en être une. Mais l'engin en station devant la grille doit porter un autre nom, aujourd'hui. C'est une sorte de corbillard attelé d'un cheval. L'habitacle a été surélevé d'une excroissance qui le fait ressembler à un énorme paquet de café. Le tout est de couleur doré et noir, jusqu'aux œillères du cheval, avec une inscription... *Moka rex arabica Maison fondée en 1632...*

— C'est une fabrique de famille, Moka?

— Pas du tout. Mais les gens aiment bien que ce qu'ils mangent ou qu'ils boivent soit ancien. Alors...

Ed et Jones s'installent sans commentaire à l'intérieur du corbillard. Moka monte à la place du cocher, et lance son attelage sur le pavé.

— C'est bien beau, la mémoire, mais il ne faut pas oublier le commerce, messieurs!

Le corbillard doré s'éloigne de Sainte-Zita et quitte Haarlem par l'arche de pierre. Dans la rue d'Enfer, la brume se mêle encore à la nuit, avec déjà une bonne odeur de café qui cahote.

*

Assise à sa table, Marie-Antoinette relit le début de sa lettre... *Ce 15 8bre 4h 1/2 du matin*... Elle a l'impression que rien n'est survenu depuis qu'elle a quitté la salle d'audience. Arrivée dans sa cellule, un flot de pensées l'avait assaillie qu'il avait fallu mettre en ordre. Ecrire lui était apparu comme la chose la plus urgente. Elle se souvient à peine qu'on lui avait compté au plus juste le papier et la chandelle. Ecrire! Il le fallait. Ecrire, mais à qui? Madame Elisabeth, bien sûr! Cette âme fidèle, la sœur de son bon Louis. Elle sera sa messagère. Mais que dire, comment ordonner ses pensées, et par quoi commencer?

Ce 15 8bre 4h 1/2 du matin... Mon Dieu! Elle a écrit la date en ancien style, et s'est trompée. Nous sommes le 16 aujourd'hui. Ce procès lui a fait perdre le sens du temps. Encore un peu, et elle se faisait mourir un jour plus tôt. Marie-Antoinette rectifie. Elle se tourne et regarde le lieutenant de Busne qui dort assis sur une chaise, la tête appuyée dans un angle du cachot. Le pauvre! Il doit être harassé. Le brave homme peut se reposer. Il a été une escorte digne pour sortir de la salle du tribunal, et un bras sûr pour descendre cet affreux escalier de la tour Bonbec.

Dans son sommeil, le lieutenant a des petits bruits d'enfant embarrassé de la poitrine. Comme le premier dauphin. Elle songe à cette nuit de juin à Meudon où elle n'avait même pas pu veiller le corps de son fils. L'étiquette! Elle s'est dit souvent que cet enfant avait eu la grâce de partir à temps pour ne rien voir de tout ceci. Comme il a été bien avisé!

Marie-Antoinette reprend le fil de sa lettre à Madame Elisabeth. Il faut se hâter. Elle a la plume si paresseuse... *Je suis calme comme on l'est quand la conscience ne reproche rien, j'ai un profond regret d'abandonner mes pauvres enfants; vous savez que je n'existais que pour eux et vous ma bonne et tendre sœur...*

La plume va sur le papier dans la lueur de la bougie. De temps en temps, Marie-Antoinette s'arrête et pointe des mots en diagonale sur la feuille, puis compte sur les phalanges de son poing. Est-ce qu'Elisabeth se souviendra de leur manière secrète de lire les mots? Ce qu'elle lui confesse ne peut être su que d'elle. Ses censeurs liront, Fouquier-Tinville, Hermann... La lettre lui parviendra-t-elle seulement? Il faut au moins feindre de le croire. Poursuivons.

... J'ai à vous parler d'une chose bien pénible à mon cœur. Je sais combien cet enfant doit vous avoir fait de la peine, pardonnez-lui ma chère sœur, pensez à l'âge qu'il a...

Marie-Antoinette relit la fin du passage qu'elle vient d'écrire. Elle frémit. N'est-il pas trop transparent? Biffer serait plus suspect encore. Sa main tremble sur la plume dans l'encrier. Un pâté! Elle pourrait peut-être causer un pâté, comme le jour de son mariage, à la signature du registre. Mais qui pourrait imaginer l'existence de cet enfant? Elle, sa propre mère, ne le savait pas. La bougie faiblit. La main de la reine reprend, plus calme.

... et combien il est facile de faire dire à un enfant ce qu'on veut et même ce qu'il ne comprend pas...

Marie-Antoinette lève les yeux vers le soupirail de son cachot. Elle guette le jour. C'est par là qu'il lui arrivera. Ce n'est pas encore. Elle poursuit l'écriture de sa lettre... *Je demande sincèrement pardon à Dieu de toutes les fautes que j'ai pu commettre depuis que j'existe ; j'espère que dans sa bonté, il voudra bien recevoir mes derniers vœux, ainsi que ceux que je fais depuis longtemps pour qu'il veuille bien recevoir mon âme dans sa miséricorde et sa bonté.*

Elle regarde la bougie se consumer. Antoinette se rappelle sa hâte extrême de la voir fondre pendant ces assommants concerts de Lulli. Machinalement, ses doigts pianotent sur la table. Gluck ! Elle revoit le visage déterminé de Commandeur au tribunal. Quelle intransigeance ! En son temps, pour une main frôlée sur un clavier, il aurait voulu qu'elle quittât la cour, pour lui.

Je pardonne à tous mes ennemis le mal qu'ils m'ont fait. Je dis adieu à mes tantes et à tous mes frères et sœurs. J'avais des amis.

Son cœur se serre. Elle pense à Fersen. Pourtant, elle se l'était interdit. Le tendre ! Il doit tant s'en vouloir de ne pas l'avoir sauvée. Elle non plus n'avait pas pu porter secours à son amie la plus chère, la princesse de Lamballe. Elle entend les cris de la foule, en ce mois de septembre 92. Mon Dieu ! Il y a déjà plus d'un an. Elle se souvient de la voix troublée du roi.

— Non, mon amie, n'y allez pas. Il s'agit de madame votre surintendante. C'est horrible !...

Sous ses fenêtres au Temple, où ils étaient enfermés,

on promenait au bout d'une pique sa tête repoudrée. Pourquoi la princesse était-elle rentrée en France ? Elle l'avait rejointe à Paris. Quelle folie ! A l'époque, elle n'avait pas compris le billet que la princesse lui avait fait passer.

Madame, je rentre à Paris. Car il est ici quelqu'un, de votre sang, qui vous sera cher au plus haut degré, sur qui je veille en votre nom depuis son premier instant et qui est en grand danger de barbarie...

Aujourd'hui elle comprend. En secret, Mme de Lamballe avait pris en protection cet enfant. Comme elle a été ingrate et injuste avec la princesse ! Comme elle regrette son jeu cruel et futile avec Mme de Polignac qui, elle, l'a si vite abandonnée.

On bouge derrière la porte de son cachot. Il faut achever cette lettre.

Pensez toujours à moi, je vous embrasse de tout mon cœur ainsi que ces pauvres et chers enfants. Mon Dieu ! qu'il est déchirant de les quitter pour toujours ! Adieu ! Adieu ! je ne vais plus m'occuper que de mes devoirs spirituels.

Là-haut, on dirait que le petit jour est impatient de regarder par le soupirail.

7

Sainte-Pélagie

Le petit jour a décidé de se lever chaque matin auprès d'une femme différente. Aujourd'hui, ce sera à la prison de Sainte-Pélagie. Au coin des rues de la Clef et du Puits-de-l'Hermite. Là, au milieu de cette façade de pierre grise, le deuxième étage, juste sur l'angle bas de la cinquième fenêtre, c'est l'infirmerie. A l'intérieur Mme Roland veut mourir.

Elle est assise sur le bord de sa paillasse, une feuille de papier à la main. Ses longs cheveux noirs tombent à la naturelle jusqu'à sa taille. Le petit jour essaie de lui donner envie de vivre, avec simplement quelques rayons rasants. Il vient à elle et se déplace doucement sur le visage et le long du cou, pour lui rappeler le souvenir d'une caresse. Mais elle le chasse. Il revient courir sur son bras, frôle l'intérieur de la cuisse et le genou. La femme ne frémit pas. Il tombe à ses pieds. Elle l'ignore. Alors, il renonce et se perd sur le sol parmi des feuilles éparpillées.

Le petit jour s'en veut, il aurait dû choisir de se lever

près de la reine. Ce n'est peut-être pas trop tard. Il se presse, file et vole. Mais quand il pointe, tout essoufflé à la Conciergerie, la reine a la tête dans les mains. Sa lettre est déjà terminée. Elle est posée sur la table, la bougie brûle encore. Il gratte à la vitre pour attirer son attention... *Toc! Toc! Toc!... Madame! Madame!... C'est moi, je suis là!...* La reine le verra. Elle sera surprise... *Oh, mon Dieu, vous êtes là! J'allais vous manquer...* Et elle ajoutera au bas de sa lettre... *Post-scriptum... Le jour se lève...*

Mais Marie-Antoinette ne le regarde pas. Ce n'est pas de chance, il ne se lèvera ni près de Mme Roland, ni auprès de la reine. Comme disent les hommes... Il y a des jours, comme ça... Alors, tant pis, le petit jour se résout à être démocratique et s'en va se lever avec une inconnue.

*

— Oh, mon Dieu, je l'ai manqué!

Marie-Antoinette s'en veut. Elle a laissé passer l'instant où le jour est entré dans son cachot. L'instant exact. Il n'y en aura plus jamais d'autre. Cette pensée lui étreint le cœur. Pourtant, ces temps ne sont qu'une suite de derniers jours. Son mari, ses enfants, sa sœur... Et cependant, c'est cette infime parcelle de jour manquante qui lui fait comprendre que tout va fuir désormais entre ses doigts.

Marie-Antoinette sursaute. Elle découvre un homme appuyé contre un mur du cachot. L'homme la détaille. Ce n'est pas le lieutenant de Busne. Jamais il n'aurait pris cette pose nonchalante. C'est un autre gendarme.

— Veuillez excuser ma réaction, monsieur, n'y voyez pas d'offense, je ne vous avais pas vu.

L'homme ne répond pas. Il a un regard qu'elle connaît bien maintenant. Le regard de ceux qui ont défilé dans sa cellule, ici ou au Temple, de jour comme la nuit. Ceux qui venaient voir l'Autrichienne, Madame Veto, la Messaline. A force, elle peut lire son surnom dans leurs yeux. Celui-là, avec sa tête sur le côté, est un genre de maquignon. Il évalue ses hanches, et jauge sa gorge comme on met la main au pis. Il la trouve moins pleine, et bien plus bas portée que ce qu'il escomptait. Il est déçu. Ce soir à la taverne il dira... *Ma foi, Madame Déficit ne nous laissera pas grand-chose pour se rembourser sur elle...* Ils riront.

Marie-Antoinette pense à son corps. Elle espère que dans les heures qui viennent, il cessera de s'épancher. Ce n'est pas ce sang de femme qu'ils veulent d'elle. C'est son sang de reine. Sinon, ils se sentiraient floués.

— Dites-moi, gendarme, le lieutenant de Busne s'est absenté ?

— Il a été arrêté, citoyenne.

— Pour quel motif ?

— Je ne suis pas autorisé à vous en faire part, citoyenne.

Elle l'imagine. Ce simple bras offert dans un escalier peut le conduire à la mort comme on mène au menuet. Marie-Antoinette frissonne. Quand le malheur cessera-t-il de frapper ceux qui l'approchent ? Et surtout les hommes. Elle finira par croire à la « malédiction de la dent gâtée ». On lui avait tant de fois raconté que le jour de sa naissance, sa mère, l'impératrice, pour rendre profitables les douleurs de son quinzième enfantement, s'était fait arracher une dent très abîmée... Une dent de moins, une fille de plus. Voilà un bien mauvais présage le jour de la Messe des Morts...

Sa mère avait raison. Marie-Antoinette porte malheur. Elle se reproche d'avoir encouragé les projets de ceux qui ont voulu la sauver. Encore cette après-midi, pendant l'interruption des débats. Une femme fardée qu'elle ne connaissait pas est venue lui apporter du bouillon à la place de cette chère Rosalie. La femme lui avait soufflé... Tenez-vous prête. Cela se passera à l'impair vis-à-vis du numéro 400, passé chez Robespierre. Au Porche Rouge!...

Depuis ce moment, Marie-Antoinette se répète... *Vis-à-vis du 400... Robespierre....* Ce sera donc rue Saint-Honoré... *Le Porche Rouge...* Elle ne peut empêcher son cœur de s'emballer dans sa poitrine. Comme il reste crédule!

*

Dame Catherine et Pobéré prennent dans la rue de la Vannerie et entrent à La Cave des charbonniers. Ils montent directement à l'étage du marchand de vin. Une salle basse, le plancher couvert de paille, avec des empilements de caisses vides et des ustensiles accrochés aux poutres. Deux hommes et une femme attendent en silence en jouant aux cartes un cent de piquet, assis en rond sous une lanterne. A l'écart, un gaillard aux épaules en joug de bœuf donne à boire à un agneau avec un biberon en étain.

A l'arrivée de l'aveugle, ils font place. Elle se plante devant eux.

— J'entends téter. Tu fais toujours la nourrice, Merlin ?

— Faut comprendre, dame Catherine, on a dû abattre sa mère. Depuis, il veut plus me lâcher.

— Tu comptes le présenter à la reine ?

L'assemblée rit gentiment. Merlin se trouve penaud.

— Les autres, vous êtes tous là, mes braves ? Parlez un peu, que je vous voie.

Chacun y va d'un mot. Jean-Baptiste, Guillaume et Elisabeth.

Dame Catherine fait un signe. On se met au travail. Pobéré déplie un plan sur son tabouret de décrotteur. Sans préambule, l'aveugle parle.

— Comme prévu, ce sera au Porche Rouge... Là !

Pobéré montre une croix au bout de Saint-Honoré, du côté de la rue Royale.

— L'impair, vis-à-vis du 400, passé la maison de Duplay. Ce marchand de bois qui loge et engraisse Robespierre. C'est un porche sang-de-bœuf, mais on dira rouge. On agira au passage de la voiture de la reine. Elle arrivera de la rue de la Monnaie.

— Est-ce qu'on connaît l'état exact de sa garde ?

— Attends, Guillaume ! Avant de revoir les détails de notre affaire, il faut qu'on règle une question qui me pose tracas. Le bourreau !

On sent un frémissement parmi l'assistance. Le mot « bourreau » est bien taillé pour le murmure. Dame Catherine poursuit.

— Vous le savez, ce Sanson est encore plus gigantesque et fort que son père qui a égalisé Louis XVI. C'est une foutre de belle pièce. Il est jeune, mais embarque bien ses deux cents livres sur sept pieds de haut.

Le murmure se teinte d'admiration.

— Ce n'est pas tout, il faut que vous sachiez, mes braves, que le règlement dit au bourreau... *qu'en cas de péril majeur pour le condamné d'échapper à son châtiment, du fait de manœuvres, l'exécuteur est habilité par sa charge, à y pourvoir par tous les moyens qu'exige l'état de l'urgence...* Ce qui veut dire...

Les hommes ont bien besoin d'une mise au clair.

— Que Sanson, au moment de notre attaque de la charrette, peut garrotter la reine, dans l'instant. Et tout serait perdu. Donc, il faut éliminer Sanson en premier. Pour lui, on a besoin d'une Charlotte Corday... Toi, Elisabeth!... Es-tu toujours prête? Si tu veux renoncer, dis-le. Personne, ici, ne te le reprochera.

Elisabeth se dresse. Ses yeux suffisent à dire qu'elle n'a pas renoncé. De sa jupe, elle tire un poignard qui contient toute sa réponse.

— Je plongerai ces sept pouces dans le cœur de Sanson. Pour la reine, je le jure, je le ferai, sans faiblir!

Guillaume lui étreint la main. On le sent fier de son épouse. Dame Catherine va à elle et l'embrasse.

— Merci Elisabeth. J'étais sûre de ton âme de femme. Mes braves! Dès le coup de poignard à Sanson, vous vous saisissez de la reine. Pas avant! Vous épargnez son aide, c'est encore un enfant.

— Pas de pitié pour la graine de bourreau!

— Jean-Baptiste! Je suis aveugle, est-ce que mon fils le sera?

L'assemblée admet. La grâce de l'aide est votée.

— Dès que vous vous êtes saisis de la reine, il faut la charrier jusque-là !

Pobéré indique l'endroit sur le plan.

— Le Porche Rouge ! Il y a à peine trente coudées entre la charrette et le porche. Mais ce sera une ruée furieuse. C'est là que tu interviens, Merlin.

— Je suis prêt, dame Catherine !

— Il le faut, mon brave, car tout repose sur toi à cet instant. Sanson vient d'être poignardé par Elisabeth, les hommes assaillent la charrette, ils chargent la reine sur ton dos et toi tu tranches tout droit vers le Porche Rouge. Tu ne dois rien voir d'autre que cette porte. Si Marie-Antoinette la franchit, ils ne pourront plus jamais la rattraper. Plus jamais !

Tous fixent ce minuscule espace où il va falloir faire passer la vie d'une reine.

— Une fois au-delà du Porche Rouge, on traverse une cour, jusqu'à une cabane de jardin. A l'intérieur, par un puits on rejoint le réseau de souterrains et d'égouts qui nous mène au quai des Tuileries. Le chemin a été balisé de croix blanches. Dans le souterrain on prend le temps d'habiller la reine en ramoneur. Avec ses cheveux coupés, ce sera parfait. Une fois sur le quai on descend jusqu'au Port aux huîtres. C'est là que la reine embarquera sur un bateau à voile, menée par Pobéré. Tous ceux qui n'auront pas pu se glisser derrière le Porche Rouge doivent faire repli comme convenu par la gargote de la rue de la Monnaie. On est allés vérifier.

Pobéré entoure l'emplacement de La Vainqueuse et

suit avec son doigt le chemin pour rejoindre Saint-Germain-l'Auxerrois.

— Mes braves, cette fois, notre plan est imparable. Nous ne pouvons pas échouer.

*

Norcia et Commandeur lèvent leurs verres de vin. Ils lancent ensemble... A qui je pense!... et boivent lentement, les yeux fermés. Norcia prend le bouchon de la bouteille et le respire avec emphase, le visage chaviré.

— Hum!... L'amarone Masi!... *L'amarone della valpolicella*... Le meilleur vin du monde... *Virilita e grazia*... Le vin des sortilèges. Il peut dissimuler les philtres les plus puissants. Il révèle les âmes et régénère les corps. En vérité, Commandeur, je pense que l'amarone est le véritable sang du Christ.

— Ne blasphémez pas!

— Vous craignez que je disparaisse en état de péché mortel? Mais pourquoi vais-je mourir, déjà? Pouvez-vous me le rappeler?

Norcia tend le verre à Commandeur.

— Vous n'allez pas mourir, Norcia. Pour moi, vous êtes déjà mort. Mort, pour avoir châtré cet enfant.

— Châtré l'enfant!

Norcia se dresse de son fauteuil et rit avec des trilles de fausset.

— Qui vous a conté cette farce?

— Vous niez être intervenu sur l'enfant?

— Sachez, Commandeur, qu'à une époque, je suis beaucoup «intervenu», comme vous dites. J'étais considéré comme le Maître des Attributs Privés! Aux

hommes je rendais la fécondité, la virilité et aux
femmes la virginité. On venait de toute l'Europe pour
me les confier. Des gens du sang, même.

— Vous voulez parler de ce pauvre prince de Lamballe.

— Pour lui, on m'a appelé trop tard. Il puait déjà
la charogne, rongé par la petite vérole et à demi émas-
culé. Heureusement, parfois, c'est plus agréable,
comme pour ravauder la du Barry. Ou plus secret,
quand il s'agit de la famille royale. Louis XVI! Avant
son opération, il est resté sept ans sans pouvoir être
l'époux de la reine. Le dauphin, au Temple, lui, s'est
écrasé un royal attribut, quant à la reine...

— Attention, Norcia! je ne vous laisserai pas porter atteinte à l'honneur de Sa Majesté.

— Pour ça, il eût fallu que vous vous l'inter-
dissiez!

Commandeur baisse la tête.

— O! langue française, combien j'aime ton impar-
fait du subjonctif! Comme il désarme! Oui, Commandeur, vous avez été un des amants de la reine, à cette
époque.

— Votre affirmation ne mérite même pas que je
réagisse.

— Vous en avez honte? Non, je crois plutôt que
vous en avez peur. Peur des conséquences. Peur,
Commandeur, que cet enfant soit la preuve qu'il y a du
sang noir dans votre lignée.

— Pour ça, Norcia, je vais vous tuer!

— Quoi, Commandeur? Vous m'avez déjà tué,
vous n'allez pas, en plus, me menacer de mort!

— Soit, Norcia, votre mot est plaisant et je m'y plie. Voyons comment vous allez justifier qu'on puisse châtrer un enfant. Car nous en étions là.

— Aussi facilement, Commandeur, qu'on peut justifier de couper la jambe à un nègre fugitif, dans votre plantation de Saint-Domingue.

— J'applique le droit de justice que me concède le Code noir. Etes-vous de ceux qui blâment le bourreau?

— Certes non. Mais le chirurgien que je suis est curieux. Quand vous amputez, le faites-vous à la machette? La chose m'intéresse. A quelle hauteur tranchez-vous la jambe? Au-dessus du pied? Au genou? Est-ce que vous fracassez la rotule avant? Comment parez-vous la douleur? Le rhum, la coca, l'opium? Et contre la gangrène, avez-vous un remède? Un autre point m'intrigue. A quel moment est-ce qu'ils hurlent le plus?

Commandeur marche sur la scène, les mains dans le dos.

— Vous voyez, Commandeur, nous sommes un peu confrères. Nous pourrions parler de notre art. Moi, au scalpel, vous à la machette.

— Ça suffit, Norcia! Vous essayez misérablement de détourner notre propos, pour faire oublier l'enfant.

— L'oublier! Comment pourrais-je? Je me souviens parfaitement du jour où on me l'a amené. C'était pour un phimosis. Une banale étroitesse du prépuce. Comme Louis XVI. La circoncision s'est passée parfaitement. Il est revenu. Je surveillais sa cicatrisation. Tout allait à merveille, jusqu'au jour du drame.

Norcia prend une pose tragique.

— L'enfant avait huit ans. Cela s'est passé sur cette scène. Exactement là où vous êtes, Commandeur. L'enfant aimait y venir depuis qu'il savait que le chevalier de Saint-George y avait joué une de ses pièces au violon. Tout à coup, il s'est produit l'événement le plus extraordinaire de toute ma misérable vie. Ce fut aussi le pire des drames.

— Que s'est-il passé, Norcia ?

— L'enfant a chanté... Aussitôt, j'ai su que je venais de rencontrer la plus belle voix qu'on ait jamais entendue. Je sais, ce sont des mots sans grande originalité. Mais que dire d'autre ? C'était un véritable miracle ! J'étais dans un état de profonde béatitude et en même temps, une terreur m'avait envahi.

— Mais pourquoi ?

— Ce trésor disparaîtrait. L'enfant allait muer. Plus jamais on n'entendrait cette voix unique. Alors, à la seconde où je l'ai entendu, j'ai su ce que je ferais de lui... Un castrat !

*

Moka arrête son corbillard doré en face l'entrée de Sainte-Pélagie. Il regarde sa montre tricolore quinze minutes pour venir de Haarlem. Il réfléchit... Pas mal du tout !... Devant la porte de la prison, une longue file d'hommes et de femmes attendent. Ed et Jones s'étonnent.

— Déjà des visiteurs, à cette heure, Moka ?

— Non ! Ce sont des traiteurs, des perruquiers, des barbiers, des femmes de chambre et des valets qui viennent pour le réveil des pistoliers.

— Les pistoliers?

— Ceux qui peuvent payer. Ah, messieurs, vous êtes bien des policiers! Vous jetez en prison, mais vous ne voulez pas savoir ce qui se passe à l'intérieur.

Ed et Jones n'aiment pas le mot policier, eux sont des soldats. Moka saute de son siège.

— Aidez-moi à décharger ma roulante.

Ed et Jones extraient du coffre du corbillard une sorte de fardier à trois roues. Moka y fixe deux fûts cylindriques en cuivre, pourvus chacun d'un robinet, et surmontés d'une rangée de timbales en fer accrochées à un portant. Un panonceau informe... *Moka rex arabica. Le café fortifie les membres, donne bonne odeur à tout le corps provoque le mois des femmes, guérit la gale...*

— Venez, nous allons entrer, mais laissez-moi faire! Inutile de sortir vos plaques, ils risquent de se cabrer. Ici, c'est ça, le meilleur passeport.

Le bonhomme doré fait sauter une bourse dans sa main. Il confie la sacoche à Jones, et son écritoire à Ed. Il charge un sac de toile marron sur son épaule et roule le fardier jusqu'à la porte de la prison. Ça gronde dans la file. Moka néglige. Il s'annonce. Le heurtoir a un bruit de perquisition. La grille du judas coulisse.

— Moka, l'empoisonneur! T'as-t'y pas vu la queue? Prends ton tour!

Moka montre la bourse et le sac de toile. De l'autre côté du judas, un œil s'allume. Il y a tout un cliquetage de gâches, de pênes et de clefs qui s'ouvre sur l'haleine au salpêtre du portier. Le bonhomme est fripé comme une nuit en chien de fusil. Moka lui glisse une pièce pour lui soulever les paupières et d'autorité pousse son fardier dans le couloir étroit de l'entrée. Il pose un sac de toile grise près de la porte et avance jusqu'à la grille d'un guichet. Ed et Jones le suivent.

— Ils sont avec moi. Ce sont mes commis.

Le portier méfiant se gratte les joues et les dévisage. Il boucle la porte avec encore plus de tours de clef et inspecte le contenu du sac de toile grise.

— Je t'ai dit que pour le tabac, je goûtais mieux le brésilien !

Le fouineur grogne son mécontentement. Ed et Jones se font l'effet de deux Melchior qui portent le cuir et l'écritoire. Ils observent les positions. Entre ces grilles, l'endroit ressemble à une nasse qui pue l'appât avarié. Si quelqu'un crie à la garde, ils n'ont aucune chance. Le portier abandonne l'inventaire du sac de toile et vient les examiner au plus près.

— Qu'est-ce qu'il a celui-là ? Ce serait pas de la vérole que tu nous amènerais ici.

Le guichetier approche sa main du visage d'Ed.

— Touche pas !

Ed saisit le poignet au vol, donne un tour de grosse clef au bras, et le verrouille dans le dos jusqu'à l'épaule. Ça devrait craquer au coude. Un bruit sec de targette et l'os éclaterait, l'esquille percerait les chairs et l'étoffe, avec une pissée de sang frais sur le dallage. Mais Ed se contente d'enfoncer un genou dans les reins du portier et de bloquer son cri de la main. Il l'encastre dans la grille. L'autre rugit, souffle et bave en mordant un barreau. Ed lui colle la plaque bleue sous les yeux.

— Et maintenant, t'as-t'y mieux compris?

Le portier tente un exercice de diction, le barreau entre les dents. Il veut certainement dire que... oui!... Parfaitement!... Mais il lui reste des progrès à faire en matière d'articulation. Ed le lâche. Moka se précipite, et rajuste le portier avec une mine faussement navrée. Il reprend l'argent dans sa poche et la conversation là où on l'avait laissée.

— Donne-moi des nouvelles de la prison, citoyen.

— Hier on a dépassé les cent cinquante prisonniers.

— Parfait. Il faudra que je prenne plus de timbales.

— Ces dames les théâtreuses m'ont encore causé. T'as-t'y pensé à leur dénonciation? Ça devient urgent!

Moka élude, la main en chasse-mouches.

— Rien d'autre?

— Heu... Je sais pas, Moka, si vous pourrez utiliser la salle du conseil. Cette nuit, il y a eu un... contre-interrogatoire.

— Tu veux dire une orgie. Elle n'est pas finie à cette heure?

— Ben... Il en reste!

— Tant pis, j'ai besoin de cette salle. Il n'y a que là où je peux remplir mes bourriches. C'est tout, citoyen?

— Ah, oui!... Les fous de balle organisent une partie dans la cour à 9 heures, contre ceux de Saint-Lazare. Ça vous fera du monde.

— Merci, citoyen. Tu vois que quand tu veux, tu es serviable.

Moka ramasse le sac de toile grise.

— T'as raison, le tabac brésilien, c'est le meilleur. J'essaie de t'en trouver.

De sa main valide, le portier ouvre la grille. Il évite au passage le regard d'Ed et Jones qui se plantent devant lui.

— Où on peut trouver la citoyenne du Barry?

— Cellule n° 5 à l'étage des « Idées », commissaire.

— C'est où, les Idées, ici?

— En haut. C'est là qu'on garde celles qu'en ont trop eu. En dessous, c'est les « Grinches », les voleuses, les raccrocheuses, et en bas les « Pailleux », ceux qu'ont droit qu'à la paille. C'est pareil pour le quartier des hommes.

Ed s'informe.

— Elles sont où, les femmes?

— Venez voir, citoyens commissaires.

Le portier avance tellement en courbettes, qu'il donne l'impression de porter son trousseau de clefs autour du cou comme une cloche. Il les mène à une cour étroite que flanquent deux longs bâtiments face à face.

— Là, ce sont les femmes et là les hommes.

— Mais ils sont tout proches!

— Comment vous faites pour les empêcher de communiquer entre eux?

Le fataliste hausse les épaules pour dire qu'il ne peut pas. Pour preuve, il montre, chez les hommes, à la fenêtre ouverte des « Idées », un prisonnier entièrement nu devant un miroir qui se rase d'une main et s'accompagne de l'autre. C'est ça que le guichetier doit appeler « communiquer ».

— Faut dire, citoyens commissaires, qu'avant, ici, c'était un couvent. Y se passait moins de choses aux fenêtres. Sainte Pélagie était une fille perdue, convertie au ci-devant Dieu.

— Pendant qu'on est dans les présentations, qui c'est, ce citoyen avec de la mousse partout?

— C'est un général, le duc de Biron, avant il s'appelait le duc de Lauzun, alors, ici, on le surnomme Double-Duc. Les femmes en sont toutes folles. Faut dire qu'il a été l'amant de la reine. Un original qu'a les moyens de payer ses fantaisies.

Ed et Jones admirent les moyens. Ils ne sont pas les seuls. En face, le quartier des femmes s'éveille à la nature. Moka rejoint Ed et Jones, le doré vaguement énervé.

— Messieurs, pressons! J'ai une tournée à faire, moi. Il est près de... 7 heures. Aidez-moi! J'installe ma roulante dans la salle du conseil pour préparer le café. Tant pis pour l'orgie. J'ôterai mes lorgnons.

Ils entrent dans la salle.

Moka prépare sa machine. Il retire le couvercle des bourriches et remplit des manchons de grains de café concassés. Pendant ce temps, Ed et Jones détaillent la fin du contre-interrogatoire du jeudi. Comme avait prévenu le portier... Il en reste!... Par la fenêtre de la salle, passe assez de lumière grise pour qu'Ed et Jones se repèrent. La pénombre leur donne l'impression de contempler une série de tableaux en grisaille. Ils y reconnaissent les différentes figures obscènes d'un cabinet de médailles philistiques. Mais ici, point de camée à transparence gracile. La gravure est à l'eau-forte. On s'ébat en réunion d'intérêts et sans soucis de consentement. Le grognement sert d'accord et l'on paraphe à cru sur la table. On ébranle tant la chose, qu'un tiroir en a des hoquets égrillards. Plus loin, un pauvre défroqué se dépouille à l'encan. Il offre en partage de misérables bibelots qu'on s'arrache entre enchérisseuses voraces. Ailleurs, le scrupule patriotique anime et enflamme l'ardeur des corps, dans leur souci de reconstitution de tableaux édifiants. On peut reconnaître... la Liberté, assise sur la Tyrannie brandissant son trident vigilant... la fontaine de la Régénération au sein fécond et son carrousel de curistes en majesté... la Justice aux yeux bandés, pesant à tâtons, la Vérité toute nue... Et bien d'autres.

Soudain, Moka bat le briquet et allume sous les bourriches une rampe de brûleurs à huile. Une lueur emplit la salle et précise les figures.

— Voilà, messieurs, la cafetière de Moka! Une machine déambulante à fabriquer le café chaud! Une réserve d'eau, une source de chaleur, un serpentin d'alambic, un bec et l'eau bouillante qui goutte lentement sur cette poudre fine retenue dans un filtre en bas de soie. Dans cinq minutes, ce sera prêt.

Moka s'assoit derrière une table, et consulte sa montre tricolore en comptant sur ses doigts. Jones trouve la manie étrange.

— Pourquoi vous faites ça, en regardant l'heure?

— Ce sont ces fichues nouvelles montres, où la journée fait dix heures, les heures cent minutes et les minutes cent secondes. Jolie réforme! Sans ses doigts, on ne sait plus dans quel temps on vit.

Moka consulte de nouveau l'heure et, tout à coup, claque le couvercle de son écritoire.

— Mesdames et messieurs, l'orgie est terminée!

*

La Marmotte et Piqueur restent cachés sous le fiacre devant Sainte-Pélagie. Ça fait un moment qu'ils attendent que Zamor et le docteur Seiffert se décident à sortir de la voiture... Ça y est!... Les deux hommes longent un mur de la prison. Le docteur porte son vaste-sac. La Marmotte se dit que Coco doit être à l'intérieur. Le pauvre! Il va étouffer. Zamor et Seiffert vont jusqu'à une porte tellement verte qu'on a l'impression qu'elle va s'ouvrir sur un potager. Les hommes restent à discuter devant. C'est toujours aussi animé entre eux.

— Pourquoi tu me mènes par là, Zamor? Ce n'est pas l'entrée de la prison.

— C'est là que m'attend le guichetier qui peut nous mener au quartier des hommes.

— Je croyais qu'on allait voir la du Barry.

— Pas directement. C'est trop dangereux.

— Attention, Zamor n'essaie pas de me jouer un tour.

— Calmez-vous docteur! Je vous sens nerveux. Vous auriez dû m'attendre au chaud dans la voiture.

— Zamor, que ce soit clair! J'ai besoin de toi, mais je n'ai pas confiance. Alors, je ne te lâche plus jusqu'à ce que j'aie l'enfant.

Seiffert saisit Zamor par le revers de son habit de

maharadjah. Piqueur et la Marmotte profitent qu'ils se collettent un brin pour se rapprocher en contournant une sorte de tertre. Il n'y a pas encore assez de jour pour qu'on les repère. La porte vert potager s'ouvre. Ils voient Zamor et Seiffert entrer.

La Marmotte et Piqueur courent jusqu'à la porte. Trop tard. Elle est refermée à clef. Avec son engin, Piqueur harponne la crête du mur. La Marmotte grimpe et se retrouve à califourchon en haut. Pour la montée de Piqueur, c'est plus cahotant. Il souffle, peine, et tire la langue. On dirait un grand lézard tricolore. Il finit, en nage, par rejoindre la Marmotte, avec plus de rouge que de reste.

Sans prendre le temps de respirer, les deux se laissent glisser du mur en s'aidant d'une vigne vierge. Ils se reçoivent en bas avec une pirouette dont ils sont très fiers. D'ailleurs, dans le potager, on les félicite.

— Bravo, mes gaillards !
Un potiron et un concombre les contemplent.
— Mais pour s'évader, c'est dans l'autre sens.
Ils sont fermement saisis à divers endroits. Après vérification, il n'y a ni potiron, ni concombre. Seulement deux gendarmes plantés là. Quant au potager, il ressemble à la cour de promenade des prisonniers punis. Près d'un puits clos, la Marmotte remarque une fille de son âge habillée à la matelote qui se balance sur une escarpolette en lisant un grand livre avec des images. Elle a de longs cheveux blonds dorés-mais-pas-trop et des yeux bleus de partout. La Marmotte trouve qu'il pousse tout de même des choses bien jolies dans ce jardin.

*

— Mesdames et messieurs, j'ai dit que l'orgie du jeudi était terminée !

L'ordre de Moka rend comme un coup de fusil dans un arbre à corbeaux. Il y a du mouvement dans les scènes de genre et de la cohue dans les tableaux édifiants. On se sauve de la salle en se cachant le visage. Des refroqués ont des velléités de postures mâles. Ed et Jones les calment à la plaque bleue. Seule, une jeune femme au parfait arrondi des sourcils demeure nue au milieu de la salle. Sous une table, elle ramasse une perruque blonde finement bouclée, s'en couvre la poitrine et sort en silence.

— C'est toujours pareil, la nuit du jeudi. C'est pour ça que j'ai préféré que vous m'accompagniez.

— Moka ! nous ne sommes pas vos gardes du corps. Je vous rappelle que nous menons une enquête.

Le bonhomme doré n'a pas le temps de répondre. Une femme maigre enveloppée dans un châle noir se présente devant lui.

— Est-ce que vous avez l'opium ?

— Non ! J'ai déjà dit à Mme Roland que je refusais de lui en donner.

— Mais puisqu'elle veut mourir.

— Je n'ai pas le droit de modifier le cours de l'Histoire.

— Vous, monsieur Moka, vous pouvez bien un peu.

— N'insistez pas, c'est non. L'affaire est close. Dites-lui que je monterai la voir à l'infirmerie.

— Au moins, lui avez-vous trouvé des choses intéressantes, pour sa postérité?

Moka compulse la liasse de feuilles jaunes, en tire une, la plie, la cachette à la cire et la donne à la femme au châle.

— Qu'elle lise ça et me dise ce qu'elle en pense.

La femme s'éloigne. On la sent démangée d'ouvrir le pli.

— Moka, qu'est-ce qu'il y a sur ces feuilles jaunes?

— Je vous l'ai déjà dit, messieurs... La postérité!... Accompagnez-moi dans les étages, je vous expliquerai. Et vous verrez, on est toujours mieux accueilli, avec du café chaud.

*

Commandeur s'est dressé sur la scène. Il a reculé au mot « castrat » lancé par Norcia, comme un tragédien qui veut dire son horreur.

— Un castrat! Norcia, vous avouez avoir castré cet enfant. Mais de quel droit?

— Du droit à l'art! Ce droit qui donne l'obligation impérieuse de sauver un chef-d'œuvre. La voix de cet enfant en était un. Si vous l'aviez entendue! Il a chanté plusieurs fois sur cette scène. Seul. Sans public. A cause de son apparence, il ne supportait pas qu'on le regarde. Ceux qui sont venus l'écouter restaient de l'autre côté du rideau. Ils ont tous été marqués par cette voix qui avait quelque chose d'animal et d'enfantin à la fois.

— Mais vous n'avez pas sauvé cette voix, Norcia. Au contraire.

— C'est vrai. Là est ma faute, je vous le concède. Ma main a tremblé. Pour la première fois.

— Et vous avez rendu l'enfant muet!

— Quelle ignorance, Commandeur ! Après cette opération, l'enfant a refusé de chanter. Il a refusé même de parler. Mais il n'est pas muet. J'en suis certain. Je pouvais lui faire retrouver la voix. Mais on me l'a enlevé brutalement pour l'emmener en Angleterre, avec ce docteur Sieffert. Je n'ai retrouvé sa trace que l'année dernière quand l'enfant a été seul à Paris, sans protection. Lui ! Ce chef-d'œuvre absolu, commis de boutique ! Tout ça parce que la princesse de Lamballe a eu la stupidité de rentrer à Paris pour s'y faire massacrer !

— La princesse de Lamballe ! C'est donc elle qui a élevé l'enfant.

— Dieu, l'amarone me fait sortir de mon texte ! Nous appellerons cela un coup de théâtre, Commandeur.

— Norcia, vous venez de dire que la princesse de Lamballe s'est occupée de l'enfant. Elle est sa mère ?

— Non ! Désolé de vous décevoir, Commandeur. La princesse n'est pas sa mère. Elle l'a pris en charge dès sa naissance. Grâce à sa fortune, elle a pu faire en sorte que l'enfant ait la plus secrète et la meilleure des éducations. La princesse a réussi. Aujourd'hui, il a presque quinze ans, c'est un jeune homme accompli, aussi bien dans les lettres, les arts que les armes. Il est déjà l'égal du chevalier de Saint-George qui fut son maître et qui est son modèle. Les ressemblances sont telles, que je me demande parfois si le chevalier n'est pas son père.

— Mais le chevalier de Saint-George est un mulâtre.

— Comme l'enfant que vous voulez tuer, Commandeur.

*

— Citoyens évadés, vous voilà chez vous !

La Marmotte et Piqueur sont jetés à travers une cellule par les deux gendarmes. On a vite traversé. Elle doit mesurer dix pieds carrés. Et des petits pieds, encore. Le concombre et le potiron en uniforme mangent la moitié de la surface.

— Installez-vous ici, en attendant d'être interrogés par les administrateurs de police. Au premier étage, la pension est de quatorze livres par mois payables d'avance. Tout mois commencé est dû.

— C'est pour ça qu'on guillotine le 2 !

Le potiron et le concombre de gendarmes rigolent, l'un en faisant tressauter sa bedaine, l'autre en coulissant comme un mirliton à l'endroit du cou. Ils évoquent la nombreuse « domesticité » mise à leur disposition et le grand service de bouche. La Marmotte recopie « cafards » et « bouillon ».

— Bon séjour, citoyens ! Surtout, pensez à faire venir de la sonnante et trébuchante.

— Sinon, on ne reste pas longtemps ici.

Les deux gendarmes sortent et laissent la porte grande ouverte. La Marmotte va inspecter le long corridor qui dessert l'alignement de cellules. Un porte-clefs passe et déverrouille les serrures une à une... On aère !... On aère !...

Le corridor est éclairé par des fenêtres qui donnent sur la cour. Dans le bâtiment d'en face on voit aux différents étages des femmes qui discutent devant les cellules. La Marmotte cherche, mais ne voit ni Zamor ni le docteur Seiffert. Pourtant, ils ont dit qu'ils allaient rencontrer la comtesse du Barry. La Marmotte pense à la fille sur l'escarpolette et au nœud défait du ruban sur sa robe. Dans une fille, quand on ne se souvient que d'un détail, c'est qu'on est tombé amoureux. C'est bien sa chance, ça lui arrive juste quand on le jette en prison.

*

Zamor est penché à l'appui d'une fenêtre, au deuxième étage du quartier des hommes de Sainte-Pélagie. Il regarde dans la cour de la prison. A côté de lui, adossé au mur du corridor, le docteur Seiffert se tient dissimulé.

— Dépêche-toi! Ton guichetier nous a donné un quart d'heure. Pas plus.

Zamor essaie de ne pas se laisser gagner par la fébrilité du docteur. Il parle avec la du Barry qui est en face de lui, dans l'autre bâtiment. Toute l'adresse, pour ne pas attirer l'attention, réside dans l'art de donner l'impression qu'il converse avec quelqu'un d'autre dans la cour sur un sujet anodin. Tous les deux ont acquis la maîtrise de ce triangle galant, dans les salons et les bosquets de Versailles. Ils ne pensaient pas, un jour, s'en servir en prison.

— Je viens te donner des nouvelles de ton fils.

Du bâtiment d'en face, la du Barry joue le même jeu et lui répond en s'adressant à une prisonnière située dans une autre direction.

— Z'éspère que mon Petit-Louis va bien?

— Il se porte à merveille et parle de mieux en mieux.

Le docteur écoute et essaie de comprendre.

— Zamor, c'est qui ce Petit-Louis?

— Mon perroquet. Taisez-vous, donc!

— Zeu t'avais demandé de m'apporter une grosse pelote de laine pour le tricot de mon Petit-Louis. Tu y as pensé?

— Je suis venu avec le sac à pelotes.

« Sac à pelotes »! Seiffert ne trouve pas ça très flateur pour lui.

— Le sac c'est bien, mais sans la pelote, zeu ne pourrais pas tricoter le gilet de Petit-Louis et il risque de prendre froid, et même de mourir.

Le docteur tire Zamor par un pan de son habit.

— Que dit la comtesse?

— Elle dit que sans la grosse somme d'argent qu'elle a demandée, pas question de parler de l'enfant.

— Réponds-lui comme on a convenu. Je m'engage à la faire sortir de Sainte-Pélagie, en échange de la Perle Noire.

Zamor traduit.

— Un gilet, c'est commode contre le froid, mais une longue promenade dehors, au grand air, est bien meilleure pour la santé. C'est ce qui fait des garçons, vigoureux et... bel homme.

Au ton de la réponse de la du Barry, elle a l'air d'apprécier la proposition.

— Elle est d'accord pour la pension Belhomme. Elle dit qu'elle nous fournira la Perle Noire contre l'ordre écrit de transfèrement dans cette maison de santé, avant midi.

— Avant midi! Elle est folle! Ça ne fait rien, Zamor, dis-lui que ce sera fait. J'espère que vous ne m'avez pas joué une comédie avec votre galimatias ridicule. Sinon, vous en regretteriez la guillotine.

Zamor transmet à la du Barry en traduisant « guillotine » par « cache-col ».

— Venez docteur, on peut s'en aller maintenant.

— Il faut d'abord passer récupérer le chien.

Dans son réduit, le guichetier fait jouer le carlin avec un trousseau de clefs. Zamor et le docteur Seiffert essaient de ne pas montrer leur impatience.

— Comme il est drôle, avec son nez enfoncé. Ma fille l'adorerait. Belle-de-Nuit aime beaucoup les animaux.

— C'est joli, Belle-de-Nuit, comme prénom.

— Ce n'est pas joli, citoyen, c'est républicain ! Elle est née un 16 vendémiaire, c'est Belle-de-Nuit. Le 17, c'était Citrouille. Ton chien, il est de quelle race ?

— C'est un carlin, citoyen.

— On dit citoyen guichetier ! Un patriote doit être précis.

A l'écart dans le corridor, un prisonnier en perruque poudrée, bas de soie et boucles d'argent, observe la scène au-dessus d'un livre ouvert... *Les Voyages du capitaine Cook*... Zamor est intrigué par son attitude. Son regard est fébrile. Un pressentiment. Cet homme poudré qui fait semblant de lire regarde le chien d'une étrange manière. Zamor presse sèchement le docteur dans les côtes.

— Oui... Zamor... Voilà... Nous partons !

Le docteur ouvre son vaste-sac resté dans le réduit du guichetier et tend les mains vers le chien.

— Laisse, citoyen! tu vas le tuer. Je vais te le mener à la porte. On va passer par la cour des punis ce sera plus discret.

Zamor, le docteur, le carlin et le porte-carlin descendent l'escalier en procession. L'homme qui lit le livre les suit à distance. Il garde l'œil fixé sur le chien qui lèche l'oreille du guichetier.

Arrivés à la grille de la cour des punis, le guichetier rend le carlin au docteur.

— Dommage, je l'aurais bien gardé en pension, pour ma petite Belle-de-Nuit.

A ce moment, l'homme au livre passe dans leurs dos et siffle un coup stridulé.

— Coco!

Le carlin jappe et saute dans ses bras. L'homme le serre, l'étreint à l'étouffer et le respire à pleines narines.

— Son parfum! C'est bien elle! C'est son parfum!

Son visage chavire dans une étrange extase. Un instant surpris, le guichetier furieux se jette pour reprendre le carlin. Mais l'homme résiste et le bouscule. Les clefs volent, Zamor et le docteur sont envoyés contre la grille. Le guichetier se précipite à son réduit, y saisit un sabre et le brandit droit à piquer la gorge de l'homme poudré.

— Rends ce chien!

— Il n'est pas vôtre! Il est à notre reine. Il porte son parfum. Vous n'êtes pas même digne de le toucher.

— Citoyen, tu dois dire ci-devant reine!

— Elle est notre reine, et le restera. Vos mots n'y changeront rien.

— Tu dois dire « ci-devant » ! C'est la loi de la Convention.

— La Convention ! Mais je croyais, ci-devant homme, qu'en ces temps nouveaux, il n'y avait plus de convention.

— Dis « ci-devant » reine !

Le gardien cale la pointe de sa lame contre la carotide de l'homme poudré.

— Dis-le ! Ou je t'embroche.

— Ne vous donnez pas cette peine. J'y pourvoirai moi-même.

D'un brusque mouvement, l'homme au livre déchire la lame du sabre de sa gorge. Le sang gicle de la pomme d'Adam tranchée. Il interpose ses mains et s'effondre le regard désolé.

— Pardon de ne pas avoir pu empêcher que mon sang vous tachât.

— Bâtard d'aristocrate ! Il ne l'a pas dit.

Le guichetier récupère son sabre et son trousseau. Zamor nettoie ses souliers. Des prisonniers passent sans oser regarder le corps de l'homme. Son sang a coulé sur le livre ouvert et y dessine une grande carte sombre. Le docteur Seiffert prend le carlin dans ses bras.

— Non, citoyen. Je crois que vous m'en faites cadeau, pour ma petite Belle-de-Nuit. Elle aimera tant son parfum.

Le guichetier agite ses clefs. Il est vrai qu'à bien y écouter, ce bruit ressemble fort à celui d'un présent.

Dans leur dos, Zamor et le docteur Seiffert entendent un cri de marchand ambulant... *Caoua !*

Caoua! Moka rex arabica!... Ce ne serait pas de refus. Ils auraient besoin de quelque chose de fort et chaud. Zamor et le docteur quittent la prison par la cour des punis.

Moka arrive à l'étage des « Pailleux », avec sa cafetière déambulatoire... *Caoua! Caoua! Moka rex arabica!...* Aussitôt, il est assailli par une troupe de femmes à la mise extravagante... Du café pour le Théâtre-Français!... Elles se ruent sur les timbales. Ed et Jones se retrouvent de service.

— Maître Moka, où avez-vous trouvé ces deux pièces? Nous les auditionnerions bien volontiers en privé.

Rires des coquettes. Les rôles semblent distribués dans le groupe entre le coryphée et le chœur antique.

— Maître Moka, l'affaire est grave. Il faut absolument que vous écriviez cette lettre au sujet de Mme Grelis.

— Pas question! Je me refuse à dénoncer une comédienne de votre maison, qui n'a rien à se reprocher.

— Mais nous non plus, nous n'avons rien à nous reprocher. N'est-il pas vrai, mesdames?

Chœur des Vertueuses.

— Comprenez notre désespoir, maître Moka, nous avons déjà été sottement séparées des rôles masculins qui sont emprisonnés aux Madelonnettes. Cela réduit notre répertoire. Et voilà qu'on nous refuse Mme Grelis qui est une Andromaque irremplaçable! N'est-il pas vrai?

Cantique des Louanges.

— Il suffirait d'une simple lettre de dénonciation au Comité de Salut public, et Mme Grelis réintégrerait notre troupe. Ainsi notre saison serait sauvée!

— J'ai dit non ! Moi je m'occupe de votre postérité, pas de votre tournée.

Chants de lamentation.

— Voilà qui n'est pas égal. Les fous de balle ont dénoncé M. Fontaine pour qu'il soit transféré dans l'équipe de cette prison, sous prétexte qu'il a le pied fort juste. Et nous ! on nous refuse cette grâce pour Mme Grelis. Je le demande ici. Un fou de balle a-t-il aujourd'hui plus de prix qu'un comédien-français ?

Plainte d'indignation.

— Soit, maître Moka, nous irons ailleurs. La maison ne manque pas de mouchards. Voyons plutôt ces tirades que vous nous avez apportées.

Moka tire une feuille jaune de sa sacoche. Le coryphée lui prend des mains et la lit au chœur.

— En titre... Postérité, ou variété de bons et francs derniers mots à usage réservé des Femmes de Théâtre condamnées à la guillotine... Voilà qui est lancé !...

Ed et Jones, interloqués, interrogent Moka du regard.

— Oui, messieurs, je fais commerce de dernières paroles, mots d'échafaud, citations historiques, ou traits d'esprit. Ce sont là mes Postérités !

— Chut, messieurs, le rideau est levé.

Le coryphée a déjà pris la pose.

— Mesdames, faites écoute. Sachez d'abord que la chose est fort astucieusement présentée et classée en genre, à la mode des encyclopédistes. Nous avons à choisir entre : « esprit », « familier », « philosophique », « religieux », « vengeur »...

Frémissements des Précieuses.

— Allons droit à notre partie qui est... l'esprit! Je lis... Situation : l'infortunée découvre la lunette de la guillotine...

Allons, pourquoi ce trou du souffleur ménagé.
De mémoire, à mon talent, on n'a jamais soufflé!...
Applaudissements dans les rangs.

— Un autre, il est aussi en vers!

O public, pourras-tu jamais me pardonner
Car cette mort, je ne saurais, cette fois, la bisser.

— Admirable, maître Moka!... Celle-ci maintenant, du registre « familier »... Sur l'échafaud :

Voici les tristes planches qu'on me donne à brûler.
Souffrez que de mon sang, j'offre à les égayer.

— Magnifique!...

Le coryphée embrasse Moka comme dans un final de réconciliation.

— Mesdames, j'ai là une idée. Ce soir, nous donnerons les Mots de Postérité de maître Moka. Nous appellerons ce divertissement, tout simplement... Postérité!

Acclamations et battements de mains.

La troupe s'égaille comme une classe d'écoliers, les feuilles jaunes en étendard. Déjà une bande de pailleuses les remplace. On réclame du café et des mots. Ed et Jones s'extraient de l'ameutement.

— Moka, on vous laisse à votre postérité. Nous montons interroger la du Barry.

*

Marie-Antoinette attend Rosalie. Sa servante va bientôt revenir. Elle lui avait demandé d'être là pour 8 heures. Au moins la jeune fille pourra-t-elle lui pro-

curer un semblant de rempart au regard de ce gendarme. Elle a l'impression que son corps a repris ses
épanchements sous elle. Elle n'ose se lever de sa
chaise de crainte de paraître souillée.

Quelle légèreté! Ce sont peut-être ses derniers instants de solitude. Elle devrait les consacrer à la pensée
des siens, et à son examen de conscience. Mais la
voilà tout occupée par l'embarras de se montrer
tachée. Elle s'en veut de tant frivoliser. Peut-être est-
elle cette « tête à vent » qu'on a tant raillée dans les
gazettes?

Le temps lui manque pour ordonner ses esprits et
répondre à toutes ces questions.

— Citoyen brigadier, pouvez-vous me donner
l'heure, je vous prie?

— Non, citoyenne, je ne le peux pas. J'ai des
ordres.

— Pourquoi, on craint que je m'évade avec?

Le gendarme ne répond pas. Il garde les yeux fixés
sur elle. Qu'importe, elle est satisfaite de son mot. Il
n'en fallait pas plus, parfois, pour repiquer une soirée
ennuyeuse chez la princesse de Lamballe. Pauvre cher
cœur! Pourquoi est-ce l'ennui qui lui fait se souvenir
d'elle? Mais, est-ce l'ennui, ou bien... le sang!

*

Ed et Jones grimpent les marches vers le dernier
étage de la prison. Ils vont chez la du Barry comme à
un rendez-vous amoureux. Dans l'escalier, ils croisent
des colonnes de femmes sous toutes les parures. Le
vase de nuit à la main, la serviette sur l'épaule, en
paresseuse ou déjà parées, la servante sur les talons. Il

y a de véritables tourbillons de puanteur et de parfums mêlés... *Place! Place! le service de premiers atours de Mme de Prinon*!... Ed et Jones sont dépassés par un perruquier ganté sautillant et son aide enfariné portant une cloche en argent sur un plateau... *Place!... Place!...*

Arrivés à l'étage des Idées, Ed et Jones s'engagent dans le corridor des cellules. Jones s'arrête et montre à Ed une femme quelques pas devant eux. Elle est debout devant une fenêtre ouverte sur la cour.

— Tu crois que c'est la du Barry?

— Je ne vois pas qui d'autre saurait si bien se déshabiller.

8

La du Barry

Ed et Jones avancent dans le corridor de la prison sans quitter des yeux la femme si déshabillée qui leur tourne le dos. Devant eux une jeune fille élancée porte deux seaux d'eau fumante. Elle entre dans la cellule n° 5.

— Citoyenne du Barry ?

— Nous venons pour vous interroger.

La femme si déshabillée ne répond pas. Elle laisse Ed et Jones en souffrance avec son parfum. Un reste de bergamote fanée par la nuit monte de sa chevelure comme de cendres éteintes.

— Citoyenne, il vaut mieux nous répondre.

Ed agite sa plaque de police devant les yeux de la comtesse comme un grelot de somnambule.

— Messieurs, me confondez-vous avec une truite qu'on prend au leurre ? On a dû vous dire que z'étais friande de tout ce qui brille, mais pas à ce point.

Ed et Jones n'avaient même pas songé que la du Barry possédait un timbre de voix, qu'il pouvait être aigu et qu'elle zézayait. On ne songe jamais à la voix des portraits. La comtesse se retourne avec une grâce un peu éloignée du corps et leur fait face. On s'attend à ce qu'elle ait les yeux émeraude, ils sont simplement noisette. Qu'elle soit parée de ses bijoux, mais elle va les oreilles, le cou et les mains nus. Que les traits de son visage gardent les traces de la favorite. Ils les gardent. Surtout le pli amer qui descend de la bouche. La comtesse est peut-être plus truite qu'elle ne le pense.

— Vous êtes bien la citoyenne du Barry?

Elle mime une fausse révérence amusée. Ed et Jones n'ont jamais vu une telle quantité d'étoffe utilisée pour déshabiller tant.

— Jeanne Bécu, comtesse du Barry! Momentanément éloignée de ses terres.

— Ed Cercueil!

— Fossoyeur Jones!

Eux aussi, momentanément éloignés de leurs terres d'Amérique.

— Fisstre! On m'envoie deux belles pièces d'Indes. Zeu vois qu'on connaît mes goûts.

La du Barry les détaille avec son œil à déboutonner le prétendant. Ed et Jones se sentent troublés à l'idée que ce regard se portait sur Louis XV, aussi simplement qu'ils regardent leurs habits sur le dos d'une chaise.

— Si, vous aussi, messieurs, vous venez me parler de mes bijoux, vous arrivez trop tard. On m'a dézà tout volé.

— Nous ne venons pas pour cela, citoyenne.

— Nous cherchons un enfant.

— Un enfant! à la prison de Sainte-Pélazie! Il est vrai qu'il s'en fait beaucoup. On a même un cabinet d'engrossement pour éssapper à la guillotine par le ventre. L'âze m'a privée de cette possibilité, sinon z'aurais tenté beaucoup d'évasions.

— C'est cet enfant que nous recherchons.

Jones lui tend le portrait ovale. La du Barry le prend, et s'approche de la fenêtre pour le regarder au jour. Elle en fait jouer l'inclinaison, comme elle le ferait d'une pierre précieuse.

— Citoyenne, vous le connaissez?

— Bien sûr que zeu le connais.

— Qui est-ce?

— C'est mon enfant!

*

La Marmotte regarde par la fenêtre. Il est déçu, elle ne donne pas sur le faux potager de la prison, avec la fille à l'escarpolette. Il aurait aimé la regarder se balancer, juste pour voir flotter le ruban bleu à sa taille.

— Marmotte, viens voir ce que j'ai fait.

Piqueur le tire dans leur cellule qu'il a décorée avec des mots de sa gibecière. « Baldaquin » au-dessus du lit, « Nevers » sur la cruche... Ça, d'accord... Mais aussi « fraternité » dans le vase de nuit, « démagogie » près du vasistas et « guillotine » dans l'embrasure de la porte. On dirait des mots étourdis qui se sont égarés.

— Marmotte, tu crois qu'on va rester ici longtemps?

Il se demande plutôt comment il va retrouver Coco, pour le ramener à Sidonie-c'est-joli. Peut-être au Porche Rouge dont parlait la vieille femme aveugle. Elle a dit derrière la maison de Robespierre. La Marmotte sait où c'est, maintenant. Mais il y a un détail embêtant. Le Porche Rouge est dehors, en liberté. Il faut que Piqueur retrouve dans sa gibecière le mot « évasion ». Même étourdi, il fera l'affaire.

*

Dame Catherine et Pobéré descendent Saint-Honoré, vers la rue de la Monnaie. Ils sont jetés sur le côté par deux chevaux lancés comme à la charge, qui tirent un canon chahuté sur sa prolonge. On en a pour son content de cris, galops et fracas.

— Z'ont l'air pressé, les bougres ! P'tit, note bien la position des pièces, et le nom des unités sur le parcours.

— J'ai tout, la mère.

— Ces chevauchées et ce branle de patrouilles à c't'heure, c'est pas bon signe pour nous. Il pourrait bien vouloir boucler l'affaire pour 10 heures.

— Tu crois que quelqu'un a parlé ?

— Non, mais si j'étais de leur côté, c'est ce que je ferais. Toujours penser avec la tête de l'autre.

— Comme moi, pour tes yeux ?

— Toi, Pobéré, t'es pas un autre. T'es un morceau de moi. T'es mon p'tit.

La femme aveugle serre son fils contre elle, en frictionnant sa tignasse rousse. Il essaie de se dégager pour la forme, mais il aime bien sa main sur lui.

— Dis, la mère, pourquoi il a été si bon avec moi, le duc de Penthièvre ?

— Un jour, je te dirai. C'est pas encore le moment. Retiens seulement que l'heure est venue de l'aider, pour le remercier. Allons à la taverne de la rue de la Monnaie. Je dois voir Jean-Baptiste.

Il est déjà installé à une table dans la salle de La Vainqueuse. Le jeune garçon est nerveux.

— Dame Catherine! J'ai de bonnes nouvelles! Nous avons gagné à notre cause vingt nouveaux gaillards de Vanves, chacun muni de deux bons pistolets

— Bravo! Jean-Baptiste. Mais combien en auras-tu convaincu à toi seul? Près de cinq cents, mon gaillard! Pour ça, la reine te donnera au moins une fille de baron à marier.

— Holà! Je n'ai pas encore fait mes dix-neuf ans, et je ne suis qu'un perruquier en boutique.

— Après cela, les perruques t'arriveront toutes poudrées sur la tête. Tu fais du bon travail. La reine sera fière de toi.

L'aveugle étreint les épaules du jeune garçon. Il est solide et plein d'énergie. Pourtant elle sent une raideur des muscles qui durcit sa nuque. Jean-Baptiste lui cache quelque chose. Elle y songe, pendant qu'elle l'écoute s'éloigner et quitter la taverne. Inutile d'inquiéter son fils.

— Ecoute-moi, Pobéré. Je vais t'attendre ici, pendant que tu vas te renseigner sur l'heure exacte de l'exécution. C'est très important.

— On s'en moque de l'heure, puisqu'on la sauvera avant!

— Va toujours! Et trouve-moi une brouette.

— Une brouette! Pour quoi faire?

— Jouer à la reine.

*

Marie-Antoinette est allongée sur son lit. Le gendarme garde sur elle un regard vide. Ses pensées semblent ailleurs. Il a peut-être seulement faim, voudrait fumer une pipe de tabac, ou quitter ses bottes. Marie-Antoinette sourit. Ainsi posés, ils doivent peindre un vieux couple de bourgeois qui s'ennuient. Les yeux vers le jour, elle pense à son fils... Son Chou d'Amour... Est-ce qu'au Temple, cet infâme Simon, son gardien, l'a réveillé pour lui annoncer que sa mère va mourir? Avec quels mots orduriers? Est-ce que le pauvre enfant les répétera comme un compliment patriotique, pour un verre de vin? Il n'y a pas d'acharnement plus abject que de vouloir salir le nom de sa mère aux yeux d'un fils. Des larmes coulent sur sa main. Elle s'était pourtant promis. Mais ses forces l'abandonnent. L'attente et le jour qui pâlit la saignent. Elle sursaute. Il y a un bruit de clef dans la serrure. Pas déjà! Mon Dieu comme son ventre se dérobe, soudain. Quelle heure est-il?

— C'est moi, madame!

C'est Rosalie, ce bel ange! Comme elle a bien compris qu'il faudra désormais la rassurer comme une enfant, au moindre bruit, à la moindre alarme. Sa voix est émue, mais elle porte en entrant sa jolie âme sur son visage.

— Madame, vous n'avez rien pris hier au soir et presque rien dans la journée. Que désirez-vous prendre ce matin?

Mon Dieu! Comme son temps est conjugué dans cette simple demande. Comme il lui aurait été doux qu'elle lui demandât quelles pantoufles elle porterait... demain.

— Ma fille, je n'ai plus besoin de rien, tout est fini pour moi.

Pourquoi avoir dit cela ? Sinon pour ravager le pauvre cœur de Rosalie ? Tout n'est pas fini. Dehors, on œuvre à l'arracher à cette fatalité. Marie-Antoinette se répète... *Maison de Robespierre... Porche Rouge...* Elle doit leur faire confiance. Reprendre des forces pour eux, le moment venu.

— Madame, j'ai conservé sur mes fourneaux un bouillon.

Un bouillon ! Elle en serait presque émue aux larmes. Un bouillon. Elle qui répugnait tant à aller le servir en grand équipage aux nécessiteux. Elle allait le recevoir en dernier partage des mains de Rosalie, sans jamais pouvoir répondre à sa bonté que par un sourire. Rosalie pleure, désemparée. Quelle folle je fais ! Elle a dû penser que je souriais d'elle, que je moquais son offrande. Comme je hais en cet instant cette morgue des Habsbourg sur ma bouche ! Ces vulgaires replis de la peau où les autres croient lire votre âme. Rosalie veut se retirer. J'ai offensé ce cher cœur.

— Revenez, ma fille !

O mon Dieu comme les larmes me viennent à regarder son beau visage. Qu'il aurait été doux de la doter. De la voir tourner joyeuse et gaie au Trianon parmi ses amies. Elle aurait tenu bien haut son rang. A quoi tient-il de ne pas être princesse ?

— Eh bien ! Rosalie, apportez-moi votre bouillon.

La servante part et s'en revient comme si le fourneau ronflait derrière la porte de la cellule. Marie-Antoinette s'est assise sur le lit. Ses jambes peinent à la porter. Les mouvements répétés de la porte lui ont donné l'impression que, désormais, on pouvait venir à tout moment pour la prendre et l'emmener. Elle en était arrivée à être rassurée par ces verrous. Comme elle faisait peu de cas et raillait les émois de son pauvre Louis devant une serrure de sûreté... « Sûreté »... Le mot lui noue le ventre... Non!... Merci, ma fille... Elle ne pourra boire une autre cuillerée de ce bouillon.

— Quelle heure est-il?

La reine a fait en sorte de murmurer sa demande au moment où la servante la cachait aux yeux du gendarme.

— Sept heures, légèrement passées.

— Rosalie, j'ai les sangs qui reprennent. Vous m'apporterez une autre chemise...

— Oui, madame...

— Hé, citoyennes! Pas de colloque ou j'en réfère.

Les hommes sentent quand les femmes murmurent. Mais c'est souvent trop tard.

— Vous m'apporterez aussi...

— Attention! citoyennes. J'en réfère.

Jean Réfère! En voilà un nom trouvé pour un gendarme. Il a impressionné cette chère âme de Rosalie. Elle est toute tremblante. Son cœur est serré. Il vaut mieux la libérer de cette étreinte.

— Rosalie, revenez vers 8 heures pour m'aider à m'habiller.

— Bien, madame.

Quand Rosalie reviendra, il ne lui restera plus que deux heures à vivre.

*

— Citoyenne du Barry, vous dites que l'enfant qui est sur ce portrait est le vôtre?

Sans répondre, la comtesse pivote sur elle-même et disparaît dans sa cellule avec le portrait. Ed et Jones la suivent.

— Bienvenue dans mon Louveciennes !

La comtesse montre l'endroit avec des gestes à hauts plafonds.

— Admirez mon bain !

La du Barry désigne une baignoire sabot en cuivre qui fume et repousse tout le monde côté paillasse.

— Mon seul luxe ! Zeu l'ai appelé Marat, ce qui n'est pas un luxe mais une insolence. L'insolence auzourd'hui est le dernier des luxes. N'est-il pas ?

Elle rit en rejetant ses cheveux en arrière. Ed et Jones se regardent étonnés. La du Barry ne semble pas avoir remarqué la présence dans la cellule de la porteuse d'eau. Le visage extatique, elle est plantée devant une affichette placardée au mur.

— Ninon ! Ça suffit, tu vas te brûler les yeux. Et pressons, Marat n'est pas encore assez plein.

La jeune fille semble s'éveiller d'un rêve, ramasse ses seaux et repart. La comtesse croit devoir expliquer.

— C'est une brave fille, sans le sou. Ici, c'est mortel. En contrepartie d'un petit service d'eau, je lui prête à lire quelques-uns de mes bijoux.

Elle montre l'affiche, Ed et Jones s'en approchent et lisent.

Deux mille louis à gagner. Diamants et bijoux perdus.

Il a été volé chez madame du Barry, au château de Louveciennes, près Marly, les diamants et bijoux ci-après : une bague d'un brillant blanc, quarré long, pesant 35 grains environ, monté en cage... un baguier en rosette verte renfermant 20 à 25 bagues,

dont une grosse émeraude; pendeloque montre à jour pesant envi-
ron 36 grains, d'une belle couleur, mais très jardineuse, ayant
beaucoup de dessous...

— Allons, messieurs! Vous êtes en train de vous
mettre sur la paille.

— On vous a volé tout ça?

Jones tapote l'affichette qui continue ligne par ligne à
les ruiner pour plusieurs générations.

— Ma mémoire m'en a volé aussi.

Ed et Jones s'éloignent. Ils finissent par craindre que
l'affichette ne leur fasse les poches.

— Citoyenne du Barry, vous venez de dire que
l'enfant de ce portrait est le vôtre. Vous confirmez?

— Oui, zeu confirme. Qu'est-ce que vous voulez
savoir d'autre?

— Simplement où il est.

— Zeu n'en sais rien du tout.

— Pourtant, vous êtes sa mère!

La du Barry éclate de rire. Un vrai gros rire sans
minauderies qui finit de la déshabiller.

— Moi, la mère de cet enfant!... Et vous pensiez que
c'était qui, le père?... Sa Majesté Louis XV!...

Là, son rire explose. Il emplit tout l'étage des Idées et
descend des Grinches jusqu'aux Pailleux.

— Allons, citoyenne, ne vous moquez pas.

Elle redevient soudain calme. La mine presque grave.

— Messieurs, quand j'évoque Sa Majesté, zeu ne me
moque pas zeu me souviens!

La comtesse jette son visage dans ses mains. Elle sanglote à petits bouillons affectés. Ed et Jones n'avaient
rien prévu de tout ça. Ils n'avaient rien prévu du tout

d'ailleurs. Jones lui tend un mouchoir à bouchonner un percheron.

— J'ai le mien, merci.

La du Barry fait jaillir de son décolleté un délicat chiffonné de dentelle et le sourire brodé assorti.

— Messieurs, ne croyez pas aux larmes. Vous seriez oblizés de croire aux femmes.

Ed et Jones ont soudain envie de devenir fermiers dans l'Ohio, de croire aux saisons, au grain qui lève, à la pluie, aux larmes et aux femmes qui sont des femmes.

— Une dernière fois, citoyenne, êtes-vous oui ou non la mère de cet enfant?

— Regardez-moi, messieurs, et regardez ce portrait! Avec qui aurais-ze pu réussir ce prodize?

— Zamor!

La comtesse en laisse tomber son mouchoir de dentelle à ses pieds. Ni Ed ni Jones n'esquissent un geste pour le ramasser. Ils ne quittent pas la du Barry des yeux. Son regard est devenu féroce. Comme le temps change vite sur ce visage!

— Un point, messieurs!

Surgissent dans la cellule deux porte-clefs à bonnets crête-de-coq. Ils inspectent l'endroit avec des yeux de rapace.

— Citoyenne du Barry, t'as pas vu la suspecte?

— Quelle suspecte?

— Une rechigneuse bien tournée avec une perruque de mouton. La citoyenne Devey. Elle doit déménager chez les pailleux et elle se cache.

— Vous ne pouvez pas la laisser tranquille! Sortez de là!

— Prends garde, citoyenne...

— Déguerpissez ! vous dis-ze ou ze vous fais bastonner par mes laquais.

Les deux coqs regardent Ed et Jones... Bon... Voilà du laquais gaillard. Il vaut mieux aller voir ailleurs. Ed observe la du Barry pendant qu'elle se tamponne le cou et la gorge d'un linge humide. Elle semble véritablement émue. Jones est penché sur l'affichette comme un gosse à la devanture d'une pâtisserie. Il se demande à quoi peut ressembler... *un Bacchus antique gravé en relief sur une coraline brûlée...* Mais surtout... *un esclavage à double rang de perles, avec sa chute...* Ed ramène Jones à l'interrogatoire.

— Alors, citoyenne ! cet enfant, en êtes-vous la mère ?

— Messieurs, zeu peux vous répondre fort clairement... Non ! je n'en suis pas la mère et Zamor n'en est pas le père.

— Pourtant, citoyenne, vous et Zamor...

— C'est vrai et connu. Et je ne dis pas qu'à une époque, en nous oubliant, nous n'aurions pas pu peindre un sujet sur ce modèle. Mais, messieurs, dans ma position de favorite, il eût été désastreux pour mes intérêts que je tombasse grosse. Et bien plus encore si z'y avais azouté cette teinte-là. Vous imazinez le scandale à Versailles ?

— Alors, pourquoi avoir prétendu que c'était votre enfant ?

— Manière de dire.

— De dire quoi, citoyenne ?

— Que zeu suis pour une part dans l'existence de cet enfant. Disons que z'avais appris, par hasard, le petit secret de Mme de Lamballe.

— Quel genre de hasard?

— L'oreiller, messieurs! L'oreiller est le hasard des catins. Zeu peux parler de ce hasard, car zeu pense qu'il est dézà mort. En tout cas, il le mérite bien. Il s'appelait Norcia da Lecce. Un chirurgien italien dont le plus grand talent était de faire des anges. Ce qui est bien commode, quand la nature ose revendiquer la préséance sur les plaisirs du roi.

Elégante façon de dire qu'on jette des enfants aux pourceaux, parce que Sa Majesté pourrait s'impatienter au lit.

— Cet Italien était le protézé de Mme de Lamballe, sa compatriote. La princesse était une Carignan-Savoie, grande maison de Turin. C'est ce Norcia da Lecce qui a opéré le prince de Lamballe.

— De quoi?

— Vous comprendrez quand je vous aurai dit, qu'après cette opération on l'appelait... Le Prince-sans-balles!

Ed et Jones comprennent qu'un tel surnom, à Versailles, peut tuer aussi sûrement qu'un chirurgien.

— Où peut-on trouver Norcia da Lecce?

— S'il vit encore, il doit être dans les communs d'un des pavillons du Zardin du Roi.

— Vous voulez dire le Jardin des Plantes, citoyenne.

— Non! Pour moi, on ne remplacera jamais un roi par des plantes.

La comtesse songe que ce Norcia da Lecce pourrait être un bon leurre pour ces deux gaillards.

— Norcia da Lecce, messieurs, s'est beaucoup occupé de l'enfant. Mais, pour des raisons mystérieuses,

la princesse de Lamballe a décidé, un jour, de lui en retirer les soins et de les confier à son médecin personnel.
Très personnel, si vous suivez ma pensée.

— Vous connaissez le nom de ce médecin très personnel, citoyenne.

Quelle sotte elle est! Les voilà qui suivent une
mouche plus grasse. Et c'est elle qui leur donne à gober!

— C'était un Allemand, le docteur Seiffert. Mais
vous aurez du mal à le confesser. Il est à Londres, tandis
que Norcia da Lecce n'est pas loin d'ici.

La comtesse montre une direction qui coïncide avec
celle du Jardin du Roi, mais surtout avec la porte de la
cellule. Ed et Jones lui trouvent le pouce soudain bien
familier.

— Revenons à l'enfant, citoyenne. Dans ce que
vous racontez, on ne voit pas pourquoi la princesse
de Lamballe, princesse du sang, héritière des Penthièvre, une des plus importantes fortunes de France,
prend en charge l'éducation d'un enfant noir et
malade!

— Est-ce que la princesse est sa mère?

— Pensez donc! si c'était le cas, le duc de Penthièvre
aurait mis en branle tous ses moyens pour reprendre cet
enfant et en faire son héritier. N'oubliez pas que depuis
la mort de son fils aîné, il ne lui reste plus qu'une fille
pour assurer la survivance de son nom.

— Allons, citoyenne, vous imaginez un prince du
sang noir?

— Messieurs, quand on a deux millions de rente, on
n'est pas noir. On est riche!

Voilà une teinte qu'il faudra ajouter au nuancier de
Moka. Ed et Jones restent sous le coup de la formule.

La du Barry savoure son effet avec des petits airs de rien. Brusquement, Ninon, la porteuse d'eau, entre dans la cellule. Elle n'a pas de seau à la main, mais seulement les bras ballants et le visage défait.

— Madame la comtesse! Ils sont après Aurore Devey.

— Les canailles! J'en étais sûre! Où ça, ma fille?

— Dans le cabinet d'engros... Enfin... au n° 11.

— Messieurs...

— On a compris, citoyenne.

— Montrez-nous le chemin, mademoiselle.

Ed et Jones courent dans le corridor derrière Ninon.

— C'est là!

Elle leur montre la porte d'une cellule au fond du couloir. Elle est gardée par un des deux coqs emplumés. Un peu à l'écart, attend en soupirant un couple formé d'un paon apprêté pour la parade nuptiale et d'une femme en domino rose. Le paon se plaint.

— Ce retard est très fâcheux, pour la chose! On attend, on attend, et... ça passe. Je ne suis pas une fontaine, moi! Nous avions retenu notre tour. Mais visiblement, il y a des passe-droits, ici.

Ed fait face à l'emplumé qui garde la porte de la cellule. Même avec la crête dressée, il lui manque une bonne tête.

— C'est quoi ce passe-droit?

— Un interrogatoire de suspect, citoyen.

L'emplumé ricane avec un clin d'œil complice pour Ed. L'œil n'aura pas le temps de se réouvrir. Ed frappe droit dedans. Le coup de poing embarque aussi une partie du nez qui plie. L'arcade éclate, la tête part en arrière et frappe à la porte. On ne dit pas... Entrez!... Mais Ed et Jones entrent tout de même, en propulsant l'emplumé devant eux.

— Dégage, Norbert! Je t'ai dit d'attendre. Tu vois bien que j'ai pas fini!

Celui qui n'a pas fini, c'est le deuxième emplumé. Il leur tourne le dos, à demi nu, debout devant une table, les braies affalées sur les chevilles, les fesses qui s'agitent, avec des petits ahanements constipés.

— Si! tu as fini.

Ed se précipite sur lui, balance un coup de semelle dans la fossette des reins, là où ça sourit, alpague l'homme par les épaules, l'arrache et le projette contre le mur. Ed découvre Aurore Devey. Elle est plaquée à plat ventre sur la table, la robe remontée sur elle, les poignets et les chevilles entravés.

Jones la couvre de son manteau de pluie, la détache et l'emmène hors de la cellule. Devant la porte, le paon frustré proteste.

— Ben! c'est pas trop tôt! Je sais pas si je vais pouvoir œuvrer, moi, maintenant.

Jones l'écarte d'un coup de botte qui ne l'aidera certainement pas à œuvrer. Le paon renonce et s'en va plié en deux, poursuivi par le domino.

— Revenez, monsieur! Mon argent! J'ai payé! Rendez-moi mon argent!

A l'intérieur de la cellule, Ed ne laisse pas le temps au débraillé de se ressaisir. Sa bouche éclate d'un coup de tête. Ed l'enlace à la taille à pleins bras, et cogne du genou en remontant... Encore! Et encore!... L'homme hoquette, tousse, et bave. Ed lui broie la colonne vertébrale. Il lui susurre à l'oreille.

— Tu aimes ?

Pas Ed. Il se débarrasse de la loque en le plaquant sur la table dans la même position qu'Aurore Devey. Ed empoigne l'emplumé qui montait la garde.

— J'ai rien fait, moi !

— Justement, tu vas te rattraper.

Quand Ed sort de la cellule, Ninon est devant la porte. Elle a juste le temps d'apercevoir un coq emplumé qui s'agite sans conviction sur un autre moins emplumé. Ninon sourit et tend un verre d'eau à Ed.

— Vous verrez, monsieur, elle est bien fraîche.

Ed retourne chez la du Barry. Jones y est déjà. Quand il entre dans la cellule, son regard dit qu'il n'y a plus à en parler. La comtesse dit simplement... merci !...

— Messieurs, où en étions-nous, avant cette... interruption ?

— Vous disiez à la fois qu'à deux millions de rente on n'est pas noir, mais aussi qu'on vous aurait chassée de la cour si cela vous était arrivé. Etrange, non ?

— Pas du tout. Sachez que pour tous, la favorite est une catin et que chacun guette le moment de lui faire savoir. Pour moi, ce fut le 10 mai 1774. Sa Majesté Louis XV mourait. Le monde finissait.

Ninon revient avec deux seaux d'eau qu'elle verse dans la baignoire.

— Savez-vous, messieurs, à quoi on comprend qu'un roi vient de mourir à Versailles ?... Au bruit !... Celui de la cavalcade des courtisans qui dévalent le grand escalier, pour se prosterner les premiers aux pieds du nouveau souverain.

Ed et Jones ont l'impression que la du Barry entend la cavalcade.

— A cette minute, messieurs, cette petite rousse méprisante de Marie-Antoinette devient reine et moi, je ne suis plus rien. Elle a moins de vingt ans, et moi plus de trente. Tous m'abandonnent, au moment où le roi tient la plus folle de ses promesses.

— Quelle promesse?

— Celle de devenir noir!

Ed et Jones restent sidérés. La du Barry trempe négligemment sa main dans l'eau de la baignoire. Elle fait signe à Ninon que... Oui! C'est parfait comme ça... Ses deux seaux à la main, la jeune fille se jette immédiatement dans la lecture de l'affichette à bijoux.

— Le roi était un peu zaloux de Zamor. Oh! une zalousie royale. C'est-à-dire qu'il me priait de n'en rien croire. Une nuit, le roi me dit...

« Ce jeune homme semble vous donner bien du plaisir, madame. Si votre contentement est à ce prix, je vous promets, moi aussi, de devenir noir!

— Sire, voilà un défi bien à votre grandeur. Il serait plus aisé pour moi de retourner pucelle.

— Je vous prends à la lettre, madame. Je deviens noir et vous, vierge. Il faut un enjeu en conséquence, pour un tel pari.

— Sire, zeu propose la Perle Noire du maréchal de Saxe. On dit qu'elle n'a pas d'égale. Et sa couleur me paraît fort appropriée à notre défi.

— Hé bien, madame, c'est dit. J'irai la faire reprendre pour vous. »

La du Barry semble revivre la scène et voir passer cette Perle Noire devant ses yeux.

— Z'ai gagné notre pari, grâce à une visite chez Norcia da Lecce. Il m'a pucelée à ravir ! C'est un service dont il était maître. Il le rendra à bien plus vierze et bien plus... royale que moi.

Ed et Jones retiennent l'allusion. Ils se disent que la du Barry a l'art de faire croire qu'elle bavarde, alors qu'elle parle.

— Z'ai gagné et z'ai eu une merveilleuse nuit de noces avec le roi. Voyez ! Z'étais destinée à être pucelle. Malheureusement, zeu suis née à Vaucouleurs où il n'y en a que pour Jeanne d'Arc. Elle m'a dégoûtée de l'emploi, alors j'ai tourné catin.

On dirait que la comtesse répète ce mot à l'envi pour l'apprivoiser.

— A sa mort, le roi, lui aussi, a tenu sa promesse. La petite vérole l'avait entièrement recouvert de pustules sombres. Louis XV était devenu noir... pour moi.

La du Barry caresse la surface de l'eau dans la baignoire.

— Parfait ! Mon bain est prêt. Désolée, messieurs, je vous demande de bien vouloir vous retirer.

C'est la deuxième fois que la comtesse tente de les congédier.

— Nous n'en ferons rien ! Ed vous a posé une question et cette fois vous allez y répondre.

— Et si je ne veux point ?

— Vous prendrez votre prochain bain à la Conciergerie.

La du Barry devient livide. Elle pense à la Petite Rousse qu'on va guillotiner. Une revanche qu'elle attend depuis cette humiliation devant la cour. Ce

1ᵉʳ janvier 1772... *Il y a bien du monde, ce soir, à Versailles*...
La comtesse s'est juré de faire payer cette phrase à la
reine. Pour ça, à l'heure exacte de l'exécution de Marie-
Antoinette, elle enfilera chaque jour une nouvelle perle
rousse à un collier. La du Barry ne veut pas qu'on la
prive de ce plaisir.

— Bien, messieurs, je consens à répondre, mais pas à
laisser froidir mon bain. Retournez-vous. Ninon, tu
peux nous laisser.

Des yeux, la jeune fille rafle quelques derniers bijoux
sur l'affichette et s'en va. Ed et Jones se retournent,
poussés dans le dos par le glissement des vêtements de
la comtesse sur le sol. Ils l'entendent fouiller dans son
coffre en bois. Du coin de l'œil, ils parviennent à
s'entr'apercevoir. Assez pour se dire la même chose.
Jeanne Bécu, comtesse du Barry, favorite de Louis XV,
est nue derrière nous ! Ça donne envie de faire des
enfants, rien que pour leur raconter.

— Voilà le moment le plus agréable de la vie, messieurs.

Ils trouvent aussi. Surtout quand l'instant est
accompagné de petits clapots indiscrets qu'on peut
interpréter à sa guise.

— Citoyenne, ne profitez pas de notre embarras
pour ne pas nous répondre.

— Imaginez si nous devions nous retourner.

— Vous gagnez à imaginer, messieurs. Je suis une
vieille femme de cinquante ans, maintenant. Le portrait
que vous ferez de moi sera toujours plus flatteur si vous
le rendez de mémoire... Oh ! Quelle gourde ! Espèce
de...

La du Barry jure contre elle. Une feuille de papier jaune vole devant Ed et Jones. Elle tombe à leurs pieds.

— Hé, les sucres ! Repassez-moi mes notes. Je les ai échappées dans le bain !

Jones ramasse la feuille et la tend à la comtesse sans se retourner.

— Merci !... Heu... Ce sont des sortes de mémoires. J'ai décidé d'en donner moi aussi.

Ed et Jones sourient. Ils ont reconnu le jaune des feuilles de Moka et son écriture de notaire. La comtesse est soudain plus allante. On voit qu'elle vient de retrouver son texte. Ce sont ces « mémoires » qui devaient être dans son coffre.

— J'ai bien autant à raconter que cette sombre illuminée de Mme Roland, qui va partout disant qu'elle veut mourir. Elle l'écrit tant que bientôt il ne lui restera plus qu'à mettre sa vie en post-scriptum.

— Ça, c'est du Moka !

— Plaît-il, messieurs ? Qu'avez-vous avec votre Moka ?

— C'est un ami à nous qui fait commerce de mots sur des feuilles de ce jaune.

Il y a un coup de tonnerre dans leur dos, avec grondement métallique de théâtre. La comtesse frappe sur le capot de la baignoire.

— Mais qu'est-ce qui m'a f... des b... de s... de m... de t... de q... de...

Ça, c'est pas du Moka ! Ni à l'arôme, ni au goût. Ed et Jones écoutent, les épaules tassées, les yeux perdus sur une vilaine crevasse du mur. Tout à coup, la foudre tombe...

— Oh foutre oui, cet enfant est celui de la reine !

*

Les yeux fermés, Norcia boit lentement un verre d'amarone.

— Commandeur, même si cet enfant est mulâtre, du fait de l'hérésie de peau dont il souffre, je ne sais pas aujourd'hui s'il est blanc ou noir. Ce n'est pas un créole comme vous qui va s'en étonner. Vous connaissez les fantaisies du métissage. La teinte s'atténue, disparaît, et soudain réapparaît, parfois plusieurs générations plus tard.

— Je sais tout ça.

— Ce doit être inquiétant, pour quelqu'un comme vous, Commandeur. On n'est jamais assuré de ne pas voir réapparaître la couleur, un jour. Comment être certain de ses ancêtres à ce point ?

— Vous revenez à la charge, Norcia. Cela semble vous faire plaisir d'essayer de me blesser en jetant un doute sur mon sang !

— Ce n'est pas moi, qui ai jeté ce doute, Commandeur, c'est vous. Sinon, pourquoi m'auriez-vous demandé, il y a une quinzaine d'années, de vous priver- de descendance.

— Cela me regarde seul. Mais continuez, Norcia. Puisque vous avez incisé, il va falloir fouiller, maintenant.

— Pour moi, et je le répète, vous voulez tuer cet enfant parce qu'il pourrait être la preuve vivante de l'existence de sang noir dans le vôtre.

— Creusez, Norcia! Creusez! Même si je ne vois pas le rapport entre cet enfant et moi.

— Il y en a un, Commandeur. C'est la reine! Quoique vous vous en défendiez, vous avez été l'amant de Marie-Antoinette et cet enfant est son fils. Peut-être même... le vôtre!

*

Dans le fiacre, qui s'éloigne de Sainte-Pélagie au trot léger, Zamor et le docteur Seiffert sont silencieux. Ils ont demandé au cocher de réduire l'allure. Chacun a besoin de réfléchir. Le docteur se demande comment faire sans le carlin. Pour ceux qui lui ont commandité cette opération, c'était comme un sceau royal. Il revoit le regard chaviré de cet homme, à la prison. Ses yeux quand il a respiré sur le carlin le parfum laissé par Marie-Antoinette... Ci-devant reine!... Mourir pour un mot!

Le docteur Seiffert pense à Marie-Thérèse, la princesse de Lamballe. Elle aussi est morte pour un mot. Elle n'a pas voulu jurer à ses tortionnaires la haine de la reine. Alors, ils l'ont massacrée. Le cœur du docteur se dérobe. Rien ne serait arrivé si Marie-Antoinette n'avait pas fait revenir la princesse à Paris en plein temps d'émeute. Seiffert passe la main sur sa barbe. Il a promis de ne la couper que quand il aura vengé sa mort.

Zamor est satisfait. Tout se passe selon son plan. Le docteur Seiffert va galoper à la pension Belhomme pour obtenir les documents de transfèrement de la comtesse du Barry.

— Pourquoi veux-tu absolument que ces ordres soient en blanc, Zamor?

— Par simple prudence. Si par malheur vous étiez pris, docteur, il vous sera plus facile de vous défendre. Mais avec le nom de la du Barry, c'est l'échafaud assuré.

Il a certainement raison, mais le docteur Seiffert n'a pas confiance en lui. Il sent que ce maharadjah essaie de le tromper, même s'il ne voit pas comment.

Zamor sait pourquoi il veut ces documents en blanc. Ce n'est pas le nom de la du Barry qu'il y inscrira.

*

Marie-Antoinette plaque les mains contre son ventre. Les douleurs la reprennent. Elle est pourtant restée allongée sur le lit depuis que Rosalie est repartie avec son bouillon. Pourvu que ce brave cœur pense à lui apporter une chemise propre ! Pourvu surtout qu'on le lui permette. Ce serait une dernière infamie que de contraindre la reine à partir ainsi souillée. Pourquoi son ventre de femme la tyrannise-t-il à ce point ? Justement ce jour. Lui, devenu si docile avec le temps. Lui à qui les naissances avaient appris à enfanter. Les yeux mi-clos, elle pense à chacune de ses couches, comme un chemin arrière.

Le dernier, Louis Auguste, ce Chou d'Amour, était venu tel un bourgeon soyeux. Pour Louis, mon pauvre premier dauphin, ce fut comme s'il naissait avec sa couronne d'épines ! Mais combien de joies, dans les yeux du roi ! Le sentiment plein d'être reine enfin ! Le bonheur d'effacer une phrase qui la hante encore... *Ce n'est qu'une fille !...*

Marie-Thérèse venait de naître et avait failli la faire mourir, dans la cohue vicieuse qu'exigeait l'étiquette à Versailles. Elle se souvient du visage noirci de ce petit ramoneur avec son long bonnet. Il était juché en haut d'un meuble au-dessus de son lit et la regardait la tête sur le côté.

Son ventre soudain l'élance, comme à chaque fois qu'elle pense à cette naissance. Pourtant, elle ne s'en souvient presque pas. A demi inconsciente, se sentant partir, elle étouffait. On s'affairait sur elle, comme autour d'un incendie. Dans une brume vaporeuse, elle entrevoit le signe convenu avec madame de Lamballe qui veut dire... Ce n'est pas un garçon...

Marie-Antoinette ne se souvient plus d'où était venue cette phrase dégoûtée... *Ce n'est qu'une fille !*... Elle avait l'impression que c'était un bourdonnement à ses oreilles. Le reproche de la cour entière.

La reine venait de donner son premier enfant au monde, mais à elle aussi on lui arrachait comme une dent gâtée. Cela ne valait rien... *Ce n'est qu'une fille...* Toujours cette malédiction ! Elle s'était sentie prête à renoncer, à se laisser mourir, pourtant, il demeurait en elle une étrange sensation. Elle avait l'impression de ne pas avoir le ventre entièrement libéré. D'être encore habitée d'une présence. On lui dit qu'on l'avait quittée d'un faux germe. Un faux germe ! Comme il y a presque dix ans à Fontainebleau quand cette affreuse portière de carrosse l'avait frappée au ventre.

On cogne à la porte de sa cellule. Le gendarme va ouvrir. Il est 8 heures. Marie-Antoinette sait qu'elle doit s'habiller, maintenant.

*

Commandeur boit son verre d'amarone. Il le lève devant Norcia.

— A qui je pense !

— Commandeur, je vous trouve étrangement calme.
Je viens de vous annoncer que l'enfant que vous voulez
tuer est peut-être votre fils et vous buvez.

— Rappelez-vous, Norcia, pour moi, vous êtes déjà
mort ! C'est peut-être à vous que je buvais. A votre
mémoire. Car tout ce dont vous avez parlé n'existe déjà
plus. La princesse de Lamballe a été assassinée, la
comtesse du Barry n'est pas loin d'ici. Quant au docteur
Seiffert, il sait beaucoup plus de choses qu'il ne devrait.

— Et moi ?

— Pour vous, Norcia... *E finita la commedia !*... Quit-
tons cette scène. Il est temps.

— Dommage, Commandeur, j'aimais être comme la
Schéhérazade des *Mille et Une Nuits* et raconter toujours
une histoire nouvelle pour reculer l'heure de ma mort.

— Vous l'avez assez reculée, Norcia.

Les deux hommes descendent de l'estrade côté cour.
A peine au bas, Norcia fait jaillir de sa manche un scalpel et frappe Commandeur à la gorge. La lame frôle le
menton. Commandeur a déjà la dague de sa botte en
main. Le scalpel siffle aux yeux, fouille au cœur. La main
est vive, l'œil tendu. La mâchoire un rien crispée. Tout
le corps arqué... Trop de hargne, Norcia ! La gorge, les
yeux, le cœur ! Trop de volonté anatomique. Trop
d'envie de faire mal. Tue, Norcia ! Tue ! Simplement.
Comme ça, tout droit. Sans discours...

Commandeur plante sa dague dans le ventre de Norcia.

Le vieux chirurgien a une plainte de fausset. Comme
une douleur qu'on ne peut dire, faute d'avoir trouvé le
ton juste. Il lâche le scalpel et regarde la dague fichée
dans son corps. L'homme sourit.

— Bonne incision, Commandeur. Peut-être courte, d'un rien.

Norcia empoigne la lame à deux mains, monte sur l'estrade et défie la salle du regard. Commandeur pense qu'il va saluer et s'écrouler avec un geste théâtral. Mais tout à coup, il disparaît de l'autre côté du rideau rouge. Commandeur se précipite derrière le chirurgien. Le temps de se démêler des replis du rideau, Norcia est dans le laboratoire. Il se tient debout devant la table de pierre, où gît le cadavre nu et décapité. La chemise ensanglantée du vieil homme est relevée sur son ventre. Une main soutient la lame de la dague dans la blessure. L'autre saisit le sablier posé près du cadavre.

— Norcia, non! Ne faites pas ça!

— Pour l'enfant! Je lui dois...

Le chirurgien retourne le sablier. Aussitôt, il tire lentement sur la dague en l'inclinant pour élargir l'incision... *d'un rien*... Son visage ne grimace pas. Les mains travaillent vite. Deux doigts fouillent les chairs de la plaie comme une poche qui palpite. Le sang macule les gestes et le corps. Tout à coup, le masque rugit. Les mains font émerger du ventre un cordon sanglant et la masse renflée des viscères. Norcia prend un couteau à lame courte dans sa poche de gilet et se laisse glisser assis, adossé au pied de la table de pierre, les jambes écartées. Il râle et souffle. Au-dessus de sa tête, le sablier coule. Norcia affermit sa main sur le manche du couteau et tranche. Il est secoué d'un soubresaut, sa bouche s'ouvre grande et tendue vers un cri qui ne perce pas. Le buste s'effondre sur son ventre qui se répand entre les jambes. Norcia regarde sans comprendre, dans ses mains une partie de lui. Il murmure.

— Norcia... da Lecce !

Commandeur prend le sablier et le retourne. Il reste un grain qui hésite.

— J'ai encore gagné, Commandeur...

*

Ed et Jones se demandent s'ils ont bien compris ce que la du Barry vient de crier. Mais il n'y a pas de doute. Elle le répète et le martèle sur le cuivre de la baignoire comme une dinandière obstinée.

— Oui ! et oui ! messieurs, cet enfant est celui de la Petite Rousse ! Marie-Antoinette reine de France ! Cet anze de vertu, cette vierze rapiécée. Dès son arrivée à la cour, elle m'a méprisée, humiliée, ignorée ! Elle a refusé de me parler. Un seul mot en deux ans... *Il y a bien du monde, ce soir, à Versailles !...* La rouée ! Elle verra. Tout à l'heure sur la place Louis XV il y aura bien du monde !

Ed et Jones sentent la fureur de la comtesse jusque dans leurs reins. La crevasse du mur s'élargit.

— Oui ! messieurs, l'enfant que vous recherchez sera bientôt orphelin.

— Citoyenne, attention ! Ce que vous dites est grave et plein de conséquences immenses.

— Vous en avez la preuve ?

— Précisément, zeu l'ai et zeu suis la seule à l'avoir.

— Citoyenne, il faut nous la donner, sur-le-champ !

Il se fait un étrange silence dans le dos d'Ed et Jones.

— Citoyenne, vous avez entendu, il faut nous donner cette preuve.

Pas de réponse. Ed et Jones se regardent inquiets. Ils se retournent d'un bloc. La comtesse a disparu. Sa chevelure flotte à la surface de l'eau. Ed se précipite et la saisit. Jones plonge les mains au hasard. Ils remontent une du Barry hilare qui souffle comme un triton. Que faire quand on tient dans ses bras une comtesse qui ne semble même pas s'apercevoir qu'elle est nue, mouillée et lourde ? Réponse : se retourner et retrouver la lézarde mutine du mur.

— Merci, messieurs, z'avais pas fait ça depuis que z'étais petite fille. Cette démonstration vous a fait comprendre, z'espère, que ze ne donnerai cette preuve qu'à celui qui me sortira d'ici.

Moka entre dans la cellule une timbale de café chaud à la main. Il ôte son chapeau doré et baise la main de la comtesse.

— Maître, z'ai bien des reproches à vous faire sur vos « Postérités ».

— Pourquoi, comtesse, vous ne les trouvez pas à votre goût ?

— Si fait ! Zeu les trouve plaisantes et pleines d'esprit. Elles m'aident fort à propos, pour briller devant un auditoire de gentilshommes qui me donnent accroire qu'ils sont dupes.

Elle glisse une œillade complice à Ed et Jones.

— Mais ce sont ces feuilles que vous me donnez.

La du Barry ramasse une liasse de « Postérités » en se penchant hardiment par-dessus la baignoire.

— Ce jaune est fort seyant et commode pour ne point les égarer. Mais leur taille excessive les rend mal pratiques et à tout dire indiscrètes. Si on pouvait les réduire en les pliant en éventail, par exemple comme ceci.

Elle tend le résultat à Moka.

— C'est vrai, c'est mieux en main. Mais dessus, on ne lit plus « Postérités ». On ne voit que... Post it...

— Post-it ! Voilà qui est merveilleux ! Et qui sonne anglais à souhait, n'est-il pas ? Post-it !... Messieurs, vous serez les témoins de mon invention, si on vient à m'en contester la... paternité !

Nouveau clin d'œil à Ed et Jones. Peut-être une manière de dire qu'elle connaît aussi le père de l'enfant.

— Comtesse, voici les derniers Mots d'Echafaud que vous m'avez demandé de vous préparer.

Moka tend une feuille jaune à la du Barry.

— Voyons ces merveilles... *Tu montreras ma tête au peuple. Elle en vaut la peine !*... C'est un peu court... *Liberté, que de crimes on a commis en ton nom*...

— Mme Roland est très intéressée par celui-là.

— Qu'elle s'empoisonne avec !... Voyons celui-ci... *Encore une minute, monsieur le bourreau !*... Ah, non ! Cela manque par trop de dignité... *M... !*... Voilà qui est osé.

— Le duc de Biron est preneur.

— Je lui laisse volontiers. Il sied à un général, bien que celui-ci lui irait fort. En s'adressant au bourreau, il lui tend un verre de vin... *Prenez vous devez avoir besoin de courage au métier que vous faites !*... Encore une avec le bourreau. Il sera dit qu'il faut partager sa postérité avec son exécuteur... *Monsieur, zeu vous ai marché sur le pied. Zeu vous demande excuse, zeu ne l'ai pas fait exprès*... Il est assez plaisant et léger. Mais il y a trop de « zeu » pour moi. Avez-vous remarqué, messieurs, que le seul « zeu » que zeu prononce correctement est celui de « bijoux » ? Il me faudrait un dernier mot d'échafaud avec. Zeu ne peux pas zozoter en mourant, cela ne ferait pas sérieux.

Moka fouille ses post-it. Ed et Jones se demandent ce qu'ils diraient à ce moment-là.

— J'ai ceci, madame. En voyant la lunette de la guillotine, vous déclarez : Quoi, ce collier sera donc mon dernier bijou. Heureusement, de mon vivant, j'avais meilleur goût !...

— Allons, maître, j'attendais mieux ! C'est là tout ce que vous proposez à la du Barry pour mourir ? Je dois tenir mon rang.

— Hélas, madame. J'en consomme tellement, par ces temps.

La comtesse relit la feuille jaune avec une moue indécise.

— Non ! Décidément, il n'y a rien qui me tente. Eh bien, tant pis. Si je n'ai pas le dernier mot, il ne me reste plus qu'à ne pas mourir !

La comtesse rit en battant des mains.

— Oh ! Excellent. Puis-je le noter, comtesse ?

— Voilà bien le monde à l'envers d'aujourd'hui, maître. Les catins font des mots et les reines des bâtards !

Ed et Jones essaient de relier entre elles toutes les allusions de la du Barry. Moka est déçu et range ses post-it en bougonnant. Vexé, il sort de la cellule après un baise-main et un coup de chapeau rapides. Ed et Jones font face à la comtesse qui grelotte enveloppée dans un drap.

— Citoyenne nous partons, Jones et moi, vérifier ce que vous prétendez au sujet de cet enfant et de la reine.

— Il vaudrait mieux pour votre postérité que vous ne nous ayez pas menti.

— Là où z'en suis rendue, messieurs, zeu peux m'offrir le luxe de ne pas mentir. C'est bien un des rares luxes dont zeu n'ai pas abusé dans ma vie. Et ce n'est pas un mot de Moka !

Ed et Jones quittent la du Barry avec le sentiment qu'ils ne la reverront plus. Ils réquisitionnent un gendarme qu'ils postent en faction devant la porte de la comtesse.

— Interdiction absolue pour quiconque d'entrer en contact avec la prisonnière. Tu en réponds sur ta tête, citoyen.

— Et ne regarde pas par la serrure. Elle serait capable de t'enjôler.

9

Zamor

Dans la cour de la prison, la cloche de prière sonne. Ed jette un œil par une fenêtre. Les fous de balle ont entamé une partie. Jones tire son équipier par le bras.

— On n'a pas le temps, Ed. Il faut aller chez le marquis.

— Juste une minute. Regarde !

En bas, c'est une véritable mêlée de courtisans. Ça court dans tous les sens, entre deux potences de bois dressées à chaque extrémité du terrain de jeu. Jones ne voit pas l'intérêt. Ed trouve que les bleus de Sainte-Pélagie manœuvrent mieux que les jaunes de Saint-Lazare, surtout grâce à leurs débordements par les flancs. Les fenêtres ouvertes des corridors se sont garnies de spectateurs à tous les étages. Les pailleux encouragent, les grinches parient, et les idées commentent. Moka est là. Il a abandonné sa cafetière déambulatoire, et chaussé ses lorgnons, signe de réflexion.

— Messieurs, avez-vous saisi toute la valeur symbolique de cet affrontement?

Moka développe sans leur laisser le temps de répondre.

— En fait, ces hommes ne jouent pas. Ils luttent contre la mort. Ce ballon figure la tête du supplicié. Symbole de l'horreur qu'on foule aux pieds, qu'on envoie au loin pour s'en protéger et surtout qu'on porte chez l'autre. Car c'est l'autre qui doit mourir. Pourquoi au pied me direz-vous?

Non, Ed et Jones ne disent toujours rien.

— L'usage de la main paraîtrait plus évident et plus aisé. Mais la main, messieurs, est l'instrument du travail. Les cals en sont les stigmates. Avoir les mains blanches est le privilège de l'aristocrate ou du saint. Jouer au pied, c'est s'approprier ce privilège et cette grâce!

Ed et Jones regardent leurs mains. Elles aussi auraient besoin d'un peu de privilège et de beaucoup de grâce

— Tenez! Regardez ce geste admirable!

Devant la potence de Sainte-Pélagie assaillie, le double-duc de Biron brandit le ballon à deux mains.

— C'est la même attitude que celle du bourreau qui montre la tête tranchée à la foule. L'objet de la peur est ainsi exorcisé. L'objet du désir est érecté!

Ed et Jones se demandent si Moka n'a pas trop bu de moka.

— Et qui fait ce geste, messieurs?... Le gardien!... Le seul d'entre tous à avoir le droit de prendre la balle à la main. D'élever l'horreur au-dessus de la foule.

C'est le duc de Biron qui a imposé cette pratique de transgression, en déclarant... J'aime à empoigner mon privé en public!...

Ed et Jones reconnaissent l'homme qui, au petit matin, se rasait nu à une fenêtre, son privé à la main.

— Il y aurait bien d'autres choses à dire. Ce jeu est d'un grand sens et d'un grand devenir. Regardez cet enthousiasme!

Aux fenêtres, on ne distingue plus les étages parmi le public. C'est partout les mêmes cris, harangues, sifflets et chants qui emplissent et débordent les murs de la prison.

— Un jour, ce jeu de fous de balle remplacera la guillotine. Des foules entières viendront pour voir.

Tout à coup, une clameur explose dans la prison. Les bleus de Sainte-Pélagie viennent de marquer. Les joueurs se donnent l'accolade patriotique, et du baiser Lamourette sans fin. A croire qu'ils ne jouent que pour s'embrasser. En face on étire des mines de deuil.

— A propos, Moka, nous vous empruntons votre corbillard.

— A propos de quoi?

— Rien! Ce serait trop compliqué. Une ou deux visites, et nous revenons vous chercher.

Moka hausse les épaules et retourne aux fous de balle. Quelle époque étrange où les hommes courent après un enfant ou derrière un ballon!

Ed et Jones sortent de la prison de Sainte-Pélagie. Ils doivent se frayer un passage au milieu des fournisseurs, avocats, visiteurs, commissaires qui attendent devant, dans le plus grand désordre. Ed et Jones vont au corbillard de Moka. Il est encore plus ridicule que dans leur souvenir.

*

Marie-Antoinette n'ose pas regarder Rosalie. La jeune fille vient d'entrer dans sa cellule. Elle se tient dans la pénombre à deux pas devant elle, silencieuse. Marie-Antoinette sent d'ici son corps qui frissonne. La chère âme est troublée. Elle ne peut articuler un mot. Son émoi l'empêche de lui avouer que ceux du Comité n'ont pas accepté sa requête... *Madame je vous conjure de me croire! J'ai tout entrepris.* Alors, c'est ainsi! Ces scélérats refusent à la ci-devant reine de France une dernière chemise propre pour mourir!... *Ne vous alarmez pas, ma fille. Je sais que ce n'est pas de votre fait...* Marie-Antoinette sent le fer se porter dans son ventre comme une flétrissure. Elle n'aura pas la force d'ameuter pour qu'on lui fasse droit. Qu'importe la souillure qu'ils croient lui imposer en châtiment, elle n'y ajoutera pas celle de quémander un linge à ses bourreaux.

La reine se résout à ce nouvel affront. Elle lève les yeux vers Rosalie. La jeune fille est noyée dans le chagrin de ses yeux. Elle tremble, raidie d'inquiétude. Dans ses bras tendus vers la reine, elle porte en offrande une merveilleuse tache blanche. Un joli halo lumineux plié au net sous son col. Une chemise propre! Marie-Antoinette est brusquement submergée de gratitude. Elle retient ses larmes devant la terreur qui tout à coup point dans le regard de Rosalie. Il faut rassurer ce cher cœur. Mon visage inquiet lui a donné à penser que j'étais déçue. Oh, non! Cette chemise est la plus belle qu'on m'ait jamais offerte.

La reine sourit à Rosalie.

— Merci, ma fille.

— Madame !...

— Allons, point d'émotion de trop. Nous avons à nous préparer.

Marie-Antoinette prend la chemise des bras de Rosalie... Comme elle est fraîche !... Et l'étend sur le lit. Ainsi étalée dans la pénombre on dirait un gisant décapité. La reine a la gorge qui se noue. Elle se détourne et croise les yeux vides du gendarme. Marie-Antoinette avait presque oublié sa présence. Elle pensait qu'il s'était effacé. C'eût été bien honnête de sa part. D'un mouvement ferme du menton elle congédie son regard. L'homme se raidit. Ses mâchoires se crispent. Il la défie. Cette fraction de seconde insultante lui aurait valu une lettre de cachet et la Bastille. Elle ne peut tout de même pas révéler à cet homme, pour qu'il comprenne, la cause de cette pudeur de femme. Ce serait de la plus grande indécence. La reine renonce, mais ne baisse pas les yeux.

Où se dévêtir au plus loin de cet effronté ? Rosalie lui propose la ruelle, cet espace étroit entre son lit et le mur. La jeune fille lui indique comment elle pourra ainsi se disposer entre le gendarme et elle pour la dissimuler à son regard. La reine s'aperçoit que ce cher cœur lui a donné tout ceci à savoir, sans même bouger un cil. C'est aujourd'hui qu'elle comprend l'évidence de ce langage secret que partagent les femmes. On lui a tant reproché ses amitiés. Elle songe à Mme de Polignac, si prompte à fuir et à cette très chère Lamballe, trop prompte à revenir. Comment a-t-elle pu lui cacher

si longtemps le secret de cet enfant ? Un fils ! Le destin
du royaume en aurait été bouleversé. Alors, pourquoi ?
Que peut-il se cacher, derrière ce secret, de si profondément terrible, qu'elle ait pensé que même l'amour
d'une mère ne pourrait le comprendre ?

Dans l'étroite ruelle derrière son lit, Marie-Antoinette laisse glisser sa robe noire.

O mon époux ! Jamais ne croyez que j'abandonne
votre deuil. On me dit qu'il faut mourir en blanc. Que
le peuple se fâcherait de me voir aller au supplice en
noir. Aujourd'hui, on ne peut fâcher le peuple, même
pour mourir.

Je me console car le blanc est le deuil des reines.

Marie-Antoinette baisse les yeux sur sa chemise
tachée de sang. Mon Dieu, mon corps, comme vous
avez l'air de m'en vouloir ! Le gendarme s'approche de
Rosalie et passe la tête pour éviter le paravent qu'elle
fait de son corps. La reine surprend l'indiscrétion.

— Au nom de l'honnêteté, monsieur, permettez que
je change de linge sans témoin.

— Je ne saurais y consentir. Mes ordres portent que
je dois avoir l'œil sur tous vos mouvements.

... Avoir l'œil !... En voilà bien un propos d'intendant. On croirait entendre en son temps Mme de
Tourzel, courir derrière Mme Brunier, pour l'empêcher
de moucher, sitôt allumées, les chandelles des apparte-
ments de ma fille. C'était cocasse. Ma pauvre Marie-
Thérèse, son livre à la main, se déplaçant de pièce en
pièce au gré de la lumière, tel un tournesol... *Saviez-vous,
madame, que dans cette maison, on ne peut rallumer une chandelle éteinte ?*... Non, elle ne savait pas... *Car la chandelle*

morte tombe dans le bénéfice de la chambre, qu'on se partage ici avec une âpreté que vous ne sauriez imaginer... Elle l'ignorait... *Avez-vous idée de ce que ce gain représente ?...* Elle préférait ne pas savoir. Et on lui a tant reproché.

Le souvenir de sa fille Marie-Thérèse, dans un salon vide de Versailles, lisant au jour qui décline, suffit à sa mémoire, pour pardonner ces petites mesquineries.

O ma fille aimée de quinze ans ! Je prie pour que votre sang de femme ait une destinée plus sacrée que le mien !

Marie-Antoinette enlève avec un soin délicat sa chemise tachée, sans que jamais sa nudité puisse être surprise.

*

Seiffert enrage contre Zamor. C'est au diable, cette pension Belhomme ! Le fiacre trotte depuis une éternité dans la montée de Charonne vers Notre-Dame-de-Bon-Secours. On se croirait à cent lieues de Paris... Enfin ! Le portail est là... Les arbres du parc vont nus, peu de volets sont ouverts. Ici la matinée est grasse comme la femme Belhomme. La voilà qui s'approche.

— Docteur Seiffert ! Aurais-je un pensionnaire souffrant et je ne le saurais pas ?

Elle l'accueille sur la terrasse avec une poignée de main d'ancienne blanchisseuse. Près du perron une tablée d'aristocrates prend le thé du bout des doigts.

— Souffrant ! C'est moi, madame, qui l'étais de ne pas vous voir.

— Toujours aussi flatteur, docteur !

Elle n'imagine pas combien ! En d'autres temps, il n'aurait pu y avoir entre eux que saignées et lavements.

— Est-ce que vous venez me donner des nouvelles de notre bonne Olympe de Gouges ? On me dit que cet ange est au désespoir dans sa prison de la Force. Une mauvaise matrone est venue prétendre qu'elle n'est pas grosse. Vous ne pouvez pas y apporter un remède, docteur ?

— Madame, on m'appelle pour faire des anges, pas pour les engrosser. Pour l'heure, je viens entretenir votre mari d'une affaire urgente et... sonnante.

— Entrez ! Il vous fera bon accueil. Vous le délivrerez de ces deux duchesses qui prennent des airs.

Le docteur va jusqu'au bureau de Belhomme. Il entend des éclats de voix derrière la porte.

— Citoyennes ! Si vous ne pouvez pas payer votre pension, je serai au regret de devoir vous signer un bulletin de bonne santé.

— De bonne santé !

— Quelle horreur ! Monsieur Belhomme, vous voulez nous tuer !

— Avec un tel bulletin, nous voilà directement à l'échafaud.

— Citoyennes, je dirige une clinique, pas un asile.

— La belle clinique, monsieur, où il faut payer pour être mal portant !

Derrière la porte, le docteur Seiffert apprécie l'échange, mais il est pressé. Il frappe énergiquement, entre sans attendre de réponse, salue au plus court les deux dames et va droit au bureau.

— Docteur Belhomme, j'ai un cas très urgent à vous soumettre. Mais je vois que vous êtes occupé.

— Nous avions terminé. Citoyennes, vous m'avez bien compris. Si sous deux jours, vous ne réglez pas le mois courant et un trimestre d'avance, je signe vos bulletins.

— Puisque c'est ainsi, il ne nous reste plus qu'à mourir.

Les deux femmes se lèvent et sortent du bureau ulcérées.

— Qui est-ce, Belhomme?

— La duchesse du Châtelet et la duchesse de Gramont. Mais c'est déjà du passé. Que m'apportez-vous, cher confrère!

Pour Seiffert ce « cher confrère » est ce qu'il y a de plus insupportable chez Belhomme. Mais ce soir, il faudra le supporter.

— Je vous apporte la du Barry!

— Fichtre! C'est votre plus belle prise! Ça s'arrose. Voulez-vous un verre de vermouth? Je le fais moi-même avec du vin de Tokay et de l'absinthe.

Un vermouth à 9 heures! Seiffert décline ce coup d'arquebuse.

— Mais attention, Belhomme, la du Barry est à conditions. Il me faut son ordre de transfèrement de Sainte-Pélagie et son avis d'internement chez vous... sur-le-champ.

— Sur-le-champ! Mais comment voulez-vous que Fouquier-Tinville me signe de tels documents à cette heure?

— Voyons, cher confrère, vous avez ici des ordres en blanc, dont nous avons déjà fait un usage très profitable.

Belhomme réfléchit. La du Barry à crédit reste une bonne affaire. Seulement, Fouquier ne la lâchera pas facilement. Il veut sa peau et risque d'être encore plus gourmand que d'habitude. Tant pis, il en restera toujours assez. Mieux vaut manger derrière le lion qu'après le chacal. Surtout que bientôt, il y aura ici deux places de duchesses libres.

*

Pobéré entre dans la salle de La Vainqueuse et va directement à la table de Dame Catherine.

— La mère, j'ai une bonne nouvelle !

— Assieds-toi d'abord, tu es en eau, mon p'tit.

Elle lui caresse la tête et lui éponge le cou avec le poignet de sa manche.

— C'est que je cours le pavé pour prévenir nos braves.

— Alors, dis !

— La reine sera guillotinée à midi !

— Ho, mon p'tit ! Voilà une nouvelle à arroser. Holà la femme, deux pintes !

Ils s'étreignent les mains avec des mines de vainqueurs de la Loterie royale. La Patronne claque un coup de torchon sur un banc. Quelle honte de se réjouir de la mort d'une femme, avec de pareilles grimaces ! Qu'ils comptent pas sur du vin de Réveillon.

— Parle plus bas, mon p'tit.

Pobéré s'approche tout contre son oreille.

— L'heure de l'exécution est prévue pour midi. Je le sais par un allumeur de réverbères qui l'a entendu dire à un greffier de la Grand-Chambre. Ça nous laisse deux heures de plus, pour rameuter les hommes et se mettre en place.

— Alors, c'est gagné !

La Patronne sert les pintes de mauvaise grâce. Et ça se voit! Le décrotteur goûte et grimace.

— Mais c'est du vin vert qu'elle essaie de nous repasser, la ribaude!

— Calme-toi, mon p'tit. C'est pas le moment de faire du tapage. Tu as trouvé une brouette?

— Oui, la mère. Mais je ne vois pas comment, avec ça, tu vas pouvoir « jouer à la reine » comme tu dis?

— Viens! tu vas comprendre.

*

A travers la grille du sas d'entrée, Commandeur tend une liasse de documents au portier de Sainte-Pélagie.

— Commission des Administrations civiles! Police et tribunaux!

— Des commissaires à vous sont déjà venus.

— Citoyen, il n'y a pas de cesse pour démasquer les conjurés liberticides et dévoyeurs de la nation. Serais-tu de l'engeance à entraver l'action acharnée de la Convention nationale pour réduire ces conspirateurs et leurs affidés?

— On t'a mal renseigné, citoyen. Je suis bon patriote!

Surtout quand il voit sur un ordre tous ces tampons, cachets, et signatures.

— On te le dira, à mon comité de surveillance, je sais aussi bien qu'un autre dénoncer le conspirateur.

— C'est bien, citoyen! Continue. C'est avec des hommes tels que toi que la liberté s'établira partout. Montre-moi ton registre d'écrou!

— C'est que...

— Tu souhaites entraver, citoyen?

Pas un homme de six pieds six pouces de haut, qui parle comme un commissaire. Commandeur parcourt de l'index les listes de noms et les notations... « réfractaire », « suspect », « fils d'émigré », « fédéraliste », « suspect d'être suspect »...

— Qu'est-ce que ça veut dire... *Cette citoyenne est assez connue pour ne pas mettre ici son signalement...*

— Ce sont ces dames du Théâtre-Français. Elles ont poussé de hauts cris... Comment! On veut que la Raucourt se signale! Regardez-moi, messieurs! Ai-je besoin de me signaler? Je suis la Raucourt! Cela vaut signalement!... Tout le monde a applaudi. C'était mieux qu'un billet de parterre.

Commandeur sourit. Voilà... douze, treize, quatorze, quinze!... dames de sauvées. Le moment venu, on ne les retrouvera pas... *Du Barry! Ci-devant courtisane...* Elle est cellule n° 5 au second étage. Commandeur abandonne le portier, monte à l'étage et avance dans le corridor. Ça crie, ça hurle, ça chante. Personne ne prête attention à lui. Un jeu de ballon dans la cour mobilise tous les regards. Ce sera plus commode.

C'est là! Il y a un gendarme devant sa porte. Commandeur va à lui et l'aborde de toute sa hauteur en brandissant ses ordres.

— Commission des Administrations civiles! C'est bien la cellule de Jeanne du Barry?

— Oui, citoyen commissaire.

— Je dois interroger la prisonnière.

— Impossible, citoyen commissaire. J'ai des ordres.

— Et tu ne vois pas les miens?

Il agite la feuille de papier et son ruban tricolore.

— Citoyen commissaire, j'en ai de plus hauts et de plus fermes.

Commandeur s'approche du gendarme à le toucher, et lui parle à mi-voix.

— Il n'y en pas de plus fermes que les miens.

Le gendarme sent la pointe d'une lame fichée sous ses côtes.

— Ouvre !

— Hé, gendarme ! Que se passe-t-il ?

C'est la voix de la comtesse derrière la porte.

— Un commissaire vient pour vous interroger citoyenne. Mais j'ai des ordres.

La du Barry tressaille dans son bain. Ce commissaire est l'envoyé de Zamor ! Il vient lui signifier son trans-fèrement à la pension Belhomme. Zamor a réussi ! Le gendarme triture la serrure. Le bruit est fébrile. Ce puceau va bien finir par briser la clef ! La porte s'entrouvre. La comtesse aperçoit dans l'entrebâillure la haute stature du commissaire derrière le gendarme. Son sauveur ! Il a un éclair dans la main. Un couteau jaillit vers la poitrine de la comtesse. Son cœur explose. Elle se jette en arrière.

Commandeur frappe de nouveau, mais cet imbécile de gendarme se mêle de l'empêcher. Il résiste. Commandeur le prend à la nuque et le pousse dans la cellule. La dague à la main, il balaye le maigre espace du cachot. La baignoire, la paillasse, la fenêtre, le coffre. Plus personne.

La du Barry a disparu !

Soudain il y a une clameur formidable au-dehors. Que se passe-t-il ? Commandeur abandonne le gendarme à demi étouffé et sort de la cellule. Il y a des cris aux fenêtres et dans la cour. Au bout du corridor, Commandeur voit une grande fille maigre et un nègre grêlé qui arrivent vers lui en courant. Il est repéré. L'affaire est manquée. Il faut rompre.

Commandeur va jusqu'à l'escalier sans allonger le pas. Son cœur est plus pressé. La fille et le nègre ont disparu. Ils n'étaient sans doute pas après lui. Commandeur aurait eu le temps de finir sa besogne. Tant pis. Il descend en forçant sur le calme et l'assurance. Arrivé dans le hall un cri rauque résonne au-dessus de sa tête.

— A la garde! Au meurtre! A l'évasion!

On s'agite. C'est le branle. Le guichet d'entrée est à quelques pas. Il entend la course précipitée du gendarme dans l'escalier.

— Commission des Administrations civiles. Je sors!

— Déjà, citoyen commissaire?

— Dépêche-toi, je suis pressé!

Le portier ouvre la première grille. Les voilà dans le sas. Plus qu'une porte et il est dehors. Le pas ferré du gendarme sonne dans son dos.

— A la garde! A la garde!

— Qu'est-ce qu'il veut ce citoyen?

Le portier affairé sur son trousseau se retourne. Commandeur le presse.

— Allons point d'entrave!

Le mot lui fait trouver la bonne clef. Il l'engage dans la serrure.

— C'est lui! A la garde! Le suspect s'échappe.

Le gendarme pointe du doigt Commandeur. Il sort son sabre, se jette vers la grille et fourrage à travers les barreaux. Commandeur saisit le portier à la gorge et s'en sert comme d'un bouclier.

— Scélérat, je t'en vaudrais, moi, du commissaire !

Commandeur échappe au lardoir, pas le portier. Il tourne la clef, ouvre la porte et se précipite hors de la prison. Dieu que l'air est frais. Même au milieu de cette valetaille braillarde devant la porte ! Il court à son cheval, l'enfourche et l'éperonne au sang dans rue de la Clef. On aboie derrière lui. Une balle ricoche contre l'appui d'une fenêtre. Mais il est déjà loin.

Aux abords de Sainte-Geneviève, Commandeur peut reprendre le trot. Il soulage les reins de son cheval et lui frictionne l'encolure. Par quel prodige, cette catin de du Barry a-t-elle disparu de sa cellule ! N'y pensons plus, il faut intercepter le docteur Seiffert. Il doit être avec son informateur, ce Zamor. Ce ne devrait pas être difficile pour lui, de les pister.

*

Soudain il y a une clameur formidable dans la cour. Les bleus de Sainte-Pélagie viennent de marquer. Ninon la porteuse d'eau et Moka courent dans le corridor. La jeune fille est venue le chercher pendant qu'il regardait la partie de fous de balle... Venez vite ! C'est Aurore Devey. Vous, vous saurez trouver les mots... Venir vite ! Est-ce qu'elle sait, cette belle enfant, que même une mémoire vivante peut prendre de l'âge et perdre du souffle ? Non. Elle a des jambes à rejoindre un galant. Ninon et Moka courent dans le corridor des Idées. Il est dégagé. Tout le monde est aux fenêtres. Moka remarque là-bas un homme de grande taille,

bien trop calme. Il sort de la cellule de la du Barry.
L'homme a une allure de maître qu'il connaît bien.

— Elle est là !

La jeune fille lui montre Aurore Devey debout sur
une chaise devant une fenêtre ouverte. On pourrait la
croire en train de se distraire de la partie, si ce n'était ce
regard fixe bien au-delà de la cour, et ce lien autour du
cou qui lui fait comme un cache-siècles. C'est un drap
dont l'autre extrémité est nouée à la poignée de la
fenêtre. Personne à côté ne semble se rendre compte.
Moka s'approche.

— Madame, je vous en prie...

Elle tourne son visage vers lui. Il est maquillé
comme celui d'une fille. Elle arrête Moka d'un sourire
fatigué et bascule par la fenêtre dans le vide. Il y a un
cri et un silence. Le corps d'Aurore Devey se balance
paisiblement au-dessus de la cour. Tous regardent sa
main qui tient serrée une perruque blonde finement
bouclée.

*

— Tu as entendu, Piqueur ?
— Entendu quoi ?
— Le silence.

La Marmotte sort de la cellule. Dans le corridor tout
est figé. Les gens sont penchés aux fenêtres, silencieux.
Toute la prison a l'air ailleurs. La Marmotte fait signe à
Piqueur de le rejoindre.

— Regarde bien, c'est comme ça, que ça s'écrit
« évasion ». Allez, viens !

Même la guérite du guichetier est vide. Piqueur y récupère son engin et la Marmotte son sabre. Dans la cour des punis, il n'y a plus de punis, seulement la petite fille sur l'escarpolette qui se balance près du puits clos en lisant. Le cœur de la Marmotte fait lui aussi de la balançoire. Bien sûr à cause des longs cheveux blonds dorés-mais-pas-trop et des yeux bleus de partout, mais surtout à cause du chien qu'elle tient dans les bras.

— Coco!

Le pauvre a l'air d'avoir le mal de mer. Sa langue verdit, sa truffe coule et ses yeux pleurent. La fille à l'escarpolette les regarde sans s'étonner.

— Bonjour, je m'appelle Belle-de-Nuit. Et vous?

— Lui, c'est Piqueur et moi la Marmotte. On voudrait s'évader dans le bon sens.

— Comment vous connaissez mon chien?

— Parce que c'était le nôtre, avant.

— Ah bon! Mon père vient de me l'offrir. Il l'a réquisitionné à un ci-devant, avec ce livre qui est un peu dégoûtant, mais avec une belle histoire.

La Marmotte n'arrive pas à en lire le titre. La couverture est tachée de sombre. Il se demande comment reprendre le carlin à Belle-de-Nuit.

— Il te plaît ce chien? Il est plutôt petit, non? Si tu veux on te l'échange.

— Contre quoi?

Piqueur et la Marmotte se fouillent et alignent leurs prises sur le bord du puits. Deux figurines et des morceaux de papier.

— Un Voltaire!... Un Rousseau!... et des mots sauvages très rares qu'on a capturés nous-mêmes dans la rue.

— Ça vaut pas ! J'en ai déjà plein dans cette histoire, même si je n'ai pas pu comprendre le début, à cause du sang.

Elle montre les premières pages recouvertes de taches brunâtres qui mangent le texte.

— Qu'est-ce que c'est comme livre ?

— *Les Voyages du capitaine Cook.*

— Dommage, c'est le début le plus beau. Surtout ce qu'il y a avant le début.

— Tu le connais ?

— Par cœur ! C'est mon livre préféré... Tiens, je t'échange le début du *Capitaine Cook*, contre ce chien plutôt petit.

— D'accord.

La Marmotte prend une pose de vigie et déclame.

— D'abord la page du titre... *Relation des Voyages entrepris par ordre de Sa Majesté Britannique actuellement régnante Pour faire des découvertes dans l'hémisphère Méridional...*

Belle-de-Nuit ouvre des yeux océan, Piqueur veut devenir marin et Coco n'a plus le mal de mer. La Marmotte continue, l'air mystérieux et la voix grave.

— *La géographie de la moitié du globe était couverte de ténèbre quand l'immortel docteur Cook commença ses voyages...*

Marmotte annonce... *Premier voyage ! Voyage d'Angleterre au Pacifique par le Cap Horn...* Alors Belle-de-Nuit se lève de l'escarpolette et lui tend le carlin.

— Tiens, je te rends ton chien. Avec toi, il voyagera plus qu'ici. Quand tu seras dehors, si tu veux encore t'évader dans le mauvais sens, tu peux venir. Moi, je reste là, je vais lire jusqu'à Tahiti.

La Marmotte bredouille un... Oui... bien sûr!... Il reviendra. Piqueur, plutôt agacé, le propulse en haut du mur et l'entraîne de l'autre côté.

— Dis, Marmotte, à quoi ça sert de savoir lire quand on connaît par cœur?

La Marmotte n'entend pas. Il pense à Belle-de-Nuit qui vogue vers Tahiti.

— Moi aussi, Marmotte, je veux bien que tu me lises des livres par cœur. Tu as dit que tu en avais plein dans ta maison à la caverne des Capucins. Pourquoi on y va pas?

— Il faut d'abord rapporter le carlin à Sidonie-c'est-joli. Après, on ira. Promis.

Ils sautent à l'arrière d'un fier cabriolet, bas de caisse et haut de roue... *16 octobre : Vent léger. Temps nuageux. Nous filons plein nord vers ceux-des-Moineaux...*

*

Zamor se retourne pour vérifier qu'il n'a pas été suivi. Il ne rentre jamais directement chez lui. Après le départ du docteur Seiffert pour la pension Belhomme, il a suivi quelques méandres avant d'entrer dans son immeuble. Zamor monte jusqu'au cinquième. L'escalier branle comme un pont de singes, suspendu dans l'humidité et l'odeur méphitique de latrines. Zamor s'assure qu'il est bien seul et récupère à tâtons une clef dans un trou au-dessus de la fenêtre du palier. Toujours personne, sauf à compter pour locataires un couple de rats maigres. Zamor va jusqu'à une porte. Une dernière volée de regards méfiants, il tourne la clef et entre.

A peine la porte de sa chambre refermée Petit-Louis son perroquet se met à hurler les paroles d'une chanson des Antilles.

— Mé zami, mvê tadé : Baré!

Zamor gronde un « tais-toi! » en créole qui a un effet immédiat, Petit-Louis braille encore plus fort la traduction... *Mes amis, j'entends crier : au voleur!...* Zamor passe sous un rideau de perles fines qui à chaque fois lui fait penser à une cascade de Martinique près de l'Anse-à-l'Ane. Il va jusqu'à la cage du perroquet blanc et lui donne son index à pincer entre les barreaux. Petit-Louis se calme. Zamor ôte son turban et sa redingote. Il nettoie la cage, verse de l'eau fraîche, sert du millet, tout en soutenant avec le perroquet une conversation de vieux couple du genre... Ça va? Tu as passé une bonne journée?... Et toi?... Si tu savais... Le tout dans un créole à eux.

Cela amusait beaucoup la du Barry, en son temps. Tout comme habiller Petit-Louis d'un frac identique à celui de Zamor, entièrement couvert de pierreries fantaisie... *Regarde, Petit-Louis brille plus que toi!...* Le frac est accroché à un cintre sous la cage, comme si Petit-Louis allait partir à une soirée.

Zamor détaille son palais. Une chambre mansardée avec pour tout meuble un hamac de chanvre pendu en travers de la pièce. Les murs sont entièrement recouverts d'habits suspendus : livrées, polonaises, pourpoints, avec au centre son frac vert de Saxe galonné d'or... Comme Petit-Louis!... Par terre, une rangée de toutes sortes de chaussures court autour de la pièce comme une plinthe de coquette. Dans un recoin au-dessus d'une pile de livres, l'affiche-placard d'une pièce de théâtre... *18 décembre 1789 Représentation de L'esclavage des Nègres Zamor et Mirzha ou l'Heureux Naufrage Drame en 3 actes d'Olympe de Gouges Femme de lettres... On commencera à 5 heures précises... La salle sera chauffée par des poêles qui n'incommodent pas le public...*

Zamor pense à Olympe avec tristesse. Il avait tellement adoré ce temps passé avec elle. Elle l'aimait tout le jour, et ne s'arrêtait que pour lui dicter, une tragédie, un pamphlet, ou une diatribe. Tu es mon Nègre à plume !... Elle lui racontait l'île de Gorée. L'odeur âcre des pierres, la mer et le bleu crépu des vagues. Aujourd'hui, dans sa prison, elle ne veut même plus le voir... Tu t'es vendu à la du Barry ! Tu t'es vendu à ton maître !... Comment lui expliquer que c'était pour elle ? Les bijoux, la Perle Noire, l'enfant léopard, les sauf-conduits. Tout ! Comment lui faire comprendre qu'avec elle, pour la première fois il se sentait un homme ? Cela aurait été si facile, cet été, de la faire évader de cette maison de santé Escourbiac... L'innocence ne fuit pas !... Tant pis, il faudra la sauver malgré elle.

Zamor va à la lucarne de sa chambre. Il l'ouvre sur une serre vitrée en forme de case, calée contre le garde-corps. A l'intérieur, une fleur blanche. Zamor caresse la chair épanouie de l'anthurium-lys. A chaque fois, il a l'impression d'y retrouver enfouie une odeur de femme. Il s'allonge dans son hamac et regarde la fleur en se balançant.

Tout à coup, Zamor se jette à bas, referme la fenêtre et s'agenouille devant une paire d'escarpins vernis. Il les déplace et fait glisser une lame de parquet. La cachette la plus évidente est la plus sûre. Il glisse un long tire-bottes dans la cavité et en retire un sac de cuir brun noué en bourse. Zamor va à la porte et écoute. Parfait. Il jette le frac de pierreries sur la cage de Petit-Louis.

— Désolé tu es trop curieux!

— Di kwa?

— Hé l'oiseau! Depuis le temps tu aurais pu apprendre le français tout de même.

Le perroquet le parle et le comprend parfaitement. Mais seulement quand il veut. Zamor se déshabille et s'allonge nu dans le hamac. Il dénoue le sac de cuir et renverse sur son ventre une énorme perle poirée qui roule jusqu'à son nombril. La Perle Noire du maréchal de Saxe. Hé non, docteur Seiffert! Ce n'est pas la du Barry qui l'a, c'est moi. Il fait osciller la Perle Noire comme un pendule. A elle seule, cette perle peut sauver Olympe. Pour ça, il faut aller nourrir ce tigre de Delorme sans se faire dévorer.

Zamor se prépare et descend de chez lui. Il aime cet instant de vide dans Haarlem. C'est l'heure des odeurs de croissant, de café, de chocolat. Un crieur de journaux se fait la voix... *Marie-Antoinette! Exécution imminente!...* Zamor achète au vol. Ça ne lui fait même pas plaisir. Pourtant, il n'a jamais oublié, ce soir, dans une allée de Versailles, où elle l'avait traité de singe, alors qu'il portait la traîne de la du Barry. Tout à l'heure, il sera sur son passage. Il aurait aimé porter un babouin sur l'épaule pour qu'elle se souvienne.

Zamor contourne Sainte-Zita par le jardin du presbytère. Il se faufile derrière la Négresse-qui-rit, une fontaine abandonnée dont l'énorme bouche de pierre reste suspendue au-dessus d'un bassin écroulé. Zamor descend un escalier qui s'enfonce sous l'église. Dès qu'on a passé la grille, il faut saisir une rampe métallique qui permet de suivre son chemin dans l'obscurité. La tenir et ne jamais la lâcher. Quand la rampe s'interrompt, il faut attendre. Ça peut durer. Delorme aime qu'on ait peur en venant à lui. Zamor attend. Quelqu'un vient le chercher.

— Suis-moi, frère.

L'homme à la voix rauque le mène comme un aveugle. Le sol est spongieux. D'habitude ce passage est sec. Etrange. Toujours dans l'obscurité, ils gravissent une longue volée abrupte de marches irrégulières taillées dans la roche.

— Reste ici, frère.

L'homme l'abandonne. Zamor est laissé au bord d'un gouffre. Il le sent suinter dans son dos. On n'a plus qu'à le pousser et il se fracasse en bas.

On le pousse.

Zamor hurle, son corps est projeté au sol. Il roule et s'affale sur le dos. Une lueur l'éblouit. De gros rires cognent à ses oreilles. Ses yeux s'accoutument. Il distingue un cercle d'hommes penchés au-dessus de lui.

— Mes frères, je vous présente le Grand Maharadjah de Haarlem !

Les hommes qui se moquent ont l'allure de soldats au pillage. Dans leur tenue, on devine un reste d'uniforme vert et or sur un débraillé d'effets volés au hasard.

— Lève-toi, le Maître à Tous accepte de te recevoir.

On lui bande les yeux. Un homme le conduit fermement par le bras. Quand on lui enlève son bandeau, il a d'abord du mal à comprendre où il est. C'est une vaste grotte de roche crayeuse dans laquelle on a sculpté une église. Elle n'est pas achevée, mais semble conçue en forme de croix latine avec nef centrale, chœur, et transept. A mi-hauteur, une galerie court tout autour. Zamor est impressionné par l'ampleur du chantier. Des dizaines d'hommes y travaillent. Il remarque d'abord la peau de léopard qui pend d'un balcon de la galerie. Mais le plus étonnant est ce brick d'au moins vingt-cinq toises de long, en construction sur un bas-côté. Un navire échoué au fond d'une grotte ! Dans le milieu de la nef est dressée une estrade recouverte de drap émeraude, où est posé un fauteuil en bois rechampi de blanc, qui se prend pour un trône. Suspendu au-dessus, se balance doucement un immense tableau à cadre doré. Il représente le maréchal de Saxe et sa garde de uhlans noirs à cheval, en tenues d'apparat.

— Tu peux admirer, frère. C'était au château de Chambord. Le plus grand au centre, c'est mon père !

Delorme ! Il est avachi sur son trône, une cravache à la main. Son énorme tête lui sert de couronne et ses dents écartées donnent l'impression qu'il vient à peine de finir de dévorer quelqu'un. Il est entouré d'hommes tout droit descendus de la toile. Même stature colossale, même uniforme vert et or, même casque à crin, même allure farouche.

— Avance, frère. Bienvenue sur la Route des Esclaves !

Zamor est poussé dans la nef centrale, jusqu'au pied de l'estrade. Il patauge dans une eau laiteuse qui affleure du dallage.

— Frère, nous allons bientôt ouvrir le premier lieu de mémoire et de compréhension consacré à la traite des Noirs.

Delorme dévide son programme. Il explique comment le visiteur pourra... en deux jours !... et, en situations réelles !... revivre la vie de l'esclave, de la capture jusqu'à la plantation. Comment il pourra... sans augmentation de prix !... se faire razzier, enchaîner, vendre, marquer au fer, pour enfin travailler dans une plantation aux Antilles... Incroyablement reconstituée !... Il pourra aussi voyager à bord de l'Arche des Esclaves, une reproduction fidèle du *Brooks*, le fameux bateau négrier anglais.

— Profites-en, Zamor ! Pour l'instant, c'est gratuit, mais après... Tout cela coûte tellement cher, mon frère.

— J'ai déjà apporté ma contribution, Maître à Tous.

— C'est vrai, tu es un frère généreux. Mais tant d'autres oublient d'où ils viennent. Tu m'as apporté ce qui était convenu ?

— Où est l'enfant, Maître à Tous ?

— Il est là !

Delorme montre une chaise à porteur à l'ancienne en station dans le transept. Les volets tirés, elle semble attendre d'être enlevée par des laquais à perruque.

— Je veux le voir.

— Donne d'abord la Perle Noire qu'on a volée à mon père.

Il montre le tableau.

— Delorme! Tu sais bien que je ne l'ai pas avec moi. Tes hommes m'ont fouillé. Qui serait assez fou pour venir jusqu'ici avec ?

— Il y en a eu !

Delorme rit. Son énorme face s'illumine autour de ses dents écartées. Delorme a les dents du bonheur. Le sien !

— Alors, Zamor, que faisons-nous ? Je te donne à mes hommes pour qu'ils te chauffent les pieds, t'écorchent vif et te brisent les os un à un ?

— Inutile, j'ai pris mes précautions. Tu t'en doutes. Si je ne ressors pas d'ici, dans moins d'une heure, la Perle Noire disparaîtra pour toujours.

Delorme bondit de son trône. Il hurle en cravachant les bras du fauteuil.

— Cette Perle Noire me revient. On l'a volée à mon père pour satisfaire les caprices de la du Barry, cette vérolée ! Je n'ai pas à la demander. J'ai juste à la prendre !

D'un coup, Delorme se calme. Il se rassoit, croise les jambes comme à la conversation et sourit. Il est encore plus inquiétant.

— Alors... qu'est-ce que tu proposes, Zamor ?

— Je pars avec l'enfant et je le mets en sécurité. A l'heure et à l'endroit convenus, je te donne la perle.

— Non ! L'enfant ne bouge pas d'ici !

— Tu crains d'être dupé, Maître à Tous. Tu penses que je peux m'enfuir avec l'enfant sans te payer. Rien ne sort d'Haarlem si tu n'es pas d'accord !

Delorme regarde sa cravache comme s'il lui demandait conseil... *Il n'y a aucun risque avec ce maharadjah de salon...* C'est ce qu'il pense aussi.

— Bien, Zamor tu peux voir l'enfant et l'emmener.
Zamor va jusqu'à la chaise à porteur. Il hésite et
ouvre la porte doucement. L'enfant léopard! Il est là,
Devant lui, dans une pénombre parfumée. L'enfant
tourne la tête et le regarde.

*

Ed range le corbillard de Moka devant l'hôtel du
marquis d'Anderçon. Il est satisfait. Depuis Sainte-
Zita, il n'a presque rien écrasé, piétiné, renversé, ou
bousculé. Presque. Dans la rue de Viarmes, toute une
agitation de chariots, portefaix, et chars à bras
converge et tourne autour de la Halle aux blés. Cette
rue circulaire ressemble à un manège aux métiers, avec
les cris pour estampiller les corporations et accrocher
le chaland. Jones admire une laitière qui déambule en
agitant son tablier rouge... *Lait! lait! lait! Beau mamelon.
La tétée à deux sols!...* Le visage fermé, Ed observe la
façade de l'hôtel d'Anderçon. Jones devine son
humeur.

— Attention, Ed, on ne peut pas être trop brusque
avec le marquis. C'est notre lieutenant.

— D'accord. Mais on va le prévenir qu'on abandonne cette mission, s'il ne nous dit pas qui est vraiment l'enfant qu'on recherche.

Ed et Jones se regardent. D'où leur vient l'impression que la maison du marquis est vide? La porte sur la
rue est fermée. On ne répond pas à la cloche. Ed
monte sur le siège du corbillard et manœuvre de façon
à le coller au mur. Le cheval est docile, il connaît son
métier. Jones a compris. Il escalade l'engin, et, du som-

met, saute dans la cour de l'hôtel. Ed exhibe à la ronde sa plaque bleue, aux passants inquiets.

— Nous sommes de la police, citoyens !

Le mot ne rassure pas, mais suffit à remettre à la besogne... *Couteaux ! Ciseaux ! A la guise, on aiguise !*... Jones ouvre la porte de l'intérieur. Ed le rejoint. Ils entrent par le perron. Personne, ni dans l'entrée ni dans le salon bleu. Ils descendent à la crypte. Elle est vide. Ed et Jones remontent jusqu'aux chambres. Les portes sont ouvertes sur le couloir. La chambre de la marquise est entièrement retournée, le lit jeté à bas et le miroir de sa coiffeuse brisé. L'appartement du marquis, lui, est intact.

Ed et Jones fouillent la maison comme des voleurs, avec des gestes brutaux pour tromper leur inquiétude. On s'est battu ici. Il n'y a pas de sang. Mais c'est parfois pire. Ils échafaudent pour éviter à leur cœur de déraisonner. Ed pense à la marquise. Comme on se sent démuni devant une maison vide ! Et s'ils étaient partis... Emigré !... Le mot rôde depuis qu'ils sont entrés. En ce temps on en voit des maisons abandonnées. On laisse un ou deux valets qui s'agitent pour leurrer le voisinage, le temps d'arriver aux frontières.

— A ton avis, Ed, qu'est-ce qui s'est passé ici ?

— N'importe quoi a pu arriver. Vol, pillage, enlèvement...

— Chut !... Ecoute, Ed !

Il y a bien un bruit qui vient de ce panneau étroit, près de la fenêtre. Un grattement. Ed et Jones sortent les 38. Ils s'approchent. C'est net. Un rat peut-être. Il est à l'intérieur. Jones se souvient des gestes du marquis. Il passe la main, palpe la moulure... Clac!... Le panneau s'ouvre sur une bibliothèque de volumes reliés en cuir rouge. Dans la partie inférieure, une niche. Et dans la niche, recroquevillé...

— Thomas!

Ed l'extirpe et le déplie.

— Edmond et Jonathan! Vous m'avez sauvé. Sans vous je passais de vie à très pâle.

— Trépas suffira. Très pâle, tu l'es déjà.

— C'est normal, tellement j'étais réduit en carence de suffocation dans ce derrière-de-basse-fosse.

Ed et Jones se demandent comment seraient les phrases de Thomas s'il ne manquait pas d'air.

— Qu'est-ce qui s'est passé, Thomas?

Le valet s'étire à la recherche d'une taille qu'il n'a jamais eue.

— Juste dès après votre départ inopiné, des sortes d'hommes sont venus soudainement pour voir sur-le-champ mon excellent maître, monsieur le marquis.

— Thomas! Tu ne peux pas dire : Après votre départ des hommes sont venus voir le marquis. Et nous on te demande : Quels hommes? et toi tu réponds...

— Le genre qu'on n'a pas envie de croiser le soir sans lanterne, monsieur Edmond.

— Parfait! c'est déjà mieux.

— Tu les connaissais?

— Jamais vu.

— Même pas par le trou de la serrure?

— Si, peut-être par là. Il est vrai que je connais beaucoup de monde par cette entremise.

— De quoi parlaient ces hommes et le marquis?

— D'un enfant !

— De quel enfant, Thomas ?

— D'un enfant à sauver ou à tuer.

— Quand ?

— Aujourd'hui.

Ed et Jones regrettent les longues phrases de Thomas qu'ils ne comprenaient pas.

— Que disait le marquis ?

— Il se défendait. Les hommes l'accusaient de trahison et disaient que c'était de sa faute si l'enfant était en danger et si les autres cherchaient après lui.

— Quels autres, Thomas ?

— Est-ce que tu te souviens de noms, de lieux, de détails... N'importe quoi !

Thomas réfléchit à un n'importe quoi. D'habitude on lui demande l'inverse.

— Je me souviens qu'ils parlaient souvent d'un médecin ou d'un docteur, qui devait être allemand.

— Allemand ! Tu as entendu son nom ?

— Il n'y avait jamais de nom.

— Les hommes parlaient de qui encore ?

— Un commandeur... un créole ! J'ai retenu le mot parce que madame la marquise me l'avait déjà expliqué, mais j'ai oublié. Vous savez ce que c'est, vous, un créole ?

— C'est compliqué !

Thomas trouve que la marquise explique mieux qu'Ed.

— Vous, Edmond et Jonathan, vous êtes quoi ?

— Cul de chaudron et Fusain léger.

Ce n'est pas mieux quand c'est Jones qui explique.

— Tu ne te souviens de rien d'autre que de ce docteur allemand et ce commandeur créole ?

— Non. Je commençais à avoir du mal à suffoquer... Ah si ! Il parlait aussi d'un chien câlin.

— Carlin !

Ed et Jones se disent qu'il faut retrouver la Marmotte. Mais ils le savent depuis longtemps.

— Et après, qu'est-ce qui s'est passé ?

— C'était affreux ! Ils se sont disputés très fort. Les hommes disaient que mon maître avait trop parlé à la marquise. Que c'était elle qui allait tout faire manquer. Qu'il fallait la retrouver et l'éliminer.

— L'éliminer !

Ed donne un coup de tête dans le panneau de la bibliothèque. Thomas a mal pour elle.

— Monsieur s'est défendu. J'ai cru qu'ils allaient le tuer. Ils ont dû l'assommer et l'emmener. Après je n'ai plus rien entendu. Jusqu'à vous.

— Et la marquise, où était-elle pendant ce temps-là ?

— Elle était partie un peu avant. Je lui ai porté le flambeau, jusqu'à une porte par derrière, sur la rue Mercier.

— Thomas, tu sais où est allée madame la marquise.

— Madame n'a pas voulu que je l'accompagne. Elle m'a seulement dit... Je vais chercher du boudin et des pommes... Alors que c'est toujours moi qui fais les commissions.

— Du boudin et des pommes ! Thomas, tu es formidable !

Ed et Jones se jettent sur le valet. Ils l'enlacent, et le congratulent à l'étouffer. Thomas soupire. C'est bien la peine de le sauver, pour l'occire juste après !

— Allez, Ed, pas de temps à perdre. Au galop à La Vainqueuse, chez la Patronne !

Par la fenêtre, Thomas regarde Edmond et Jonathan partir dans leur étrange corbillard. Il va à la bibliothèque secrète, prend au hasard un livre rouge... *Théveneau de Morande*... *Mémoire secret d'une femme publique*... Il est temps d'apprendre à faire des phrases courtes.

*

La Marmotte regarde Coco lécher le visage de Sidonie-c'est-joli. Il s'active avec des gémissements plaintifs. Elle reste immobile, impassible. Le carlin ne sait plus où donner de la langue. Il faut dire qu'il en a tant à effacer, du sang. Tout un côté du visage en est recouvert. Il a coulé du crâne. C'est là qu'on a dû la frapper, avec cette poêle ou cette grosse casserole en cuivre. On l'a tuée dans sa cuisine. Peut-être qu'elle lui préparait des petits pains fourrés. Elle a encore de la farine sur les mains et le tablier. Pourquoi on tue une dame qui fait des gâteaux ? Son corps est allongé sur le côté, la tête près du rideau de la cheminée, comme si elle avait voulu se sauver par là. La Marmotte l'aurait aidée, s'il avait été là. Coco renonce à nettoyer tout ce sang. Il cale sa tête sur l'épaule de Sidonie. Elle finira bien par se réveiller.

— Où je le mets, Marmotte ?

Piqueur tire le corps du garde dans le couloir. Lui a été poignardé dans les reins. On ne lui a rien pris, même pas ses deux pistolets en pied de cochon. Piqueur l'adosse contre le mur sous les tableaux retournés des ancêtres. On le croirait prêt à ronfler. La Marmotte n'ose pas fermer les yeux de Sidonie. Il a peur qu'elle soit glacée. Ce froid qui ne ressemble à aucun autre et qu'il a déjà senti sur un cadavre au bord de la Seine. Dans les replis de sa cape, il retrouve la pomme rouge et les noix. Il les pose près du visage de Sidonie. On fait comme ça, quand quelqu'un a une longue route à faire.

— Marmotte, il faut partir. Ils peuvent revenir.

Piqueur a raison. « Ils », ça peut être le vicomte, le docteur, Commandeur, ou d'autres.

— On va chez toi, maintenant, Marmotte. Tu as promis.

C'est vrai, même s'il se demande ce qu'il va faire de Coco maintenant. Il ne reste plus qu'une seule personne à qui le donner. Le dauphin. Ce ne sera pas facile d'entrer au Temple. Surtout aujourd'hui. Piqueur décroche un des tableaux de l'entrée.

— Qu'est-ce que tu fais ?

— Je prends un ancêtre.

— Pour quoi faire ?

— Ça peut toujour servir, un ancêtre. Moi, j'en ai jamais eu. T'en as toi ?

— Non, je ne crois pas.

— Alors, prends-en un aussi. On décorera chez toi. Ici, ils ne servent plus à rien.

*

Le docteur Seiffert tâte les sauf-conduits sous son habit. Belhomme a rechigné pour les laisser en blanc, comme Zamor le voulait. Mais, finalement, il a cédé. L'idée d'avoir la du Barry comme pensionnaire l'émoustillait trop. Reste que le docteur continue à trouver étrange cette demande de Zamor. De sa voiture, il guette l'entrée du Valet de Carreau. C'est là qu'ils se sont donné rendez-vous avec Zamor. Le voilà ! Il est seul. Seiffert lui fait signe de la voiture.

— Alors ?

— J'ai l'enfant, docteur. Il est en sûreté. Et vous ?

— Les papiers également. Mais je veux voir l'enfant avant.

— Commençons par les documents, puisque nous sommes là.

Le docteur hésite, puis sort de son habit deux feuilles de papier épaisses qu'il déplie... *Ordre de transfèrement... Au nom du peuple, il est ordonné que.... soit transféré...* et un *Avis d'internement...* Zamor sourit. Les ordres sont bien en blanc. Ces papiers valent les plus beaux bijoux. C'est de la liberté à se mettre autour du cou. Zamor pense à Olympe. Cette fois, elle ne pourra pas refuser d'être sauvée.

— Suivez-moi, docteur.

Zamor le mène dans la 125ᵉ, jusqu'à une voiture vert bouteille rangée à reculons sous la voûte d'un porche.

— Il est là ! Ne tentez rien contre nos intérêts, docteur. Le cocher a des ordres pour partir à la première alarme.

Zamor entrouvre la portière. Seiffert découvre l'enfant. Il est de profil, assis au fond de la voiture. Son maintien est distant, presque froid. Zamor guette la réaction du docteur. L'enfant tourne la tête. Seiffert s'incline.

— Majesté !

*

Sur sa chemise fraîche et neuve, Marie-Antoinette enfile un déshabillé de coton blanc. Rosalie l'aide à l'ajuster aux épaules et à la taille. Elle a la main sûre et délicate. Comme son visage est charmant. Après deux essais sur la gorge, Marie-Antoinette décide de croiser haut son fichu de mousseline. La jeune fille le préférait plus bas.

— Rosalie, ce sera là le seul désaccord que nous aurons eu.

Au moment d'ajuster son bonnet de linon blanc, elle lui fait office de face-à-main, avec des petits mouvements mutins de la tête, pour en régler la bonne inclinaison. Cette Rosalie a tous les talents. Marie-Antoinette quitte ses mules pour des chaussures prunelle. La voilà parée. Sa modiste, Mme Bertin, réussirait à trouver un nom extravagant à une telle tenue, et ferait porter un bordereau de cinq mille livres.

Tout à coup, Marie-Antoinette devient pâle. Elle aperçoit sur le sol, dans la ruelle derrière son lit, le petit tas chiffonné formé par la chemise souillée qu'elle a quittée là. Le gendarme semble en avoir assez vu de ces frivolités de femme, il tire sur ses bottes en bâillant. Rosalie a compris. Elle a le mouvement qu'il faut. La reine se glisse dans la ruelle, ramasse sa chemise, la roule autour de son poignet en manchon. Marie-Antoinette frissonne. Elle regarde autour d'elle dans la cellule. Où cacher cette chemise? Elle ne veut pas qu'on la découvre, quand ils viendront tout à l'heure se partager ses restes. Ils exposeront sa chemise comme celle d'une mariée. Elle entend les railleries obscènes... Regardez, mes amis! Elle a attendu longtemps pour casser son sabot, la Capet, mais ça valait la peine!...

Le cœur de Marie-Antoinette chavire. Elle vient de découvrir une mince cavité derrière la tapisserie déchirée. Elle y glisse la chemise qui s'y dissimule tout entière. Pour le coup la pénombre est son alliée. Personne ne pourra, au premier coup d'œil, l'y venir chercher. Peut-être qu'on ne la trouvera jamais.

Rosalie et Marie-Antoinette échangent un sourire plein d'éternité. La jeune fille peut partir, maintenant. Elle n'ose parler de peur de dire... adieu!... par mégarde.

La reine voit Rosalie sortir de sa cellule avec son pas timide habituel et ce léger affaissement de la tête au moment de franchir le seuil. Comme si elle avait peur de se cogner. J'aurais voulu, au moins, lui donner ma houppe de cygne. Le mot lui va si bien. J'espère que les amis qui me restent prendront soin d'elle.

La porte se referme. La prochaine personne qui la franchira sera le bourreau.

Son attente commence à peine, que les verrous de sa cellule jouent déjà. Un homme en noir apparaît... Quoi, c'est lui? Il est bien insignifiant, ce bourreau! Moi qui en avais tant peur...

— Madame, je suis l'abbé Girard.

Elle a failli rire. Même dans cette obscurité, prendre l'abbé pour le bourreau! c'est mettre la charrue avant les bœufs. Mon Dieu! Et si elle avait un fou rire à cet instant?

— Je viens vous offrir les services de mon ministère.

— Monsieur, vous êtes prêtre jureur, je pense?

— Oui, madame. Mais...

— Cela me suffit. Je ne peux, et ceci sans vouloir vous offenser, reconnaître en vous un ministre de Dieu.

— Mais, madame, que dira-t-on lorsqu'on saura que vous avez refusé les secours de la religion ?

— Vous direz aux personnes qui vous en parleront que la miséricorde de Dieu y a pourvu !

— Pourrai-je vous accompagner, madame ?

— Comme vous voudrez.

Voilà un abbé qui se contente de bien peu. Au moins fera-t-il un maigre rempart, si on vient à vouloir lui faire un sort.

— Gendarme ! Croyez-vous que le peuple me laissera aller à l'échafaud sans me mettre en pièces ?

— Citoyenne, cent gendarmes à pied, formeront la garde autour de vous, des porteurs de piques suivront et trente mille hommes en armes seront en poste tout au long du parcours.

C'est ce qu'elle voulait savoir. Sans rien montrer autour d'elle, il faut qu'elle se tienne prête... Le Porche Rouge, après la maison de Robespierre... Une chose l'inquiète. Elle ne sait toujours pas où on exposera l'enfant sur son passage. Est-ce que son pauvre Coco a pu jouer son office ? Et ce Larivière qui n'arrive pas. Que fait son avocat ? Enfin, il entre.

— Larivière, vous savez qu'on va me faire mourir ?

A voir son visage, la question le déroute et même l'inquiète. Penserait-il que je perds la raison ? Il ne sait donc rien de ce plan pour me faire échapper. Mais alors, d'où viendra ce sauveur ? Comment le reconnaître dans la multitude ?

10

La marquise

A genoux au pied de son lit, Marie-Antoinette ferme les yeux. Elle essaie de conserver dans sa mémoire l'image du visage de Rosalie. La jeune fille vient à peine de sortir de la cellule, et déjà ses traits s'estompent. Comme son esprit est oublieux ! Il abandonne ce cher cœur si attentionné auprès d'elle, et le voilà aussitôt attaché à guetter les bruits derrière la porte. Comme elle aimait épier les voix dans la cour des femmes, écouter les conversations des prisonnières devant la fontaine ! Elles ne peuvent imaginer combien leurs rires ou leurs confidences ont pu lui donner envie de se mêler à elles. De partager l'eau d'une cruche, un morceau de savon, ou une épingle à cheveux. Ainsi vêtue de son déshabillé de piqué blanc, elle serait semblable à elles. Mais que voilà bien de vaines pensées ! Elle est la reine. C'est ainsi. Tous s'acharnent à le lui rappeler, pour mieux l'en priver. Comment les hommes peuvent-ils avoir même l'illusion, de lui prendre ce qu'elle tient de Dieu ? Que ne sont-ils conséquents ! Si elle n'est plus rien qu'une citoyenne, qu'on la laisse aux adieux communs ! Qu'on lui permette d'aller jusqu'à la grille de la cour étreindre et embrasser ceux qu'elle aime.

Au lieu de cela elle doit se laisser voisiner dans sa prière par la mine contrite de ce prêtre jureur. Pauvre malheureux abbé, qui boude parce qu'on l'a privé de confession. Il lui offre un oreiller pour ses jambes à défaut d'hostie pour l'âme.

La porte du cachot s'ouvre brusquement sur une volée d'hommes sombres enchapeautés. Marie-Antoinette se signe et se lève. En tête du groupe, elle reconnaît Hermann. Le président se pose, face à elle. Son visage se veut solennel, mais il n'est que dur. Deux juges l'encadrent. Il y a Donzé-Verteuil, celui qui fabriquait des boulettes de papier pendant l'audience, et Foucauld, qui somnolait. Où est le bourreau ? Elle le cherche des yeux derrière les juges. Il n'est pas là. C'est donc que dans un élan de mansuétude, le tribunal l'aura graciée ! C'est ce que va lui annoncer le greffier. Celui au si pittoresque accent de Marseille. Fabricius. Il se tient derrière les juges. Une feuille de papier à la main.

Les quatre hommes en noir laissent le temps au silence de se poser. Puis Hermann s'adresse à Marie-Antoinette.

— Soyez attentive, on va vous lire votre sentence.

Son cœur s'affole. Me lire la sentence ! Une fois encore ! Elle se redresse. Croient-ils que le couperet tombe et remonte à volonté comme une émigrette ? Ce n'est pas là un jeu. Est-ce de cette manière qu'on vient dire à une reine qu'elle va mourir ?

Sans ne consulter que le regard et le port de Marie-Antoinette, les quatre hommes ôtent ensemble leurs chapeaux. Ils semblent embarrassés. Ils auraient aimé un peu plus d'effroi dans ses yeux pour nourrir leur assurance... La peur de la victime est le pardon du bourreau... D'un oubli de plume, Fabricius sait qu'il rayera cette pensée de son esprit et ces chapeaux du procès-verbal. En ces temps de grands vents, il est des têtes qui partent avec.

Marie-Antoinette les toise.

— Cette lecture est inutile, je ne connais que trop cette sentence.

— Il n'importe ! Il faut qu'elle vous soit lue une seconde fois.

Marie-Antoinette renonce à se heurter. Elle n'a même pas vu qui venait de parler. Souvent, elle rend grâce à sa myopie de la dispenser des hommes. Pour son bon Louis c'était pire. Elle le dispensait du monde. Pendant que son destin bégaie dans la bouche de ses juges, il lui faut reprendre ce temps pour elle, et en retourner le cours. Dehors... au Porche Rouge, derrière la maison de Robespierre... des gens se préparent à l'aider. Marie-Antoinette vient seulement de comprendre l'image du sablier que l'on retourne. On renverse d'autant plus son destin qu'il en reste peu à accomplir.

Alors, ce sera pour elle un grand renversement.

L'abbé Girard se tourne de côté et consulte discrètement sa montre. Pourquoi trouve-t-elle si incongru qu'un prêtre se préoccupe de l'heure ?

*

Zamor ne peut s'empêcher de lire et relire les deux sauf-conduits que le docteur Seiffert lui a remis contre l'enfant léopard. Les marches qui montent vers sa chambre lui semblent un véritable tapis volant. Il a l'impression d'enlever Olympe sur un cheval parfumé. Tout à coup, Zamor s'arrête net. Dans l'escalier se promène une odeur inhabituelle. Tu penses trop à Olympe, te voilà à la sentir partout. Par précaution, il va à la fenêtre du palier et glisse les sauf-conduits dans un logement de la gouttière.

Il entre chez lui. A peine a-t-il franchi la porte qu'une impression le fige derrière le rideau de perles. Quelque chose ne va pas. Il tire son couteau. Toujours cette peur qu'un jour on trouve son repaire. Calme-toi. Tu as les sauf-conduits, les bijoux et la Perle Noire. Le but est tout près. C'est le retour au pays en maître. Les grosses malles, dix mules pour les porter jusqu'à ta maison blanche, et Olympe sur le pas de la porte. Zamor sourit. Il range son arme et franchit le rideau en laissant les fines perles couler sur son visage... La cascade de l'Anse-à-l'Ane!... Un choc violent l'arrête. Sa gorge est prise. Il suffoque. Ce n'est pas l'émotion du souvenir, mais une main. La main puissante du Quelque-chose-qui-ne-va-pas. Elle le plaque violemment contre le mur.

— Ne touche pas à ton couteau!

Zamor n'y songe même pas. L'homme qui le tient est immense, la peau tannée, le crâne rasé de frais, et il porte une machette dans le dos. Sa main pourrait le broyer sans effort.

— Ecoute-moi bien, Zamor. Je suis pressé. Je cherche l'enfant léopard et je veux que tu me dises où il est.

Au moins les choses sont directes. Attention, il connaît son nom.

— Ne me mens pas !

L'homme parle comme un maître avec la chicote dans la botte. A lui seul, dans ses yeux, il est la meute, le fouet, les chiens et les flambeaux... La traque !... L'homme l'entraîne dans la pièce en le décollant du sol. Le frac brodé de pierres est jeté sur la cage du perroquet. C'est ça qui n'allait pas. Petit-Louis n'a pas crié, au voleur, quand Zamor est entré.

— Je sais que tu trafiques autour de l'enfant léopard avec le docteur Seiffert. Je suis Commandeur. Est-ce qu'il t'a parlé de moi ?

— Non, il ne m'a rien dit.

— Attention, il faut tout me dire sinon...

Commandeur dégage l'épaule pour lui montrer la machette dans son dos. Zamor l'avait déjà repérée. Reprends ton calme. Il faut sauver ta vie. Plus si tu peux.

— Est-ce que je peux m'occuper de mon perroquet ?

— Va, mais ne tente rien.

Zamor retire le frac de Petit-Louis sur la cage et le jette négligemment dans son hamac. Commandeur ne remarque pas qu'il vient de mettre en sécurité plusieurs centaines de milliers de livres en émeraudes, diamants et rubis... *Les cachettes les plus visibles sont les meilleures...* Zamor nettoie la cage. Il essaie de réfléchir. Qui est ce Commandeur ? Par quels moyens est-il arrivé jusqu'à lui ?

— Vous m'avez retrouvé comment ?

— Tu oses poser des questions, sans répondre aux miennes.

Commandeur le cingle à la joue avec sa chicote. Zamor ne se souvenait plus de cette brûlure.

— Alors, cet enfant léopard, il est où?

— Avec le docteur.

— Il l'emmène à quel endroit?

Inutile de tenter de fuir, même par les toits. Il y a un instant, Zamor se voyait maître dans une maison blanche. Maintenant, il veut seulement vivre. Zamor verse de l'eau dans l'abreuvoir du perroquet.

— Il va chez un marquis qui a son hôtel particulier vers la Halle aux blés.

— Le marquis d'Anderçon! Celui qui a donné son nom à une négresse de chez moi. J'aurais dû m'en douter. Encore un à qui il va falloir rendre visite. Et toi, tu es d'où?

— De la plantation de l'Anse-à-l'Ane à la Martinique.

— Alors, pourquoi tu te déguises en maharadjah? Tu as honte?

Commandeur montre le turban et l'habit. Zamor préfère ne pas regarder.

— L'Anse-à-l'Ane! Alors, tu es un nègre de M. de Belair!

— Je ne suis le nègre de personne! Je suis libre! et intendant du domaine de Louveciennes, de par la volonté de Sa Majesté Louis XV. J'ai les titres, si vous voulez les voir!

— Pas la peine. Ne bouge pas... Monseigneur!

Commandeur fait une ample révérence en riant.

— Oui, Commandeur, je suis libre et mon père...

— Je sais! Tu vas me dire que M. de Belair est ton père. Tous les mulâtres sont les fils du maître. C'est bien connu.

Zamor voit passer un nuage lourd dans les yeux de Commandeur. Il se referme, devient nerveux. Il va en finir avec lui à cause d'un nuage. Ne jamais parler de sangs mêlés à un créole. Zamor le sait, pourtant.

— Est-ce que je peux donner de l'eau à mon anthurium.

— Un anthurium! Tu as cette fleur, ici, à Haarlem! Je ne te crois pas. Montre!

Zamor va à la fenêtre et l'ouvre sur la serre. Commandeur le pousse et s'agenouille. Il soulève un pan de verre.

— Incroyable! Un anthurium-lys! Comment as-tu fait?

Zamor montre le conduit de cheminée. Commandeur caresse le bord des pétales. Il respire la fleur au plus creux. Zamor a l'impression que lui aussi cherche la femme enfouie au fond.

— Cet anthurium-lys, je le veux!

— Non!

Commandeur saisit Zamor aux cheveux et le force à se courber jusqu'au sol.

— Tu oses me désobéir! Quand je veux, je prends!

— D'accord, tuez-moi. Mais pourquoi la tuer aussi? Elle ne vous a rien fait de mal.

A genoux Commandeur respire l'anthurium-lys. Il pense à la reine. A ce parfum qu'elle laissait sur le dos de sa main, pour qu'il l'emporte avec lui au pays. Commandeur relâche Zamor. Il se signe, se relève et met son chapeau.

— Je te laisse, Zamor. Protège cette fleur. Tu lui dois la vie. Mais ne croise plus ma route. Tu n'auras pas de seconde chance. Un dernier conseil, si tu veux vivre encore longtemps, n'achète plus les graines pour ton perroquet toujours au même endroit. Le marchand est bavard.

*

— Halte-là! On ne passe pas.

L'officier de paix brandit son bâton blanc devant le visage de Pobéré.

— Où tu crois aller, mon gaillard, avec cet équipage?

L'homme montre la brouette dans laquelle Dame Catherine est assise, dos à la marche, pour « jouer à la reine », un sac de chanvre sur les jambes.

— Citoyen, je rentre chez nous, avec ma pauvre mère infirme. Elle est aveugle et ses jambes la portent plus guère.

— Où demeures-tu?

— Rue Honoré!

C'est Dame Catherine qui répond. L'officier se penche sur elle, la main en porte-voix.

— Oh, là, là! ma bonne vieille! Faut te détourner par la rue Baillette et retomber vers les quais!

Inutile d'hurler. Quelle vilaine manie de croire que les aveugles sont sourds. Comme si à la distribution des malheurs, on aurait tort de se priver.

— Citoyen, c'est bien plus droit mon chemin, par la Monnaie, le Roule et Honoré tout du long...

— Pour sûr. Mais c'est le chemin de la veuve Capet, dans une heure d'ici. Alors on ne laisse plus passer. Allez! Faut t'en faire demi-tour!

— Mais, citoyen...

— Exécute, la vieille, ou c'est le poste.

Elle réfléchit. Se détourner, c'est une vilaine heure de perdue, et le dernier repérage qui tombe à l'eau. Toute l'affaire risque de manquer à cause de ce bâton blanc.

— D'accord, citoyen, j'obéis. Mais avant, je voudrais que tu fasses une faveur à une vieille infirme patriote.

— Dis toujours.

— Montre-moi ton bâton à voir.

L'officier la regarde méfiant. Pobéré l'invite à céder aux caprices d'une vieillarde. L'autre tend le bâton à l'aveugle qui le palpe et rayonne.

— Je le savais ! Ton bâton est ferme, et lisse. On voit que tu ne l'as pas cabossé sur la tête du peuple. Dis-moi, il y a bien gravé... *Force à la loi...*

— Oui, ma brave. Et, sur la pomme du bâton, c'est l'œil de la vigilance patriote... *Voir sans être vu !*

— Oh !... Voir sans être vu... Comme j'aimerais avoir votre devise, et votre bâton, pour ne plus devoir à crier qui je suis.

Dame Catherine éclate en sanglots dans ses mains. Embarrassé, l'officier de paix se dandine d'un pied sur l'autre. Il regarde autour de lui. Si on croit qu'il maltraite une infirme, ce sera l'émeute. Il se frappe la paume de la main avec son bâton, comme pour s'attendrir la ligne de cœur.

— Bon ! Allez... passez !

La brouette poussée par Pobéré et chargée de Dame Catherine continue son chemin.

— La mère, tu as été formidable ! Comme j'aimerais un jour être pareil à toi.

— Ne dis plus jamais ça, mon p'tit! Ne sois pas pressé d'être en âge d'apitoyer. Conserve le plus longtemps celui d'être craint. Qu'à chaque fois qu'on te fait courber le dos, cela bande un ressort en toi.

— J'y penserai.

— Pense surtout à notre affaire. Ce bâton blanc veut dire que les braves qui ne sont pas encore en place auront du mal à rejoindre leurs postes sans attirer l'attention.

— Ils y seront tous, la mère!

— Alors, roule mon p'tit. C'est pour ça, que je voulais une brouette. Pour faire le chemin comme la reine. A partir de là, je voudrais que tu me racontes tout... en couleurs.

*

— Oh, là!... Oôôh!...

Ed tire sur les rênes de tout son corps. Il est fier. A deux maisons près, le corbillard de Moka s'est immobilisé là où il voulait. Il manœuvre et saute du siège, devant l'enseigne démantibulée de La Vainqueuse. La Patronne roule un tonneau dehors en chantant... *La vivandière est amoureuse!..*

— Les affreux! Salut et prospérité! Tiens, vous voilà établis dans le colportage, à c't'heure... *Moka, rex moka!...* Risquez pas de passer inaperçus avec votre char de carnaval.

— N'empêche, citoyenne, que c'est grâce à lui qu'on a pu passer.

— Faut dire qu'il y en a du mouvement de par chez toi.

Jones montre une file de gardes nationaux, fusils à l'épaule, qui montent vers Saint-Honoré.

— Dame! Je suis aux premières loges pour le carrosse de l'Autrichienne.

— Ils ont déjà bouclé l'entrée du Pont-Neuf. Pour passer, on a dû dire qu'on livrait Robespierre.

— Et ils vous ont cru! Pourtant on sait que Robespierre ne boit pas de café, mais du sang.

— Citoyenne, modère tes paroles. C'est un temps à mouches aujourd'hui.

*

Jean-François Mourard, ouvrier ferblantier, dans le quartier Saint-Eustache et demeurant au n° 3 de l'impasse de Fosse-Repose, a des oreilles. Il a très bien entendu ce que la citoyenne Marie Moureuil, tenancière de la taverne à l'enseigne anciennement La Marmite de la Révolution, aujourd'hui dénommée La Vainqueuse sise rue de la Monnaie vis-à-vis le n° 37, a dit à deux citoyens d'aspect nègre... Robespierre boit pas de café, mais seulement du sang!... Tu es certain, citoyen?... Il l'avait réaffirmé sur sa foi de patriote... Très bien... avait dit le commissaire... Nous irons voir!...

*

La Patronne relève son tonneau et le fait riper devant la fenêtre de sa gargote. Ed et Jones donnent un coup de main.

— Grimpée là-dessus, j'ai peut-être une chance de voir quelque chose. Avec ce monde, ça va bientôt être pire qu'au bal chez Ramponeaux. Entrez, les affreux, on sera plus intime !

Ed et Jones suivent la Patronne à l'intérieur. Pour être plus intime, c'est plus intime. Le vide a l'air d'avoir passé la nuit ici. Elle cale la porte avec une barre de fer.

— Alors, vous l'avez retrouvé, votre enfant léopard ?

— Tu n'as rien à manger, citoyenne ?

La Patronne connaît le rituel. On mange d'abord et on cause après.

— Une omelette aux trois pommes, ça vous dirait ?

— A propos, c'est quoi, la troisième ?

— Moi, Jones ! Pour mon malheur, c'est moi, la reine des pommes ! Je suis trop bonne. On me pèle, on me croque jusqu'au trognon, et après on me jette. Pas vrai Edmond ?

La Patronne va à ses fourneaux et laisse mijoter Ed. Deux-trois bruits de poêle sur un grésillement de beurre d'Isigny, une bouffée parfumée et elle revient avec une omelette pliée en portefeuille, plus une bouteille de vin de Réveillon. Ed et Jones se jettent.

— C'est bon !

La Patronne sourit. Ed fait des progrès dans le grognement. Mais elle ne se leurre pas, dès le ventre plein, les deux en reviendront à l'enfant léopard. Ed n'attend même pas. Il attaque la bouche pleine.

— Citoyenne, il faut qu'on parle à la marquise.

— On sait qu'elle est ici.

— C'est vrai, elle est là-haut, dans ma chambre.

Ed effleure la main de la Patronne.

— C'est bien de nous l'avoir dit comme ça.

Jones ne pensait pas que l'énorme paluche d'Ed était capable d'un geste si tendre.

— Attention! En ce moment, la marquise est fragile comme une airelle. Si vous lui faites du mal, je prends Sanson et je vous fends en quatre.

La Patronne n'a pas élevé la voix. Elle a seulement bu une courte rasade à son tonnelet. C'est pire.

— Qu'est-ce qu'elle t'a dit, citoyenne?

— Seulement que le marquis a été enlevé. Ça, vous devez déjà le savoir. Mais avant qu'on vienne le prendre, il a eu le temps de lui confier deux lettres en lui demandant de vous les remettre.

— Quelles lettres?

— Une du marquis et une autre de la princesse de Lamballe.

Ed et Jones se dressent sans un mot, abandonnent la table et vont vers l'escalier qui monte à la chambre de la Patronne.

— Attendez! Encore une chose. Pour la marquise c'est plus grave que ce que je vous ai dit. Elle a voulu mourir.

*

Zamor patiente au pied de l'estrade. Delorme, assis sur son trône, se fait lustrer les bottes par un gamin chocolat en livrée.

— C'est bien, mon frère! Tu es ponctuel. Est-ce que tu m'apportes la Perle Noire?

Depuis qu'il est arrivé dans la grotte, Zamor est intrigué par l'eau qui a encore monté et recouvre maintenant la nef centrale. Du côté de l'Arche des Esclaves, une armada d'hommes s'affairent. Ils s'échinent les pieds dans la boue. Le bateau semble échoué dans une anse. Un réseau de planches posées sur des pierres installe une déambulation de coursives dans l'église. Des gaillards torse nu sont occupés à la mise en place du gouvernail. La pièce de bois se balance doucement dans les airs, suspendue à un treillis de cordages.

— Alors, Zamor, cette Perle Noire?

— La voilà!

Zamor brandit une bourse de cuir par son cordon. Cette fois, les gardes ne l'ont pas fouillé pour arriver jusqu'ici.

— Approche!

Delorme lui fait le signe magnanime de monter sur l'estrade. Zamor obéit.

— Donne!

Delorme lui arrache la bourse des mains. Il dénoue le cordon et sort la Perle Noire. Il la contemple un instant, les yeux vides et tout à coup la lève comme un trophée vers l'immense tableau du maréchal de Saxe et sa garde de uhlans.

— Père, voici ta perle!

Une clameur venue de la grotte lui répond.

— Zamor, tu viens de réparer une injustice.

Les yeux fermés, Delorme respire la Perle Noire.

— Hum! Ça sent encore la comtesse! Sais-tu que le roi avait l'habitude de cacher cette perle n'importe où sur elle. Tu te rends compte, Louis XV jouait avec la Perle Noire, à cache-tampon, sur la du Barry!

Delorme rit avec du gras entre les dents. Zamor n'aime pas qu'on évoque ces jeux intimes de la comtesse.

— De mon côté, rassure-toi Zamor, j'ai laissé ton docteur Seiffert sortir de Haarlem. J'ai mis deux hommes derrière lui pour le surveiller et savoir ce que devient mon enfant léopard.

Zamor se dit que c'est peut-être Delorme qui le débarrassera de Seiffert avant Commandeur.

— N'oublie pas, frère, que la Perle Noire, malgré son immense valeur sentimentale pour moi, ne fait que payer la location de l'enfant léopard jusqu'à midi.

— Je le sais. C'était convenu entre nous.

— Si par malheur l'enfant ne revenait pas, pour le rembourser, il faudrait au moins tous les bijoux que tu as volés, à la du Barry.

Zamor tente une posture outragée.

— Allons, mon frère, il n'y a pas d'offense. Ces bijoux ne sont que le juste dédommagement de l'esclavage que cette catin vérolée t'a fait subir. Ces bijoux, que tu as si bien cachés...

Zamor sent monter l'allusion. Un filet de sueur glisse entre ses omoplates. Soudain, un hurlement de terreur emplit la voûte de l'église. Zamor sursaute. Delorme le rassure.

— Ce n'est rien. C'est juste une démonstration dans un Cabinet de Compréhension. Viens, frère, je t'avais promis de te montrer. Tu vas être surpris.

Delorme se lève de son trône, chasse le gamin qui lustre ses bottes et emmène Zamor vers le fond de l'église. Il y a de quoi être surpris. Le transept est planté de cases. Zamor a l'impression d'être transporté au milieu d'une plantation aux Antilles. Si ce n'était l'eau boueuse qui gagne partout. Delorme le conduit jusque dans l'abside, devant une porte circulaire en bronze.

— Avant, ce conduit alimentait la fontaine de la Négresse-qui-rit, une insulte à la douleur de nos frères. Je l'ai bouchée.

Brusquement Delorme pousse Zamor à l'intérieur d'une case en dur. C'est une forge. Deux hommes taillés en soufflet le saisissent, l'assoient sur un tabouret et lui ôtent son habit. Un brasero menace à ses pieds, des fers rougis attendent plantés à l'intérieur.

— Voilà, mon frère. Tu es dans un Cabinet de Compréhension. Dans celui-ci, les visiteurs pourront se faire marquer. J'ai tout un choix de motifs.

Delorme tire un fer des braises et souffle dessus.

— Tu ne trouves pas que cela ressemble aux rubis ? A propos, mon frère, parmi ses bijoux, est-ce que la du Barry avait... des rubis ?

Delorme saisit Zamor aux cheveux et approche de son visage le fer rougi. Il crache dessus. Le grésillement donne déjà l'impression d'attaquer la peau. Zamor ne résiste pas. Il a compris dès qu'il a vu le brasero. Mais ce chien de Delorme n'aura pas sa peur. Il hurlera, ça oui. A s'en arracher la gorge et le cœur.

— Frère, je vais te faire un honneur. J'ai choisi pour te marquer le « D » de Delorme. A moins que tu ne me dises où sont cachés les bijoux de ta catin vérolée de comtesse.

— Tu n'auras rien ! Je préfère mourir.

— Ce n'est pas toi qui choisis, mon frère. Tenez-le !

Les deux forgerons tirent les bras de Zamor en arrière et lui maintiennent la tête relevée. Delorme arrache la chemise et découvre la poitrine. Il a un sursaut d'horreur. Le fer lui tombe des main. Ses yeux ne peuvent se détacher de la flétrissure boursouflée sur la peau de Zamor. A la hauteur du cœur, le sein est marqué d'un... « dB »...

— Hé oui, mon frère! Delorme, le Maître à Tous, a eu la même idée que cette catin vérolée de comtesse du Barry.

Delorme cravache Zamor et lui crache au visage.

— Jetez-moi ce nègre pourri dehors!

Les forgerons traînent Zamor. Dans le transept, ils croisent deux gaillards bottés, un flandrin à peau de kiwi et un moustachu, l'anneau à l'oreille. Ils courent affolés en faisant sonner leurs éperons.

— Maître! Maître à Tous!

Zamor est expulsé par les forgerons. Il a juste le temps d'entendre.

— L'enfant léopard a disparu!

*

Au fond du fiacre, l'enfant léopard est ballotté par les cahots. Il reste silencieux, la tête baissée dissimulée dans le capuchon de sa pèlerine. Le docteur Seiffert l'observe. Depuis leur départ de Haarlem, il n'a pas bougé. Il paraît calme. Comment expliquer à l'enfant ce qu'il attend de lui, dans un instant? Il lui faudra faire vite et être agile. Est-ce que le gamin pourra? Surtout avec cette paire de menottes. Le docteur avait dû. Il se serait sauvé sinon. Seiffert vérifie. Les deux cavaliers noirs qui le suivent depuis Haarlem sont toujours là. Il faut se débarrasser d'eux, sinon il va les amener dans ses bagages chez le marquis d'Anderçon. Le docteur appelle le cocher par la trappe.

— Hé, l'ami! Connais-tu l'impasse anciennement du Chat-Blanc?

— Derrière le Grand Châtelet, vis-à-vis de la Jetaillerie, citoyen?

— C'est ça! Alors écoute-moi bien.

Le docteur passe une bourse qui aurait aiguisé l'ouïe de n'importe qui. Il en faut de l'oreille dans le vacarme des sabots sur le pavé et le bringuebalement de la caisse, pour bien comprendre son plan.

Derrière le fiacre, les deux cavaliers noirs galopent à francs étriers. La voiture qu'ils suivent a disparu. Elle vient de tourner court, et de se jeter à pleine allure dans la rue de la Vieille-Place-aux-Veaux. Le Maître à Tous les tuera s'ils perdent l'enfant léopard. Ils cravachent. Deux ramoneurs en colloque traversent devant eux. Les chevaux emballés les percutent à l'épaule et les culbutent, avec échelles et cordages. On braille à l'écraseur, on ameute, les chevaux bronchent, la main est nerveuse sur les rênes, les fers glissent dans la rigole sur de la paille pourrie, mais bêtes et hommes se ressaisissent, se regroupent et se lancent derrière le fiacre. Juste à temps pour voir le cul de la voiture disparaître dans une ruelle. A peine arrivés dessus, ils voient le fiacre qui ressort en marche arrière. Une impasse! En plus, ce maladroit de cocher se dégage de travers et bloque le passage.

— Bien joué, l'ami!

Caché derrière le battant d'une porte cochère, le docteur n'a pas pu s'empêcher de s'exclamer. Voilà une bourse bien employée. La manœuvre prévue dans l'impasse a été exécutée à la perfection. Le gamin a

sauté du fiacre exactement quand il a fallu. Il est leste,
et pas impressionné. Seiffert écoute la voiture repartir.
Avant que les deux cavaliers ne se rendent compte que
la voiture est vide, il aura déjà rejoint l'hôtel du marquis d'Anderçon.

*

A La Vainqueuse, la chambre de la Patronne est
éclairée par une seule bougie. Assis tout près du lit, Ed
et Jones regardent la marquise d'Anderçon qui dort. Ils
sont inquiets. Et si elle ne se réveillait plus... Elle a
voulu mourir... C'est tout ce qu'ils ont laissé le temps à
la Patronne de leur dire, avant de se précipiter ici.
Pourquoi essayer de se tuer quand on est si belle?...
Elle se sent coupable... Mais de quoi?... Ed regarde la
lettre de la princesse de Lamballe qu'il tient à la main,
comme si la réponse était là, quelque part. Avec Jones,
ils l'ont lue et relue, jusqu'à la savoir par cœur. Ils
connaissent maintenant toute l'histoire de l'enfant léopard. Ils devraient en être heureux ou au moins soula-
gés, mais ils ne pensent qu'à la marquise.

Ed guette son souffle, le mouvement de sa poitrine,
les tressaillements de ses paupières closes. Il aime ce
danger et cette inquiétude qui lui donnent le droit de la
contempler, à la seule lueur d'une flamme.

— Ed, on ne peut pas attendre plus longtemps. La
Patronne va s'occuper d'elle. Nous savons ce que nous
voulions savoir.

— Et le marquis?

— Quoi, le marquis?

— Je ne comprends pas ce qu'il nous explique dans
sa lettre. Et toi?

Ed montre la feuille pliée que Jones garde sur les genoux.

— Moi, j'ai retenu une chose, c'est que le marquis est ruiné, à cause des sommes qu'il a englouties dans la préparation de son expédition pour trouver le passage nord-ouest. On savait qu'il l'obsédait, mais à ce point !

— Ça, Jones, je comprends. Et même, que le marquis ait cherché des fonds par des moyens de plus en plus risqués. Mais après ?

— Après ? Un sauveur arrive pour te prêter de l'argent, jusqu'au jour où il te demande un petit service que tu ne peux pas lui refuser. Le sauveur, c'est le docteur Seiffert et le « petit service » c'est... l'enfant léopard qu'il faut retrouver pour la bonne cause. Mais le marquis se rend compte que le docteur ne veut pas sauver l'enfant, mais au contraire l'éliminer. Seulement c'est trop tard, Seiffert est lancé.

— Alors, le marquis fait appel à nous pour trouver l'enfant léopard avant ce docteur Seiffert.

— C'est pour ça que nous n'avons eu que... douze heures pour sauver un enfant !...

— Dans tout ça, je ne vois pas de quoi la marquise se sent coupable, au point de tenter de se tuer.

L'inquiétude n'a pas quitté le visage d'Ed.

— A mon avis, Ed, c'est elle qui a fourni au docteur Seiffert un contact à Haarlem.

— Zamor ?

— Oui, Zamor... A cause de lui, elle se sent coupable d'avoir mis la vie de l'enfant léopard en danger, et... les nôtres aussi.

— C'est vrai, Jones.

La marquise ! Elle s'est éveillée. Comme sa voix est faible ! Elle se redresse dans le lit, simplement vêtue d'une chemise blanche d'homme, entrouverte... Dieu qu'elle est belle !... Ed aimerait savoir le dire autrement, Jones ne tente même pas.

— Il me reste une ou deux choses à vous dire à propos de la lettre de la princesse de Lamballe. Ce que vous avez lu est vrai. L'enfant léopard est né des premières couches de Sa Majesté Marie-Antoinette, le 19 décembre 1778. Il est le jumeau de Marie-Thérèse. A cause de son apparence, on veut l'éliminer à sa naissance, mais la princesse de Lamballe le sauve, et l'élève, jusqu'à son assassinat, l'an passé. Lisez en haut de la feuille.. *Prison de la Petite Force le 2 7bre 92*... La veille de sa mort ! Cette lettre est certainement destinée à la reine, mais le duc de Penthièvre ne la lui remettra jamais. Pire, Delorme en apprendra le contenu par un mouchard de la prison. Cet affreux lundi 3 septembre, pendant quatre heures, Delorme aidé de complices s'acharnera sur la princesse de Lamballe pour lui faire avouer où est l'enfant léopard. Pendant quatre heures, elle souffrira le martyre, mais ne dira rien. La suite, vous la connaissez. Grâce à Zamor, Delorme finit par mettre la main sur l'enfant léopard. A la Conciergerie, la reine apprend son existence. Probablement par le docteur Seiffert qui tient enfin sa vengeance contre Marie-Antoinette. Celle qui l'a séparé de la princesse de Lamballe, et qu'il rend responsable de sa mort, veut voir son enfant. Alors, il conçoit le projet abominable de faire croire à la reine qu'il va sauver son fils pour mieux la punir. Le reste...

La marquise se laisse aller en arrière, lasse. Ed a envie de souffler la bougie pour qu'elle se rendorme. Tout à coup, en bas, la Patronne hurle.

— A moi, Ed et Jones !

*

De la rue, le docteur Seiffert observe les fenêtres de l'hôtel du marquis d'Anderçon. Il s'y passe des choses anormales. Deux hommes discutent derrière les rideaux de la salle d'armes du premier étage. Ce n'est pas ce qui était prévu. Le marquis devait être seul quand il lui ramènerait l'enfant léopard. Le docteur hésite à entrer tant que ces hommes sont là. Il achète un verre d'orgeat et une pomme d'amour à l'enfant pour le faire patienter. La marchande ambulante est intriguée. Seiffert rajuste le capuchon de la pèlerine autour du visage de l'enfant léopard et sur les menottes qui les enchaînent. Ce serait dommage d'être mouchardé au dernier moment.

*

Sur le seuil de la salle d'armes, Commandeur regarde intrigué un minuscule laquais en livrée bleue encruché sur une chaise. Que fait cet idiot à parler tout seul devant la fenêtre ? On dirait qu'il converse avec l'armure dépenaillée qui lui fait face.

— Je n'agrée pas avec vous, chevalier Rouillure, à propos de ces émigrés et de Brunswick. Notre armée saura les défaitir.

— Les défaire !

Thomas sursaute. Le cœur à peine retombé dans sa poitrine, il découvre l'homme immense qui vient de le reprendre. Pire que l'armure! La surprise et la peur jettent Thomas d'un côté, la livrée de l'autre. Le tout part en déséquilibre arrière, la chaise glisse sous lui, il s'accroche au rideau, embarque dans sa chute étoffe, tringle, pitons et anneaux. L'armure pataude chancelle, hésite et finit par abattre sa ferraille d'un bloc, dans la pièce. S'ensuit un éparpillement d'épaulières, cuissots, armet, tassette et soleret. On portait du vocabulaire sur soi, en ce temps-là!

Commandeur ramasse Thomas par la cubitière.

— Que faisais-tu là, à parler avec cette armure?

— J'animais la fenêtre, monsieur. Des fois que le voisinage s'en vienne à croire faussement que je suis tout seul ici.

— Pourquoi, tu n'es pas seul?

— Si! Mais je dois être seul à le savoir.

— Tu me parais avoir l'esprit bien dérangé. Où est ton maître?

Commandeur le tient à bout de bras.

— Monsieur, redescendez-moi, je vous prie, je suis sujet au vestige.

— Au vertige!...

— Ce n'est pas moins haut, cependant.

— Alors, je t'ai demandé où est ton maître?

— Excusez-moi, monsieur, je n'ai pas bien entendu. Qui dois-je annoncer?

En guise de présentation, Thomas est balayé, plaqué sur le dos, un genou enfoncé dans le ventre. Commandeur tire sa machette.

— Regarde bien ces morceaux d'armure. C'est à ça que tu vas ressembler. Je commence par le gantelet.

— Non monsieur! pas cette main, je suis gaucher.

Commandeur abat sa machette. Il y a un choc sourd. Thomas hurle. La lame est fichée dans le bois à un rien de ses doigts.

— Comme je suis maladroit! Je vais recommencer.

— Non!

Thomas se remémore l'armure éparpillée et le nombre incroyable de morceaux qu'on peut tirer d'un corps. Même petit.

— Alors explique-toi.

— Voilà... La maison est vide, je suis seul, alors je montre à voir de l'animation au voisinage pour éviter d'être pillardisé.

— Piller suffit.

— C'est vrai, et il ne reste guère plus.

— Tu ne m'as toujours pas dit où était ton maître.

— Il a émigré!

La machette s'abat près de l'oreille cette fois. Thomas entend le fer vibrer et lui dire... Ne fais pas l'idiot. L'acier est plus têtu que l'homme...

— Heu... Je voulais dire que mon maître n'est plus là. Il a été émigré par des hommes qui lui voulaient une mauvaise partie.

— Un! mauvais parti. Les ennuis sont masculins.

— Et souvent, masculin pluriel!

— Cesse de t'amuser. Je te crois pour ton maître. Tu es trop peureux pour mentir trois fois de suite.

Même deux, pense Thomas.

— Dis-moi, le docteur, est-ce qu'il est venu avec l'enfant?

Thomas n'ose pas demander... Quel docteur?... Quel enfant?... Cela ressemble trop à des morceaux débités. Surtout que pour l'enfant en question, il en sait bien trop pour un valet couard.

— Je n'entends rien, monsieur, à ce dont vous me parlez.

— Ça, je le crois moins. Je ne connais pas de valet qui n'écoute aux portes et ne regarde à la serrure.

— Monsieur, j'y ai une excuse. Tout ceci est à ma taille.

— Alors, tu y as vu la négresse ?

— Monsieur veut parler de madame la marquise.

— Pour moi, elle est d'abord une négresse avant d'être une marquise.

— Monsieur doit avoir raison puisqu'il pèse cent livres de plus que moi.

Commandeur plaque violemment la tête de Thomas contre le parquet. L'inconvénient de la position est qu'il a l'oreille vilainement écrasée, l'avantage est qu'il entend parfaitement que quelqu'un monte l'escalier qui mène ici.

*

Pobéré pousse sa mère dans la brouette. Il remonte la rue Saint-Honoré en direction du Palais-Royal.

— Allez, mon p'tit, raconte-moi ! Est-ce qu'il y a beaucoup de soldats.

— Surtout des gendarmes, la mère. Ils font le cordon.

— La couleur, p'tit ! Dis-moi la couleur.

— Il y a du bleu, beaucoup de bleu, et le blanc des culottes et aussi le doré des galons.

— Et le rouge ? J'aime bien le rouge.

— Il y en a sur l'enseigne du marchand de vin, une pleine grappe! Tiens, et ici, une servante porte un panier de tomates.

— Des tomates! Un 16 d'octobre. En voilà une qui revient de l'Hôtel des Américains. On y trouve le printemps en hiver dans cette boutique. Regarde bien, p'tit, le maître d'hôtel doit pas être loin devant.

— C'est vrai, la mère. Il a le feu aux joues et l'air soucieux.

Pobéré vient de se décrire. Il regarde et regarde encore, mais il ne voit pas les braves aux emplacements où ils devraient être à cette heure.

— Pardi, mon p'tit! Le bougre pense à son menu. Une table de quinze couverts, c'est deux Potages, deux Relevés de Potages, huit Entrées, deux Grosses Pièces, deux Plats de Rôts et huit Entremets. Sais-tu que j'ai passé les plats quand j'étais encore fille, chez le duc de Penthièvre?

— Non, tu ne me l'as jamais raconté, la mère. Qu'est-ce qu'on mangerait aujourd'hui chez lui?

— Tu veux le menu?

Pobéré veut bien tout. Tout ce qui lui évitera de décrire ce qu'il voit vraiment. Les soldats qui fleurissent en allée, des braves qui manquent à leurs postes, les mouchards en uniforme de mouchard, les visages indifférents, les femmes qui se querellent devant la boucherie pour de vilaines saucisses et le Porche Rouge qui approche.

— Alors, à table mon p'tit!... On commencera par un potage à la Brunoy, ensuite en relevé, un jambon de Bayonne à la broche. Puis pour entrée, des cailles à la

Mirepoix. Une carpe du Rhin au bleu ira en grosse pièce, et deux lapereaux de garenne viendront bien pour les rôts.

— Grâce, la mère ! Je demande grâce !

Pobéré a un frisson. C'est ce qu'on demande au bourreau. Est-ce qu'on guillotine à quatorze ans ? Il sont proches du Porche Rouge. Il a beau promener le regard, il ne trouve pas Jean-Baptiste.

— Ne t'inquiète pas, mon p'tit, c'est à ce moment, pour redonner du tonus aux fibres de ton estomac, qu'une jeune fille blonde et vierge viendra te servir un extrait d'absinthe de Suisse dans un verre en cristal.

Pobéré ne voit pas Merlin à l'endroit prévu. L'animal doit donner à téter à son agneau.

— Cela se boit d'un trait, mon p'tit. C'est ce qu'on appelle le Coup du Milieu.

Pobéré aurait bien besoin d'un verre. Un Coup du Milieu... Crac !... En plein cœur comme pour Sanson tout à l'heure. Si le couteau ne manque pas. Elisabeth est à son poste. Les mains à la taille, elle fait la galante devant deux gendarmes. Mais Guillaume non plus n'est pas arrivé. C'est lui qui doit porter le couteau jusqu'au dernier moment. Il l'a voulu comme ça pour sa femme. On craignait pour elle et c'est lui qui faiblit.

— Arrête-toi, mon p'tit. Je suis certaine. On est devant le Porche Rouge, pas vrai ?

— Comment tu le sais, la mère ?

— Je t'ai senti ralentir. Toi aussi tu veux profiter. Tu veux respirer cet endroit où nous allons sauver la reine, tout à l'heure. Tu as raison. Ce pavé-là a une odeur de liberté.

*

— A moi, les affreux !

Dans la salle de La Vainqueuse, la Patronne hurle. Ed et Jones se jettent hors de la chambre où la marquise repose.

Ils dévalent les escaliers, piétinent les paliers et battent les portes. Tout est en bois qui sonne bon la charge. Ils surgissent dans la salle de la gargote. La situation est facile à décrypter. Quatre sectionnaires ou approchant ont saisi la Patronne, et lui ont ligoté les mains dans le dos. Ils essaient de l'entraîner dehors, mais elle a enlacé un poteau avec ses jambes et ne desserre pas. Sa poitrine opule sous l'effort. Il faudra écrouler le temple sur elle, pour qu'elle lâche prise. Aux arrestateurs s'ajoute un bonhomme habillé en gris délateur qui pointe un index taché d'encre vers la Patronne.

— C'est cette citoyenne qui a dit que Robespierre ne buvait pas de café, mais du sang !

Un dernier à épaulettes tient une feuille de papier accusatrice. Quatre plus un, plus un, font six qui est divisible par deux. La preuve, Ed et Jones en prennent chacun trois sans retenue.

Il s'ensuit une série de multiplications, additions, soustractions, divisions et extractions plus ou moins brutales avec élévations à toutes les puissances. La force publique est surprise. Elle ne s'attendait pas à une révolte arithmétique. C'est une première. Elle cède.

La Patronne libérée, Ed et Jones sortent leurs plaques bleues. On se salue, les talons claquent, la

Patronne sert à boire, on trinque à la « méprise patriotique ». Derrière son verre, le délateur se demande si ce
petit vin guinguet ne serait pas mouillé d'eau. La
Patronne glisse un regard reconnaissant à Ed qui bru-
nit aux boursouflures. Ed et Jones prennent la
Patronne à part.

— On te confie la marquise, citoyenne. Elle est
vraiment en danger.

— Personne ne doit s'en approcher.

— Et pour l'enfant ?

— On sait où il est, citoyenne. On y va !

*

Piqueur lève la lanterne au bout de son engin, pour
éclairer les murs de livres qui l'entourent. L'empile-
ment se perd jusque sous la voûte éclairée par une
lueur bleutée de vitrail.

— C'est ici ta maison, Marmotte ? On dirait qu'on
est dans le ventre d'une baleine.

— C'est l'ancienne église des Capucins.

— Alors, c'est une baleine qui a avalé une église, ta
maison. Où elle est ta cabane dans les livres ?

— Suis-moi.

La Marmotte et Piqueur avancent dans un labyrinthe
de gorges étroites constituées de volumes empilés. Le
passage est encombré de roues de fiacre, berline,
cabriolet, vinaigrette... Ma collection !... Tous ces tro-
phées n'aident pas la Marmotte et Piqueur à avancer.
Déjà qu'ils sont gênés par le tableau d'ancêtre que chacun porte sous le bras.

— Comment tu fais pour t'y retrouver, Marmotte ?

— Facile ! C'est rangé par rues. Là, c'est la rue des Sciences, ici à droite, c'est la Géographie, celle qui part en biais, l'Histoire. Et moi, j'habite là-haut ! C'est ma cabane !

La Marmotte montre une excavation à flanc de paroi dans une montagne de livres. Ils grimpent les marches taillées dans les volumes, franchissent un éboulis d'in-4° et atteignent une sorte de caverne dallée de capitulaires, Piqueur n'en finit pas de s'arrondir les yeux. Il comprend pourquoi Marmotte lui disait qu'il habitait *dans* les livres. Ils laissent les tableaux d'ancêtres, de garde à l'entrée et entrent. A l'intérieur, la Marmotte allume un gros cierge de Pâques. Piqueur visite.

— Le lit ! le banc ! la table ! tout est en livres ! Il est où, ton préféré, celui que tu connais par cœur ?

— *Les Voyages du capitaine Cook* ? Je l'ai rangé ici.

La Marmotte lui désigne un ouvrage prisonnier sous la grosse vis d'une presse d'imprimerie.

— Pourquoi il est là ? Il est puni. Tu as peur que l'histoire se sauve ?

— Non, c'est pour m'empêcher de le lire tout le temps.

— Tu veux dire que quand on aime trop quelque chose, il faut s'en priver. C'est pareil pour les gens ? Alors, moi, je veux pas qu'on s'aime trop. Promis ?

— Promis !

La Marmotte et Piqueur se tapent dans la main à la manière de marchands de bestiaux.

— Marmotte tu m'avais promis de me le lire par cœur ton livre

— D'accord. Qu'est-ce que tu veux comme passage ?

— Je voudrais le début. Pas celui pour les filles. Le vrai début. Celui où on prend le bateau, avec l'odeur et la mer.

La Marmotte et Piqueur s'assoient en tailleur autour du cierge de Pâques. La Marmotte raconte.

— *27 mai au 29 juillet. A onze heures du matin j'arborai la flamme et, en accord avec la commission que j'avais reçue le 25 courant, je pris le commandement du navire mouillé dans le bassin de Deptford Yard.*

Piqueur écoute les yeux fermés accroché à la hampe de son engin, le visage plein d'embruns.

— *... les faits du jour figurent dans le journal de bord, et, comme ces notes ne contiennent rien que d'ordinaire, on n'a pas jugé utile de les transcrire dans la présente relation.*

— Marmotte, moi j'aime bien les histoires où on te dit qu'on ne te dit pas tout. Comme ça, il en reste.

La Marmotte et Piqueur poussent encore une pointe. Ils passent le cap Horn par 55° 53' de latitude sud et 68° 13' de longitude ouest, et finissent par mouiller une ancre dans la baie Royale. La Marmotte pense à Marie-Antoinette. Sa charrette passera tout près d'ici, rue Saint-Honoré. Il déplie une carte... *1er voyage de Cook (1768-1771)...*

— Où on est Marmotte ?

— Ici !

— Où on va ?

— Là, à la prison du Temple, donner le petit chien au dauphin.

— Ça va, ce n'est pas très loin.

La Marmotte est triste. Il aurait bien gardé Coco. Il lui aurait fait une niche avec un grand atlas. Mais il ne faut pas. Le dauphin sera tellement heureux de l'avoir auprès de lui, de le serrer dans ses bras, de respirer le parfum de sa mère.

— On reviendra, Marmotte? Dis, tu me raconteras la suite. Le capitaine Cook, c'est vrai qu'il a existé? Qu'il était anglais? Que Cook ça veut dire cuisiner? Qu'il a été mangé par des cannibales aux îles Sandwich?...

Piqueur s'arrête net.

— Et comment tu vas faire pour entrer au Temple? Tu n'es même pas prisonnier.

*

Commandeur ne lâche pas sa prise. Il tient Thomas, la joue écrasée contre le sol, et une oreille coincée entre deux lames de parquet. La position est inconfortable, mais permet à Thomas de parfaitement entendre le pas de celui qui monte l'escalier vers la salle d'armes. Commandeur aussi a entendu. Il tire doucement une lame de sa ceinture, s'immobilise et garde l'œil sur le seuil de la porte. Une forme s'encadre. Commandeur plonge, roule et lance sa dague qui se fiche dans le chambranle à la hauteur de l'épaule du docteur Seiffert.

— Diable, Commandeur, en voilà un accueil!

Le docteur a le calme de celui qui tient un bon pistolet en main. Il avance vers Commandeur, l'enfant léopard enchaîné à son poignet. Thomas en profite pour se faufiler hors de la salle d'armes. Commandeur fixe l'enfant.

— Alors, c'est lui!

Il ôte son chapeau et déploie une révérence volontairement maladroite et ampoulée.

— Sire !

Dans le même mouvement, Commandeur jette son chapeau au visage de Seiffert. Il est surpris, fait un écart et tire au jugé. La balle éclate une boiserie. Commandeur s'élance et percute de sa masse le docteur qui entraîne dans sa chute l'enfant enchaîné à lui. Commandeur lève sa machette.

— Pas me tuer, m'sieur ! Pas me tuer !

L'enfant supplie recroquevillé aux pieds de Commandeur qui lui arrache sa pèlerine, le saisit aux cheveux et le relève. Sur le visage de l'enfant, une macule blanche a dévoré la peau sur la moitié du visage. De l'œil au menton, elle dessine une sorte d'île douloureuse.

— Pas me tuer !

— Tais-toi ! Tu n'existes pas !

— Ho si, Commandeur, il existe !

Le docteur pique la pointe d'une lame contre le cou de Commandeur impassible.

— Que voulez-vous, Seiffert ? Qu'on se batte ? Que je saisisse un autre sabre au mur, et qu'on se dispute en duel la vie de l'héritier du trône de France ! Comme ce serait chevaleresque !

— Je n'ai aucune chance contre vous.

— C'est vrai, Seiffert, j'aurai égorgé cet enfant avant même que vous m'ayez seulement égratigné. Quelle différence pour vous, c'est bien ce que vous vous apprêtiez à lui faire ?

— Certainement pas de cette manière.

— Vous laissez la vilaine besogne à vos commanditaires. Qui sont-ils d'ailleurs ?

— Commandeur, il n'est pas difficile de deviner qui n'a pas intérêt à voir apparaître un nouveau prétendant au trône, jeune et bien portant.

— Vous osez vous rendre complice d'une telle entreprise, Seiffert !

— Une entreprise tout aussi peu noble que l'assassinat d'un enfant qui risque de trahir votre sang noir.

— Vous reprenez les insinuations du vicomte. Ça ne lui a pas réussi. Ni à un vieux chirurgien italien à qui je pense en ce moment.

Commandeur revoit le sourire de Norcia. Il n'en aura donc jamais fini avec ce sang ! Il rugit, et comme on se dégage d'entraves, il écarte la lame et l'enfant. Sa machette fauche l'air d'un large revers à hauteur du bas-ventre. Le docteur l'évite, bat en retraite, l'enfant attaché au poignet. Il tente de tenir Commandeur à distance avec son sabre, mais trébuche sur un débris d'armure et relâche sa garde. Commandeur fond sur lui et le frappe au ventre en remontant comme un croc. Seiffert a un hoquet sourd et tombe assis, incrédule. Il n'a même pas vu le coup venir.

— Le vieil homme dont je vous parlais, docteur, est mort de cette manière avec un étonnant courage. J'avais envie de savoir si vous en auriez autant.

Seiffert tente d'endiguer sa blessure des deux mains.

— J'espère que Sidonie me réussira une aussi jolie cicatrice que pour le carlin de Sa Majesté.

A demi évanoui, Seiffert lève un regard résigné vers Commandeur qui le domine de toute sa masse. Il ne lui

reste plus qu'à l'achever. Pourtant Commandeur reste
immobile, pétrifié.

— Une cicatrice!... Mon Dieu!...

Il se précipite sur l'enfant terrorisé, blotti contre le
docteur.

— Pas me tuer!

Commandeur saisit la chemise de l'enfant et l'arrache. Il dégage le ventre, cherche, palpe, fouille. Rien.
Commandeur se dresse, les bras en l'air. Il hurle aux
dieux comme quand il ne reste plus rien pour arrêter le
feu qui court dans un champ de cannes.

— Ce n'est pas lui! Ce n'est pas l'enfant léopard!
Reveillez-vous, Seiffert! Regardez son ventre! Pas la
moindre cicatrice. Celui que nous cherchons a été castré. Pas celui-là!

Le docteur entend très au loin Commandeur qui
vocifère contre l'enfant.

— Toi, tu vas tout me raconter. Je veux retrouver le
véritable enfant léopard. Si tu me mens, je reviendrai te
couper la langue et t'arracher les yeux!

L'enfant tremble. Il dit qu'il s'appelle Zoé comme si
ça devait suffire à le protéger. Puis raconte. A la fin,
Commandeur le montre du doigt.

— Toi, je te crois. Il vaut mieux que tu n'aies pas
menti sinon, n'oublie pas ce que je t'ai promis.

Commandeur laisse le docteur Seiffert livide, dans
les bras de Zoé qui le berce en chantonnant. Il sort de
la salle d'armes. Du haut de l'escalier, il entend le bruit
d'une cavalcade qui monte vers lui.

*

Ed et Jones grimpent les marches de marbre blanc au pas de charge, le 38 bien au clair. Thomas souffle derrière, à la traîne d'un palier.

— Ils sont là-haut, dans la salle d'armes. Ils se duellent !

Au-dessus de leurs têtes, Ed et Jones voient apparaître la silhouette impressionnante d'un homme sombre. Il prend appui d'une main sur la rambarde et saute dans le vide. La longue chute déploie sa cape. Ed et Jones sentent au passage le souffle puissant de son corps. Il tombe, ébranle le sol, roule, se redresse, leur lance un coup de chapeau et disparaît.

— C'était quoi qui est choit ?

Ed et Jones aimeraient répondre à la question de Thomas. Ils connaissent peu d'hommes capables de se relever d'une telle chute. Ils feraient bien de savoir « C'est quoi qui est choit », car ils sentent qu'ils retrouveront bientôt cet archange sur leur route.

*

Marie-Antoinette regarde le greffier tourner et retourner la page. Il semble étonné de ne rien trouver au dos. Qu'espérait-il ? On vient de lui lire une deuxième fois sa mort. Elle n'a plus rien à leur offrir. Face à elle, ses juges semblent désemparés.

La porte de la cellule s'ouvre. On s'écarte. Un homme entre. Dieu qu'il est immense ! C'est le bourreau.

11

Le Nègre Delorme

Marie-Antoinette lève les yeux sur le bourreau. Il lui fait face. L'homme emplit toute la cellule, mais semble loin, presque inaccessible. Comme il est jeune ! Elle ne sait ce qui l'a le plus effrayé de sa taille, ou de son visage d'enfant. Comment peut-il vouloir la tuer avec une peau si lisse, un regard tellement doux ? Elle pourrait être sa mère... Henri Sanson... C'est ce que son avocat lui a dit... Henri !... Elle est étonnée qu'une telle fonction ait un prénom.

— Présentez vos mains !

Sanson avance les siennes, chargées de liens. La reine se dérobe. Elle recule. Quoi, on veut l'entraver ! Lui interdire de prier. Où est cet abbé à gousset ? Qu'il leur dise quel sacrilège ils s'apprêtent à commettre. Elle est la reine ! et on veut l'attacher telle une bête, une louve, une hyène, une grue... Voilà comment les mots finissent, à force d'être prononcés.

— Est-ce qu'on va me lier les mains ?

Pour dire oui, le bourreau fait un signe de la tête aux proportions de sa taille.

— On ne les a point liées à Louis XVI!

Le regard du jeune Sanson vacille. Il ne s'était pas préparé à ce qu'on lui rappelle si vivement l'étiquette. Surtout à ce moment-là. Le bourreau se retourne et interroge du menton le président du tribunal. Hermann est surpris. Marie-Antoinette guette son visage. Un simple mot de lui, et elle pourra caresser le ruban de deuil à son poignet, croiser les doigts, ou plaquer les mains contre son ventre pour le rassurer quand il aura trop peur. Hermann trouve sa seconde d'hésitation trop longue. On pourrait lui reprocher. Il aboie.

— Fais ton devoir!

Sanson obéit et va sur elle.

— O mon Dieu!

Marie-Antoinette fait un geste pour se protéger. Le jeune homme lui saisit les poignets brusquement, la fait pivoter, lui réunit les mains dans le dos, les croise, noue la corde et serre brutalement. La reine sent la douleur lui arracher les coudes et les omoplates. Il n'a fallu que deux secondes pour qu'ils fassent d'elle un animal attaché au piquet. Mais ils ne lui arracheront aucun pleur. Elle sent que tous ceux qui sont là l'observent et taillent déjà leur plume pour raconter.

Elle se redresse, cambre les reins... De la tenue!... De la tenue!... Elle entend la voix forte de sa mère. Marie-Antoinette lui obéit, mais elle sent que sa poitrine alourdie rechigne à mimer ce maintien-là.

Sanson la tourne face à lui. Comme il est vigoureux! Il y a sur lui un léger parfum de lavande. Le jeune homme évite de croiser son regard, comme dans un jeu amoureux. D'un geste brusque, il lui ôte son bonnet. C'était bien la peine de l'ajuster avec tant de soin. Si Rosalie voyait ça! Marie-Antoinette voudrait que le monde entier sache ce qu'on fait d'une femme dans ces instants. Oui, mes erreurs, mes fautes, mes crimes! Je les ai confessés. Mais pourquoi en ajouter d'autres aux miens?

Une énorme lame jaillit dans la main du bourreau. Marie-Antoinette tressaille. On l'a trahie. Ils vont l'égorger ici, dans sa cellule. Tout n'était que mensonge... O Axel, mon chevalier, fends les eaux et la terre! Sauve-moi!... Elle veut tomber à genoux et fermer les yeux. Ne pas voir venir la lame. Sanson l'exauce. Il la tourne fermement vers le lit. Elle fixe l'endroit où elle a caché sa chemise ensanglantée. Il y a un bruit métallique dans son dos.

Le bourreau empoigne Marie-Antoinette par les cheveux.

*

Le 38 en flambeau, Ed et Jones arrivent en courant en haut du grand escalier de l'hôtel d'Anderçon. Thomas est resté figé au palier inférieur Il regarde pardessus la rambarde et se demande comment Commandeur a pu réussir ce saut dans le vide de trente pieds au moins. Thomas l'envie. Il donnerait bien tout ce qu'il n'a pas, en taille, poids et courage, pour savoir, rien qu'un instant, ce que c'est d'être fort et de voler tel un ange.

Ed et Jones sont devant la porte de la salle d'armes. Ils l'encadrent, et écoutent ce qui se passe à l'intérieur.

Jones envoie les signaux. Ed entre le premier. Un coup d'œil indien, pour juger de la situation. Le tableau est clair. C'est une descente de croix. Un enfant crépu tient dans ses bras un homme percé au flanc, allongé sur le sol. Ed se précipite. Jones le rejoint. Thomas reste sur le seuil obnubilé par la tache de sang qui s'assombrit.

— Je... je vais chercher... un cordial !

Il disparaît comme s'il allait vomir. Le docteur, livide, amorce un rire immédiatement happé par une grosse toux.

— Un cordial ! Voilà bien ce qu'il me faut, messieurs. Un cordial... Passez-moi plutôt la trousse dans mon vaste-sac.

Jones lui apporte, l'ouvre, fouille et entreprend de vouloir panser la plaie. Seiffert l'arrête.

— Non ! laissez. Je connais trop bien les ravages que peut faire un mauvais médecin. J'en suis un.

De sa main libre, le docteur sort de la trousse une longue paire de ciseaux effilée et découpe le tissu ensanglanté sur son ventre. Il grimace.

— A qui ai-je l'honneur, messieurs ?

— Ed Cercueil et Fossoyeur Jones, officiers de police. Et vous ?

— Messieurs, tout dépendra du diagnostic.

Le docteur soulève un lambeau de tissu et de chairs mêlés. Il observe sa blessure et mâche une moue pessimiste.

— Disons que ce premier examen m'autorise à vous dire que je dois être Jean-Geoffroy Seiffert, citoyen allemand, grand pilulier de France, aventurier, chasseur

de dots et d'enfants. Ancien premier médecin du duc
d'Orléans, ancien médecin de corps de la princesse de
Lamballe, éloigné par la reine, et dernièrement grand
dupe d'un maharadjah de Haarlem.

— Zamor?

— Ah... Je vois que vous aussi, le connaissez. C'est
donc que vous cherchez après ce garçon.

Le docteur lève les yeux vers l'enfant crépu qui
reste accroché à ses épaules, le visage enfoui dans son
cou. Depuis leur entrée dans la salle d'armes, Ed et
Jones n'ont pas osé le regarder. Ils ne parviennent pas
à imaginer que derrière cette boule de cheveux crépus,
il y a l'héritier du trône de France. Un dauphin
menotté.

— Est-ce qu'on ne pourrait pas lui retirer ça, docteur Seiffert?

— Comme vous voudrez, inspecteur, la clef est
dans la poche de mon gilet.

Jones la prend et dégage le poignet de l'enfant. Il
regarde Ed comme pour lui dire... Ça y est! On a
retrouvé l'enfant léopard. Notre mission est terminée.
Et en moins de douze heures!... Pourtant, ils ont l'air
déçu. Une nuit pareille qui s'achève sur un simple tour
de clef. Ed et Jones restent l'air songeur comme s'ils
regardaient passer un troupeau de vaches de l'Ohio...
Tiens, un veau s'échappe!... Le gamin a bondi. Il bouscule Jones, et traverse la salle d'armes en sautant parmi
les débris d'armure, comme on traverse un torrent sur
des galets. Ed et Jones sidérés sont laissés sur l'autre
berge. Déjà, le gamin atteint la porte. Thomas aussi. Il
apparaît un verre sur un plateau.

— Le cordial de monsieur !

Le choc l'est moins. Forte vitesse, faible inertie, impact dans le triangle des côtes. Thomas est éjecté en carpé arrière. Le verre suit, le plateau vole, tombe, roule, tangue et s'affale parmi les débris d'armure en essayant sournoisement de se faire passer pour un bouclier rond, fin XIIIe. Le gamin ne se préoccupe pas d'antiquités, il enjambe Thomas qui lui saisit une cheville au vol.

— Reste là, toi ! Tu dois m'aider à nettoyer !

Ed survient, saisit le lot et l'emporte sous le bras, auprès de Jones et du docteur.

— Messieurs, vous comprenez maintenant pourquoi je l'ai menotté.

Ed tient l'enfant et Thomas, comme deux gosses têtus qu'on veut empêcher de se battre.

— Bravo, messieurs, mais pas de chance, ce n'est pas le bon.

— Qu'est-ce que vous voulez dire, docteur ?

— Le garçon que vous venez d'attraper s'appelle Zoé. Ce n'est pas l'enfant léopard. C'est un faux ! Vous pouvez vérifier. Tenez ! Essuyez-lui le visage

Seiffert tend à Ed un linge en tampon qu'il a imbibé d'un liquide bleuté. L'enfant garde la tête baissée. Jones lui soulève doucement le menton. Il ne résiste pas, comme s'il était habitué à ce qu'on l'examine. Ed passe délicatement le tampon sur la joue de l'enfant. Le visage apparaît. Ed et Jones ont un haut-le-cœur douloureux. La peau est brûlée à l'acide.

— Voyez, il a été fardé après qu'on lui a martyrisé la physionomie avec je ne sais quelle eau-forte. Un travail qui ressemble à celui qu'on pratique sur les enfants pour en faire des monstres de baraque ou des mendiants.

— Docteur, vous vous doutiez que ce n'était pas l'enfant léopard.

— Je ne m'en doutais pas, messieurs. Je le savais.

Ed et Jones le regardent interloqués. Tout en soignant sa blessure, le docteur Seiffert leur raconte son séjour à Brighton en 87 avec la princesse de Lamballe et l'enfant léopard. La guérison de la princesse, les bains de vagues, les soirées avec le prince de Galles, Londres, le fameux combat au fleuret du chevalier de Saint-George et du chevalier Déon habillé en femme, leur amour, et la fureur de la cour.

— J'ai donc vu tout de suite que ce n'était pas lui quand Zamor me l'a apporté.

— Pourtant, docteur, cet enfant a dû changer en six ans !

— Certainement, messieurs. Mais quand vous le rencontrerez, vous comprendrez qu'on ne peut le confondre avec rien, ni personne. Je devais faire mine d'être dupe, pour revenir ici liquider mon affaire avec le marquis d'Anderçon.

Au regard du docteur, Ed et Jones imaginent le genre de liquidation que projetait Seiffert.

— Quant aux autres personnes intéressées par l'enfant léopard, elles ne savaient rien de son apparence.

— A la fin, docteur, qui sont ces « autres personnes » ?

— Quel intérêt pour vous, de savoir si j'ai été payé par les deux frères du roi, le comte d'Artois et le comte de Provence, ou par Robespierre, ou même par le duc de Penthièvre ? J'ai essayé de prendre à tous. Mais j'ai échoué. Et Commandeur galope vers Haarlem, tuer le véritable enfant léopard.

— Vous devriez être satisfait !

— Non. Commandeur a une tache à effacer, moi j'avais un amour à venger. On ne tue pas de la même manière. Aujourd'hui, messieurs, nous sommes le 16 octobre. Et c'est le 16 octobre 1787 que la princesse de Lamballe a quitté Brighton pour rentrer en France sur ordre de Louis XVI, manipulé par Marie-Antoinette. Cette date est restée gravée là.

Seiffert se frappe le front. Ed et Jones auraient préféré qu'il montre son cœur.

— Vous voulez dire que vous vouliez tuer l'enfant léopard, pour fêter cet anniversaire ?

— Essayez d'imaginer, messieurs, qu'un jour on vous sépare de votre seul amour après vous avoir calomnié et humilié. Que feriez-vous ?

Ils ne préfèrent pas imaginer.

— La reine voulait garder la princesse de Lamballe pour elle seule. Une passion de hyène jalouse !

— Cela ne justifie pas l'assassinat d'un enfant !

— Messieurs, c'est vous qui l'assassinez en ce moment. Au lieu de questionner un homme qui se vide de tout, vous feriez mieux de partir avec Zoé. Il n'y a que lui qui pourra vous mener là où est le véritable enfant léopard.

Etrange comme on a tendance à croire un homme qui perd son sang.

— Prenez mes menottes, messieurs. Vous allez enfin savoir ce que c'est qu'enchaîner quelqu'un.

Ed et Jones jouent les fers à pile ou face. C'est Ed qui perd.

— Une dernière chose, messieurs. Si vous manquez l'enfant léopard, allez au Porche Rouge de la rue Saint-Honoré, aux entours du n° 400, cela vous intéressera.

Seiffert leur explique rapidement le moyen d'y accéder par un souterrain sous les Tuileries. Ed et Jones écoutent distraitement. C'est le docteur qui les retarde maintenant. Ils sont pressés.

— D'accord, docteur. D'accord... Voulez-vous qu'on vous envoie quelqu'un pour votre blessure?

— Inutile, messieurs. Thomas va m'apporter un cordial.

*

Zamor égrène un rouleau de pièces dans la main du guichetier.

— Il faut que je retourne voir la du Barry. Mais cette fois, je dois la rencontrer au quartier des femmes en personne.

— En personne! Ce sera difficile, citoyen. Ils l'ont transférée à l'infirmerie, depuis qu'on a voulu l'assassiner dans sa cellule. Elle est avec la citoyenne Roland.

Zamor se fait raconter. Il reconnaît le chevalier du poignard... Un colosse, grand, tanné et chauve... C'est ce Commandeur qui lui a laissé la vie pour un anthurium-lys. Ce diable a réussi à entrer ici en armes, aller jusqu'à elle, tenter de la tuer et repartir. Zamor en a un frisson d'admiration. Il essaie de comprendre. Pourquoi tuer la du Barry? Inutile. Tu ne dois plus te préoccuper ni de Commandeur ni de Seiffert. Va, Zamor! Fais ce que tu as prévu. Le guichetier renâcle.

— Faut comprendre, citoyen. Tout est devenu plus cher. Maintenant, j'ai un carlin à nourrir.

Zamor sème du doré dans sa main. Tout à coup, il semble moins difficile de voir la du Barry... en personne!...

Zamor entre dans l'infirmerie. Effectivement, la du Barry est là, en personne... et nue! La citoyenne Roland y est aussi, et ça s'entend. Les deux femmes s'invectivent de part et d'autre d'un paravent qui partage l'infirmerie en deux. Zamor admire le spectacle. La comtesse, une brosse à cheveux à la main, est dressée debout dans sa baignoire. Son anatomie frémit de rage. Mme Roland écrit assise sur une paillasse, des feuilles de papier posées sur les genoux. Ses longs cheveux noirs dénoués la recouvrent jusqu'à la taille. Elle ne lève pas les yeux de sa plume, mais sa voix est forte.

— Je n'ai pas de leçon à recevoir de l'ancienne maîtresse d'un despote dévoyé!

— Et moi, de la femme d'un ex-ministre conspirateur, qui le trompe avec un député zirondin en fuite.

— Oui! Et j'en suis fière. Nous sommes lui et moi des conspirateurs de la liberté!

— Liberté! Liberté! Zeu trouve qu'elle est bonne fille... O liberté, que de crimes on commet en ton nom!..

La comtesse encore plus nue brandit sa brosse à cheveux. C'est la du Barry éclairant le monde.

— Heureusement que certaines se dressent pour la liberté pendant que d'autres se couchent avec la tyrannie.

La brosse à cheveux de la du Barry siffle au-dessus du paravent et va éclairer le mur près de Mme Roland

qui ne bouge pas et continue d'écrire. La du Barry
passe la tête.

— C'est ça, rédize tes Mémoires ! Tu ne sais faire
que ça. Use de l'encre. Surtout, n'oublie pas ta plume
quand tu iras voir Sanson.

— Parfaitement ! Je crierai jusque sur l'échafaud.
Pour écrire une ligne de vérité de plus, je suis prête à
supplier Sanson... Encore une minute, monsieur le
bourreau ! Encore une minute !...

— Tu es écœurante. Quel manque de dignité ! Et il
paraît qu'on t'appelle « l'ézérie des zirondins ».

— Oui, madame, moi on m'appelle, vous on vous
sonne !

Heureusement, la du Barry n'a plus sous la main de
brosse, poudrier, flacon, ciseau, fer à friser, boîte à
mouches, mais on a quand même l'impression de les
voir voler à travers l'infirmerie.

La comtesse découvre Zamor.

— Tu étais là, mon caramel ! Comment va Petit-
Louis ?... Bien... Tu nettoies sa caze... Sais-tu qu'on a
voulu me tuer ? Heureusement que z'ai plonzé au fond
de la baignoire.

Il se souvient qu'elle le battait à cet exercice. Un jour
elle avait failli le noyer. Juste par jeu. Mme Roland lève
un œil vers lui, tout en continuant à écrire.

— Monsieur ! J'espère que vous venez pour réparer
une injustice. Cette dame a obtenu une baignoire, alors
qu'on m'a supprimé le piano-forte que j'avais chez la
concierge. La liberté aurait-elle peur de la musique ?

La du Barry se met à rire.

— Au contraire, demande à Marat. S'il avait zoué
du piano, il serait encore vivant. Zamor, mon caramel,

t'occupe pas d'elle. Viens plutôt me parler de nos affaires.

Zamor passe de l'autre côté du paravent. Il admire l'histoire sinueuse d'un demi-siècle de charme. Elle lui fait signe de parler bas à cause de Mme Roland.

— Tu as mes papiers?

Zamor les agite.

— Pour cause de mauvaise santé, ordre de transfèrement, à la pension du docteur Belhomme, avec vue sur le parc!

— Oh! zeu t'aime mon zoli caramel! Donne! Donne vite!

— Je veux d'abord l'emplacement des caches d'argent et de bijoux à Louveciennes.

— Ça jamais! Qu'est-ce qu'il me restera après?

— Tout ce qui est à Londres et que le Comité aimerait bien connaître. C'est ça, ou je m'en vais avec les papiers.

Zamor aime la peur qui démaquille le visage de la du Barry. Son corps soudain laisse aller cinquante ans d'abus. Zamor se sent vengé, mais il ne sait pas de quoi.

— D'accord. Demande du papier et une plume à la scribouilleuse. Moi aussi, je vais écrire pour ma liberté. Passe-moi mon encrier, dans le coffre, près de la paillasse.

La du Barry écrit. Zamor imagine la cascade de perles et diamants qui tombe à chaque phrase. La comtesse replie la feuille de papier. La lettre est longue. Il y en a des caches, à Louveciennes!

— On est d'accord, Zamor, dès que tu as ce que tu voulais, tu reviens me donner les papiers.

— Tu as ma parole.

— Dis-moi ce qui se passe pour l'enfant léopard.

— Commandeur est en chemin pour l'éliminer. Personne ne pourra l'arrêter, même pas Delorme.

— Et toi, Zamor, que vas-tu faire pour cet enfant ?

— Moi ? Rien du tout. Maintenant, il ne me concerne plus.

— Si tu le dis. Mais lis attentivement ma lettre, Zamor. Prends soin de Petit-Louis, et nettoie bien sa cage.

Zamor hausse les épaules et sort de l'infirmerie. La du Barry, toujours nue et dressée dans sa baignoire, grelotte. Tout son corps tremble. Mme Roland contourne le paravent et lui tend une serviette.

— Comtesse, cet homme ne reviendra pas.

— Zeu le sais, madame.

— Quoi ! Il vous trahit, vous condamne et vous ne dites rien.

— Moi, zeu ne vais y perdre que ma vie, lui va y laisser son existence.

— Vous devriez écrire, comtesse.

— C'est ce que zeu viens de faire, madame. Et croyez-moi, cela va laisser des traces !

*

Commandeur se hisse à l'intérieur d'un conduit de brique. Il débouche dans une salle en ruine, au milieu de morceaux de chapiteaux, cintres, colonnes et arches écroulés sur place. Jusque-là, les explications de Zoé ont été précises. Ce petit nègre a le sens de la piste. Pourtant une chose inquiète Commandeur, la montée des eaux dans l'égout qu'il a dû suivre pour arriver jusqu'ici. Dans moins d'une heure ce passage sera impraticable, pour se replier. Mais est-ce qu'il a vraiment envie de retourner sur ses pas?

Dans un angle de la salle, Commandeur se faufile derrière des madriers posés en étais. Il se retrouve engoncé dans un réduit en bois qui pue l'encens. Le gosse lui a dit... *Là, tu es dans la boîte des péchés...*

Dans l'obscurité du confessionnal, Commandeur entend, tout proches, les cris, les ordres, les claquements de fouets, l'aboiement des chiens et les chants. Il n'a même pas à fermer les yeux pour se revoir dans sa plantation, quand, tous ensemble, on lève le tronc d'un vieil arbre abattu par le cyclone. Il entrebâille le rideau. Des grappes d'hommes torse nu, de l'eau jusqu'aux chevilles, tirent sur des envolées de cordes. Ils hissent à l'horizontale un épais plateau en bois, avec un fauteuil ridicule posé dessus.

— Attention! Bande de rats! Vous allez faire basculer mon trône!

Delorme! Commandeur est sûr que c'est sa voix. L'enfant léopard n'est plus loin.

*

— C'est là, le passage, patron!

Zoé montre à Ed et Jones un boyau dans lequel s'engouffre jusqu'à mi-hauteur un torrent d'eau laiteuse.

— C'est ça que tu appelles un passage!

— Pas d'eau avant, patron. Je te jure!

— Je t'ai déjà dit de ne plus parler comme ça!

Ed et Jones se consultent du regard. Ils n'ont pas suivi Zoé tout au long de ce souterrain inondé pour rebrousser chemin. Commandeur est passé. Cette raison leur suffit. Aucun des deux ne se souvient quand il a nagé pour la dernière fois. Peut-être cette rivière en Virginie, pour prendre à revers une bande d'escarmoucheurs anglais. Leur manteau de pluie en toile huilée avait été très efficace pour protéger vêtements, armes et poudre. Ils feront de même.

— Zoé, tu vas nous expliquer encore une fois le passage, avec tous les détails.

Pendant ce temps, Jones se déshabille et noue soigneusement son manteau en balluchon. Ed l'imite après lui avoir confié Zoé, toujours enchaîné.

— C'est ton tour de t'occuper du gosse.

Ed et Jones se retrouvent torse nu en caleçon long, avec le sentiment que c'est l'absence du 38 qui les déshabille le plus.

— Toi aussi, Zoé. Retire tes habits.

— Non ! patron. Pas aller avec Mandra en Guinée ! Lui en colère. Le Maître à Tous lui demander de me prendre.

— Cesse de faire l'idiot, et ne parle plus comme ça ! Mandra n'existe pas.

— Laisse, Ed, c'est certainement Delorme qui lui a fait peur avec cette légende du Sauveur qui attend les Noirs dans un pays merveilleux au fond des mers. Il va se calmer.

— On n'a pas le temps, Jones.

Ed ôte à Zoé ses vêtements de force. Le gamin tremble. Il ne porte plus que sa culotte de soie et dans la chair de son dos, la scarification d'un lacis de coups de fouet. Ed s'en veut de l'avoir bousculé. Comme pour noyer sa rage, il plonge sans prévenir dans l'embouchure du boyau.

— Edmond !

Les flots l'aspirent. Son corps est saisi par l'eau glacée. Il s'arc-boute contre la paroi pour ne pas être emporté par la violence du courant. Zoé a parlé d'une cheminée... La voilà !... Ed s'agrippe, cale son balluchon et crie en direction de Jones.

— Tu peux y aller ! Laisse-toi porter. Je vous arrêterai.

Jones entend. Il entraîne Zoé vers le boyau. Les deux prennent leur plein d'air, plongent et sont emportés par le flot. Jones a l'impression d'être une balle projetée dans un canon. Il percute le corps d'Ed qui le saisit, et lui sort la tête de l'eau.

— Tu y es ?

Au moment de répondre, Jones se sent violemment aspiré vers le fond. Il est englouti. Ed l'attrape par la main. Jones sent Zoé qui tire sur sa chaîne pour l'entraîner. Jones se cabre, tente de gober un brin d'air à la surface, mais il est écartelé, entre Ed et cette furie de gosse. Ses poumons explosent, sa tête bouillonne, la prise d'Ed glisse sur sa main. Il vaut mieux lâcher, et se laisser embarquer, sinon Zoé va le noyer.

Jones sent son cerveau se liquéfier. Il est envahi d'une douce chaleur. Des colliers d'algues et de coquillages rougeoyants dansent autour de lui. Jones renonce. Il accompagnera l'enfant vers ce pays merveilleux qui n'existe pas.

Un dernier soubresaut de Zoé et la chaîne se brise. Ed tire la tête de Jones hors de l'eau. La bouche grande ouverte, il cherche l'air et le tête partout où il y en a un rien.

— Mandrââ !

Le nom crié par Zoé, emporté dans l'égout, court sous la voûte. Ed tire le corps de Jones jusqu'en haut du conduit de brique et l'allonge sur le dallage de la salle en ruine. Ed reconnaît l'endroit décrit par Zoé. Il vérifie à l'intérieur des balluchons. Tout est sauf. Affalé sur le dos, Jones reprend lentement ses esprits.

Les chiens !...

Ed vient d'entendre des aboiements. Une vieille peur le fait se ramasser sur lui et écouter comme un animal. Ils ne sont pas loin et approchent. Ed pousse leurs affaires derrière un morceau de colonne et se précipite sur Jones encore dans le vague.

— Viens ! le confessionnal ne doit pas être loin.

Trop tard. Un attelage de molosses tout en gueule surgit. Ils tirent un freluquet par la laisse. Un porte-flambeau accompagne. Il éclaire leur prise, l'air satisfait.

— En voilà encore deux qui voulaient se sauver ! Désolé mes mignons, c'est manqué. Il faut retourner au travail.

Des coups de nerf de bœuf accompagnent l'invitation.

*

Zamor ouvre la fenêtre de chez lui en grand. Respirer ! Il faut qu'il respire. Tout son corps étouffe de rage. Il agite en éventail la lettre que la du Barry lui a écrite à l'infirmerie. Cette comtesse, il la tuera de ses propres mains ! Elle s'est jouée de lui ! Zamor relit des passages au hasard. Peut-être qu'il n'a pas bien compris... *Dans deux trous pratiqués à gauche en entrant dans le jardin tu trouveras : dans le premier six sacs d'argent, un gobelet de vermeil, neuf louis en écus de six livres, un louis d'or, une guinée, une demi-guinée en or, cent jetons armoriés...* Il poursuit en se mordant la bouche... *un crucifix d'argent, un calice avec sa patène en vermeil, une boîte à chagrin avec une douzaine de cuillères à café en or à filets et armoriées...*

Zamor froisse la feuille de rage. La comtesse s'est bien moquée de lui, avec cet inventaire de quincaillier. Pas la moindre cache de bijoux, ni de titres, ni de tableaux. Et cette fin, qu'est-ce que cela veut dire ?... *dans les communs, tu retireras sous un lit de sangle deux housses de sièges de voiture en velours, brodées or et argent à franges. Apporte-les-moi pour mon départ de Sainte-Pélagie. Il sied à ma condition de ne pas voyager à cru en charrette. Quant à la peau d'ours, je te l'offre. C'est le manteau des dupes, dit-on. Surtout, occupe-toi bien de Petit-Louis. Empêche-le de parler. Il sait trop de choses sur toi et pourrait te faire tomber de ton perchoir. Enfin, prends garde à la lumière du jour. Elle fait mourir les secrets...* C'est signé... *Comtesse du Barry née à Vaucouleurs le 19 août 1743 morte à Paris sous peu.*

Zamor jette la feuille en boule contre la cage du perroquet qui rouspète en créole.

— Occupe-toi bien de Petit-Louis ! Occupe-toi bien de Petit-Louis !

Il empoigne la cage et la secoue de rage. Le perroquet bat des ailes et pousse des cris affolés.

— Silence ! J'en ai assez de toi et de ta maîtresse ! Je t'ai nourri, décrotté, je me suis occupé de toi, et voilà ma récompense !

Zamor donne un coup de poing dans la cage, qui culbute. La porte s'ouvre, le fond glisse, Petit-Louis est éjecté au-dehors, tout surpris d'avoir à voler. Quelque chose tombe par terre. Zamor le ramasse. C'est le perchoir du perroquet. De la tige de bambou dépasse un morceau de papier. Zamor le tire. Tout un rouleau vient, il l'ouvre. C'est l'écriture de la du Barry.

Zamor, voilà une confession inouïe, mais dont je jure sur ma foi qu'elle est pure vérité. Te souviens-tu du carnaval de 1778 ? Cette nuit folle chez la princesse de Lamballe, pendant sa fête italienne ! Tu étais masqué et costumé en ambassadeur suédois... Zamor n'en a pas le souvenir. Il y avait eu tant de fêtes et la comtesse aimait tellement le déguiser pour le plaisir de le montrer comme un singe... *Devant moi, et pour ma vengeance, tu as honoré de ta vigueur une inconnue en domino bleu. La femme était grisée de vin d'amarone et d'une poudre que j'y avais ajoutée...* Zamor se souvient de ce vin qui lui engourdissait l'esprit et lui raidissait le corps... *De cette union sont nés deux enfants : un garçon et une fille...* Quoi ! cette catin m'annonce aujourd'hui, que je suis père. Qu'elle ne compte pas me soutirer une pension... *L'inconnue en domino bleu était Marie-Antoinette, reine de France...* Zamor laisse tomber la feuille de papier. Tout son corps est secoué de violents spasmes. Il est le père de l'enfant léopard et de Marie-Thérèse ! Il se pince la peau pour mieux y croire.

— Si mon fils est le dauphin, alors... je suis le roi !

Sa Majesté, trop occupée à sa gloire, ne voit pas Petit-Louis, le misérable perroquet, s'envoler par la fenêtre, le frac de pierreries dans le bec. Des milliers de livres, jetées par-dessus les toits !

— Petit-Louis, reviens !

Zamor sait que le perroquet n'obéira pas. Il regarde son rêve scintiller dans le ciel gris de Haarlem. Tant pis, il possède bien mieux grâce à ce rouleau de papier. Mais pour ça, il faut qu'il sauve l'enfant léopard. Le vrai. Le dauphin... Son fils !... Celui que Delorme retient dans sa grotte sous Sainte-Zita.

*

Derrière le rideau du confessionnal, Commandeur observe, avec un œil de contremaître, les hommes qui manœuvrent l'estrade au bout de leurs cordes... Quelle bande de maladroits !... Laissons ça. Il faut qu'il se repère dans cette espèce d'église sous terre. D'après les explications de Zoé... *la maison de l'enfant léopard*... est juste au-dessus du confessionnal. C'est dans cette « maison » qu'il a décidé de s'embusquer pour l'attendre et l'abattre.

— Ça va basculer !... Tirez !... Mais tirez donc, tas de punaises !

On entend un craquement, une corde claque, le plateau plonge d'un côté, arrache des filins, et se dresse de toute sa masse à la verticale. Le trône de Delorme est catapulté contre une colonne, des hommes partent à la renverse, d'autres volent aspirés vers les cintres. Ça hurle. On court à la rescousse de partout.

Commandeur a compris. C'est sa chance. Il se glisse hors du confessionnal, se hisse dessus, saute vers la rambarde de la galerie, l'empoigne, se rétablit et bascule de l'autre côté. Tout autour de lui, c'est la cavalcade. La maison de l'enfant léopard est toute proche. C'est une sorte de belvédère avec un balcon en aplomb au-dessus de la nef. Deux gardes en tenue de uhlan sont postés à l'entrée. En bas, la voix de Delorme menace.

— Mon trône !... S'il tombe, c'est la malédiction ! Je vous écorche vifs un par un. Je veux voir tout le monde ici. Rassemblement !

Les deux uhlans de garde devant le belvédère hésitent entre abandonner leur poste et être écorchés vifs. Ils hésitent trop, Commandeur les écorche sans même qu'ils aient eu le temps de se sentir vifs. Il tire les corps à l'intérieur du belvédère. Commandeur se sent gagné par la beauté inquiétante de l'endroit. Il a l'impression d'être entré dans la gueule d'un fauve. Les parois sont recouvertes de telle sorte qu'on dirait qu'il a poussé une peau de léopard à la pierre. La pièce est éclairée d'un seul flambeau, piqué dans le mur au-dessus de deux épées en croix. Elle est carrée et surmontée d'une coupole portée par quatre colonnes. Le mur opposé à l'entrée s'ouvre sur le balcon qui surplombe la nef de l'église. Commandeur s'en approche en longeant la paroi. Il parvient à apercevoir ce qui se passe en bas. Un groupe d'hommes s'arrachent les bras sur des cordes pour tenter de redresser le plateau de l'estrade, suspendue dans le vide. Impossible d'y parvenir de cette manière.

Au milieu des tireurs de cordes, Ed et Jones observent les positions. Par chance, quand les gardes les ont trouvés, ils les ont pris pour des tire-au-flanc, amenés ici, et remis au travail avec quelques coups de lanière.

Les gardes-chiourme de Delorme sont de plus en plus nerveux et agressifs. D'abord, cette estrade qui menace, le Maître à Tous qui rage, mais surtout... l'eau ! Elle a brusquement monté dans l'église. Les hommes en ont aux genoux. Une eau boueuse. Elle déborde de la nef centrale et se répand. Des morceaux de bois et des détritus vont à la dérive. L'Arche des Esclaves est presque à flot. La panique gagne. Delorme, debout sur un palanquin porté à dos d'hommes, hurle et sabre tout ce qui passe à sa portée. Un vieil homme aux cheveux blanchis se jette devant lui.

— Maître à Tous ! Mandra est en colère. Il faut appeler Lého pour qu'il l'apaise.

Delorme l'écarte du pied.

— Pauvre fou ! Ce sont des superstitions ! Il n'y a pas de dieu qui vous attend sous l'eau. On ne dérange pas Lého pour des égouts qui débordent ! C'est moi votre sauveur.

La foule gronde et s'immobilise. Les visages se tournent vers Delorme. Il comprend. Ed et Jones saisissent le regard du fauve qui sent que la proie se rebelle. Delorme n'est qu'à quelques pas d'eux. Il suffirait d'une bonne lame pour l'égorger propre comme un sourire.

— D'accord, mes frères ! D'accord ! Je vais demander à Lého pour vous.

Delorme fait conduire le palanquin jusque sous le belvédère. Il lève les bras vers le balcon.

— Lého, enfant de l'homme et du léopard ! Toi qui as réuni les couleurs des hommes sur ta peau. Je t'implore... Aide-nous !

A l'intérieur du belvédère, Commandeur entend l'imprécation de Delorme qui monte à lui... Quelle

comédie !... Comment peuvent-ils suivre un pareil char-
latan ?

De là où il est, l'enfant léopard observe Commandeur. La lueur du flambeau détaille son visage aux
aguets. Cet homme est venu pour le tuer. Ce n'est pas
sa machette qui le dit, mais tout son corps. Cet homme
chasse !

Commandeur sent une présence près de lui. L'appel
de Delorme veut dire que l'enfant léopard est là, quelque part dans cette pièce. Il scrute l'endroit et fredonne
la chanson du Caïman... *Huye que te coge ese animal. Y te
puede devorar...*

Lého se dégage de derrière une colonne, laisse glisser le manteau léopard qui le dissimulait et va jusqu'au
balcon sans se préoccuper de l'homme. Lého doit toujours répondre à l'appel de son nom.

Il apparaît.

Tout habillé de blanc.

D'en bas, Ed et Jones le voient. Ils se souviennent
des paroles du docteur Seiffert chez le marquis
d'Anderçon.... *Quand vous le rencontrerez, vous comprendrez
qu'on ne peut le confondre avec rien, ni personne...* Le docteur
avait raison. Lého s'avance jusqu'à la rambarde du balcon. Tous le regardent. L'église est soudain tendue
d'un silence dans lequel on n'entend que le grondement de l'eau à l'œuvre dans le chœur. L'enfant léopard a un mouvement de la main ouverte comme pour
essuyer la crainte sur un visage.

Soudain, une ombre noire surgit et l'assaille par-
derrière. L'église est soulevée d'un haut-le-cœur. Cette
ombre noire, Ed et Jones la reconnaissent, c'est l'ange
qui vole... Commandeur !..

— On tue Lého !

Le cri explose l'église. C'est l'indignation, la colère, la cohue. On se précipite vers le belvédère. Les hommes lâchent les cordes. L'estrade dévale le vide en couperet, percute le sol, reste un instant en équilibre et s'affale lentement de toute sa masse, en projetant une immense gerbe d'eau qui chahute l'Arche des Esclaves. Ed et Jones profitent du branle-bas pour se jeter à couvert près du confessionnal.

— Jones, toi tu récupères les balluchons. Moi, je grimpe là-haut.

Ed montre le balcon du belvédère où Lého et Commandeur se battent à l'épée. Ed saisit un morceau de bois qui flotte, assomme un uhlan qui court au rassemblement et s'équipe sur lui d'un sabre de cavalerie et d'un poignard d'intimité. Jones fourre le corps dans le confessionnal avec un signe d'absolution.

Ed empoigne une corde qui descend de la voûte.

— Jones, il faut que tu m'aides à atteindre le balcon.

Pas besoin de signes, Jones comprend le mouvement de balançoire que demande Ed. Il propulse son équipier dans les airs avec une poussée rageuse. Le premier élan est trop court pour atteindre le balcon, mais Ed passe assez près de Delorme pour qu'il le reconnaisse.

— Ed Cercueil ! Te revoilà, chien rongé !... A ma garde !... Je veux cette vermine, pour moi seul !

Ed salue du sabre le possessif, prend appui sur une colonne et se relance vers le balcon où Lého se défend avec une adresse étonnante.

C'est ce que pense Commandeur qui est obligé de ferrailler au mieux de son art.

— Monsieur, mes compliments à votre maître d'armes. Il me semble reconnaître dans votre maintien la marque du chevalier de Saint-George.

Lého acquiesce d'une attaque au cœur en fente longue que Commandeur pare en septime disgracieuse. Il s'en excuse.

— Je suppose que le chevalier de Saint-George vous a aussi inculqué son art de la danse et son excellence musicale. J'avoue que je ne goûte pas tous ses concertos, un peu trop français, mais que je suis souvent touché par les pointes de langueur créole qui affleurent dans ses compositions.

Lého provoque un bref corps à corps pour signifier à Commandeur qu'il juge que « langueur créole » est désobligeant. C'est à ce moment qu'Ed surgit en caleçon par-dessus la rambarde du balcon le sabre à la main.

— Officier de police Ed Cercueil!

Il brandit une plaque bleue imaginaire et se tourne vers l'enfant léopard. Mon Dieu... Quelle majesté!... Une très vieille et pure émotion monte jusqu'à ses yeux. Ed se sent rongé et nu. Il se ressaisit.

— Citoyen, j'ai des ordres. Il faut me suivre.

Lého a une seconde de doute... Qui est cet homme?... Commandeur s'engouffre dedans et désarme l'enfant léopard. Il le saisit par-derrière et pointe une dague droit contre sa poitrine.

— Ce... « citoyen »... ne suivra personne. Il n'ira nulle part. Ce citoyen va mourir et il le sait. Mais pour l'instant, il va me servir de passeport pour sortir d'ici.

Commandeur entraîne Lého vers l'entrée du belvédère. On entend une cavalcade sur la galerie. Il reflue jusqu'au balcon et évalue ses chances. En bas l'église est complètement inondée. Un fort courant va se briser contre la porte de bronze de l'abside. Le village de cases du transept et ses Cabinets de Compréhension ont été emportés. Des hommes et des femmes nagent parmi les tourbillons et les épaves de toutes sortes. L'Arche des Esclaves a rompu ses amarres de proue et dérive vers l'entrée du chœur, le grand mât a embroché le tableau du maréchal de Saxe pour s'en faire un pavillon noir. Impossible de fuir par le balcon. Commandeur pousse Lého hors du belvédère jusque sur la galerie. Il court en direction du chœur. Ed s'engage à leur suite. Mais des uhlans et des gardes surgissent de partout et les encerclent. Ed est saisi. Delorme apparaît. Il traverse les rangs et frappe Ed au ventre comme en passant. C'est Lého qui l'intéresse. Personne n'ose s'approcher de l'enfant léopard. Commandeur le menace toujours de sa dague à califourchon sur la balustrade de la galerie.

— Messieurs, à vous de choisir. Je peux ou lui percer le cœur, ou encore le noyer.

Commandeur fait mine de basculer dans le vide avec l'enfant léopard. Tous reculent. Ed voit surgir Jones au bout de sa corde. Il le reconnaîtrait même à ses semelles de bottes usées. D'ailleurs, c'est ce qui arrive en premier dans le dos de Commandeur qui est projeté dans les bras des gardes. Dans l'élan, Jones saisit l'enfant léopard et repart avec lui à travers les airs. Après un joli mouvement de balancier, Jones et Lého atterrissent sur la galerie de l'autre côté de la nef.

Delorme a tout de suite compris la situation. Il tire Ed à la balustrade, le sabre sous la gorge.

— Alors, Fossoyeur Jones, qui tu préfères voir mourir, l'enfant ou ton ami ?

La Marmotte dirait que c'est un dilemme. Jones trouve que c'est dégueulasse.

— T'occupe pas, Jones ! Sauve le gosse ! C'est un ordre, soldat !

Delorme frappe Ed pour le faire taire. Jones regarde Lého qui a le même mouvement du menton que son équipier quand il veut lui dire... On y va et on fracasse !... Il fouille dans les affaires d'Ed, prend son 38, le donne à Lého et balance le balluchon dans le vide qui tombe sur la dunette arrière de l'Arche des Esclaves. Jones et Lého se jettent au bout de la corde, avec un tir de barrage qui surprend Delorme et sa bande. Ed en profite pour se dégager. Une fois à pied d'œuvre sur la galerie, on s'équipe à coups de poing sur l'adversaire. Les forces s'équilibrent. On se compte. Ed, Jones, Lého, et Commandeur. Ils sont quatre, et pas du bretteur de taverne. Rien que de la fine lame. Les gardes refluent, les uhlans vacillent et Delorme mouline au-dessus de ses moyens. Il a le souffle court d'un homme de trône. Les quatre parviennent à s'engouffrer dans le belvédère. C'est l'idée de Jones... Du balcon, on saute sur le mât du bateau et on descend comme à l'alerte... Mais Commandeur prévient... Après, messieurs, on reprend sa liberté... Chacun pour soi ! Dieu fait son choix !... On jure sur les épées. C'est beau, et chevaleresque, mais il leur arrive autant de uhlans frais qu'ils en percent.

Protégé par les autres, Jones saute du balcon sur le mât. Lého le suit. Ed et Commandeur se disputent l'honneur d'être le dernier. Ed cède au bénéfice de l'âge. En bas, Jones a bien entamé la base du mât à la hache d'abordage, relayé par Lého. Le mât craque, il vacille. Commandeur tarde à les rejoindre. Trop tard. Le mât cède, et s'abat sur le pont avec son pavillon noir. Ed tranche les dernières amarres, l'Arche des Esclaves se libère, le courant l'aspire dans le chœur. Ed, Jones et Lého regardent là-haut, sur le balcon, Commandeur qui se bat le dos à la rambarde contre Delorme. Ils n'ont pas le temps d'en voir plus. Le bateau vient d'éperonner violemment et d'arracher la porte de bronze du fond de l'abside. Le flot s'y engouffre. Ed, Jones et Lého sautent à l'eau et se laissent aspirer. Ed a juste le temps de voir Commandeur se jeter du balcon et d'entendre Delorme promettre.

— Je vous retrouverai ! Je sais où vous allez !

*

Quelqu'un qui serait caché dans le jardin du presbytère de l'église Sainte-Zita de Haarlem, juste devant la fontaine, aurait l'impression de voir la bouche de la Négresse-qui-rit cracher d'abord trois hommes, aussitôt grimpés sur le siège du corbillard de Moka et repartis au galop. Puis un quatrième, immense, qui hurle dans leur direction.

— Messieurs, rappelez-vous... Chacun pour soi ! Dieu fait son choix !

Zamor, dissimulé derrière un massif, est content d'avoir vu que l'enfant léopard est vivant et qu'il a échappé à Delorme. Mais il est surtout fier que son fils mène si bien les chevaux. Il part à leur poursuite sans entendre le formidable rire de la bouche de pierre qui secoue tout Haarlem.

*

Piqueur attend la Marmotte à l'endroit convenu près du marché des Enfants-Rouges. De là où il est, il ne voit qu'une des quatre grosses tours pointues de la prison du Temple. Il y a longtemps qu'il n'était pas venu dans ce quartier. Avant, il n'y avait pas ce haut mur. Piqueur s'inquiète. Marmotte ne sort toujours pas de la prison. Ce n'était pas une bonne idée de ramener Coco au petit dauphin. Un chien, ce n'est pas fait pour vivre en prison. Et si Marmotte ne ressortait plus jamais !

Pour détourner son inquiétude, Piqueur fouille dans sa gibecière. Il regarde quelques mots avec l'impression de leur reconnaître la physionomie. Certains semblent lui faire bonne figure et même lui sourire... Tiens ! Celui-là... Il est presque certain de le reconnaître. D'autres filent comme des notaires sous la pluie... Ha ! Le revoilà, celui à la bonne mine, bien ronde et chaude avec son petit air de fanion... « pain »... C'est ça, toi tu es « pain » !... Moi, je suis Piqueur. Maintenant, on se connaît. Reste là ! Ne bouge pas !... Ne te sauve pas !... Je vais t'écrire.

— Piqueur !

C'est la Marmotte. Il arrive affolé, le petit chien encore dans les bras. Il pleure. Des larmes avec de gros hoquets morveux.

— Qui est-ce qui t'a embêté, Marmotte ? Dis-moi. On y va et... Hop !... On l'embroche. Comme l'autre. Tu te souviens ?

— Viens, Piqueur. On s'en va d'ici.

— T'es sûr que tu veux pas que j'en embroche un ?... Et Coco ? Et le petit dauphin ?... Attends-moi !

Marmotte se sauve en serrant le carlin contre sa poitrine. Piqueur reste comme un réverbère éteint.

— Attends, Marmotte ! Explique-moi. Tu sais bien que je peux comprendre quand c'est pas écrit.

Non, il ne pourrait pas comprendre. Personne ne pourrait. Comment lui raconter ce qu'il a entendu. Un fils qui chante des chansons dégoûtantes sur sa mère en buvant du vin et en dansant devant des gardiens qui rient et tapent dans leurs mains. C'est ça, qu'il vient de voir et d'entendre dans la cour, caché derrière une grille. Il avait bouché les oreilles de Coco. La Marmotte voudrait courir assez fort pour s'enfoncer les pavés de la rue dans le crâne et ne plus entendre la voix du dauphin. Un fils qui décaresse sa maman. Lui ! qui a la chance d'en avoir une. Plus jamais, il ne lui fera la roue.

— Viens, Marmotte, on va montrer Coco à la reine. Ça lui fera sourire le cœur... et à toi aussi.

*

Marie-Antoinette ferme les yeux. Elle est prête. Que le bourreau l'égorge, si c'est sa destinée. Si c'est la volonté de Dieu. Au moins sera-t-elle épargnée de l'humiliation d'être exécutée au milieu de la haine... *Chleuc !... Chleuc !...* Elle connaît ce bruit voluptueux. Des ciseaux ! Bien sûr, des ciseaux. Qu'elle est sotte ! Cette lame terrible dans la main du bourreau, ce n'était qu'une paire de ciseaux. Comme elles sont douces ces petites résurrections ! Elle ouvre les yeux. A ses pieds tombent d'épaisses touffes blanchies. Sont-ce là ses belles boucles blondes? Ce blond cuivré qui la faisait traiter de « petite rousse » par la du Barry.

Pourquoi encore dauphine, avait-elle tant détesté cette femme? Comment accepter qu'elle reçoive chaque nuit du grand-père de son époux les hommages que celui-ci ne pouvait lui donner. Pourtant, sans la du Barry, c'était cette chère Mme de Lamballe qui était promise à Sa Majesté Louis XV. Comme en voilà des destinés qui en auraient été bouleversées! Où serait cet enfant, aujourd'hui?

Marie-Antoinette regarde les dernières mèches tomber en flocons sur le sol. Pourquoi ces pensées à cette heure? Au moment de mourir, est-ce qu'un homme compte ses maîtresses et une femme ses amours? Quel étrange hiver, la fin d'une vie.

Marie-Antoinette voit Sanson bourrer furtivement ses poches avec sa chevelure, comme un enfant qui a chapardé des friandises. Elle espère que les mèches qu'elle a confiées en secret à ses avocats arriveront à leurs destinataires. Elle préfère ne pas y penser, comme si cela suffisait à les faire prendre. Le bourreau replace son bonnet. Mon Dieu, mais où l'a-t-il posé? Il veut qu'elle ressemble à une harengère! Elle sent le frais sur sa nuque. Ce frais-là lui donne un pincement au cœur. C'est déjà le chemin de la lame.

On s'écarte devant elle. C'est ce mouvement qui lui fait se souvenir qu'elle n'était pas seule avec le bourreau. Mais où sont ses juges, son avocat, l'abbé et les aides? Elle n'entend que des froissements d'étoffes, des pas, et des toussotements. Elle a l'impression de n'être entourée que de fantômes, embarrassés d'être là.

Alors, partez! Ayez au moins ce courage! Qui vous oblige? Le bruit sec de la serrure la secoue. La porte s'ouvre. C'est la dernière fois. Comment imaginer qu'elle ne sentira plus les joints du dallage de briques sous ses pieds nus, cette odeur de roses séchées de la tapisserie. Elle allait oublier ces fleurs qu'on lui faisait si gentiment porter ici. Pour s'ébrouer, elle avance vers la porte un peu brusquement. Une douleur vive lui irise le dos. Sanson a retenu la corde qui lui tire les coudes en arrière. Il lui tient la bride serrée. En maître.

Marie-Antoinette franchit le seuil de son cachot. On la mène à droite. Son regard bute sur un mur d'uniformes, dans la galerie des Prisonniers. Des gendarmes. Une double haie avec des visages de Varennes. Ainsi habités, elle a du mal à reconnaître les lieux. A gauche ce doit être la rue de Paris. La rue du bourreau. Ce monsieur de Paris qu'elle sent immense dans son dos. Elle passe tout proche d'un regret... La grille des dernières idylles... L'ultime endroit avant le départ. Ces barreaux qui séparent la cour des femmes de ceux qui partent à la mort. Des barreaux polis par des mains qui étreignent et des larmes qui vous fuient. Comme elle aimerait deux doigts errant sur son visage. Elle laisserait à l'aimé une trace du rouge de son fard à joues.

Elle avance la tête droite, sans ralentir ses pas. Où est-elle? Le guichet, ou déjà le greffe? Que de grilles et de portes! Elle se rend compte, ici, de tous les obstacles qu'ont dû franchir ceux qui venaient pour la sauver. Si elle n'avait pas été si timorée et inquiète pour ses enfants... Là, c'est le greffe. Elle le reconnaît à cette vague odeur d'urine qui flane. On ouvre deux portes devant elle, sur une petite cour basse. Et là-bas une grille.

Marie-Antoinette se sent défaillir. Elle se reprend. Sanson a tiré sur la corde. La douleur l'aide à ne pas s'effondrer sur ses jambes... Une charrette!... Elle ne peut en détacher ses yeux. Une affreuse charrette. Un tombereau! C'est donc comme du fumier qu'ils veulent l'emmener mourir. C'est trop pour son corps qui s'abandonne. Elle sent la chaleur tiède du renoncement sous elle. Marie-Antoinette se retourne vers Sanson implorante.

— Monsieur, je vous en prie, par charité, déliez-moi. Pour une pudeur de femme...

Il comprend et lui détache les mains. Elle marche à la souricière, s'accroupit par terre dans ses jupes et va comme une enfant au bord du chemin.

Marie-Antoinette se redresse. Elle a envie de lancer à tous... Allons-y, messieurs! Maintenant, je suis bonne à tuer!... A quoi bon? Elle tend ses mains à Sanson, mais ne parvient pas à lui sourire, pour le remercier.

Elle sort dans la petite cour... Le temps est peut-être beau, avec une fine brume de myope, et une dizaine de degrés sur les bras et le cou...

Marie-Antoinette regarde l'arche de pierre qui mène à la cour de Mai où attend la charrette. Elle sait qu'au-delà rien ne lui appartient, mais qu'elle se doit d'être reine plus que jamais.

Elle franchit l'arche.

12

Marie-Antoinette

— Votre pied, ici.

Le bourreau montre à Marie-Antoinette le deuxième barreau de l'échelle brève qui grimpe à la charrette. Ce tombereau est dégoûtant de boue ! On croirait qu'ils l'ont sali exprès pour elle. Les deux chevaux de trait ont été mieux soignés qu'elle. Les animaux avant les hommes. Sanson la prend au bras, pour l'aider à se hisser. Comme on se sent haut ! Attention, elle doit prendre garde à ne point buter, ni trébucher, ni s'embarrasser dans son jupon noir. Derrière elle, l'abbé gémit sous l'effort.

C'est sur cette planche grossière, en travers des montants, qu'ils veulent qu'elle s'assoie ! Elle ne s'attendait pas à un coussin, mais un linge peut-être. Même pas. Alors asseyons-nous.

— Non, madame.

Sanson l'empêche d'enjamber la planche. Elle doit s'installer à contre-marche. Voilà encore une disposition qui fâcherait l'étiquette. Marie-Antoinette prend place, le dos aux chevaux. Il lui revient une prédiction de la princesse de Lamballe... Madame, vous entrerez à reculons dans le Temple... Elle avait raison. Pourtant, à l'époque, elle se moquait de cette chère Marie-Thérèse quand elle jouait la Grande Maîtresse franc-maçon, avec des sentences mystérieuses...Vous serez acculée aux ténèbres et vous n'aurez pour guide que l'Etoile Flamboyante... Aujourd'hui, elle va guetter cette étoile, pour y puiser le même courage que la princesse pour mourir.

La charrette s'ébranle. Marie-Antoinette se redresse. Elle s'aperçoit seulement maintenant qu'elle est environnée de gendarmes et d'hommes en piques. Malgré le bruit des roues et des sabots sur le pavé, elle entend grincer les portes de la grande grille. Le convoi sort de la cour de Mai.

La foule !

Elle attendait rue de la Barillerie. Marie-Antoinette la découvre. Une foule silencieuse. Une foule dont elle ne retient qu'un regard. Celui de cette femme jeune, un châle blanc sur les épaules. Une expression sans joie, sans haine, simplement remplie de lassitude. Marie-Antoinette frissonne. Le chemin sera long.

La charrette s'engage sur le Pont-au-Change. Le bruit gronde et résonne sous les arches. Comme on a bien fait d'y raser ces affreuses maisons qui cachaient la vue de la Seine. Le vent se gonfle soudain. Elle le sent sur sa coiffe. Que ferait-on si elle venait à s'envoler ? Est-ce qu'un homme avec sa pique la cueillerait au vol comme un papillon ? Que de cœurs on a percés ainsi ! Pourquoi pas le sien... Oh !... Les trois tours de la

Conciergerie. Elle cherche derrière quelle meurtrière ses juges la regardent passer, en ce moment. Elle remonte le menton. Ne vous réjouissez pas tant, messieurs ! Je ne fais que reconnaître le chemin, pour vous.

— Savez-vous, monsieur, pourquoi on nomme une de ces tours « Bonbec » ?

— Heu... à vrai dire, madame, il y a longtemps, ici, on tourmentait les pensionnaires. Ce qui leur donnait « bon bec »... C'est-à-dire qu'ils criaient un peu.

— Merci, monsieur.

Souvent, elle aussi avait eu envie de crier. Mais cela ne se fait pas. Garde la tête droite. Regarde devant toi ! Ne te laisse pas tenter par le spectacle du fleuve. On dit pourtant qu'on y aperçoit des voiles et des joutes en bateau.

*

Dame Catherine et Pobéré s'arrêtent devant une barque mouillée Port aux huîtres, à hauteur du Vieux Louvre. Pobéré y monte.

— Je vais préparer la voile. Même si le vent est maigre, avec le courant ça suffira. Personne ne pensera à nous chercher sur la Seine.

— Parfait ! Maintenant il faut retourner au Porche Rouge par le souterrain, pour surveiller les opérations. L'affaire approche. Allons !

Pobéré retient sa mère par le bras. Elle tourne vers lui un visage grave et inquiet. C'est la première fois qu'il brise son élan.

— Ecoute, la mère... Il vaut mieux que tu attendes ici. Là-bas, ça va chahuter. Que feras-tu si je te perds dans la mêlée ?

— Ce que je ferai? Je me mènerai chez nous. Je ne suis pas impotente, je suis aveugle! Sais-tu que les jours de grand brouillard, à Paris, ce sont les aveugles des Quinze-Vingts qui mènent le bourgeois chez lui?

— Ne te fâche pas, la mère. Je disais ça...

— Viens, ici, mon p'tit.

Dame Catherine attire son garçon dans ses bras. Il se raidit, puis s'abandonne, la tête sur son épaule. Elle lui caresse sa tignasse rousse. C'est elle qui lui parle à l'oreille cette fois.

— Je sais pourquoi tu me dis d'attendre ici. Tu es mon p'tit, je te connais. Tu es le meilleur décrotteur de chaussures de Paris. Avec tes brosses, tu ferais croire à du vilain cuir qu'il est chevreau, mais tu ne sais pas mentir à ta vieille. Tu crois que je n'entends pas, dans ta voix, tous les braves qui manquent à l'appel?

L'enfant éclate en sanglots contre la poitrine de sa mère. Il lui serre la taille à l'étouffer.

— Qu'est-ce qu'on va faire, la mère?

— Ce qu'on va faire? Sauver la reine! Tous les deux! Avec aussi Guillaume, Jean-Baptiste, Elisabeth, Merlin, et les braves qui seront restés fidèles. Il vaut mieux cinquante hommes décidés que cinq cents timorés. Crois-moi, tu l'emmèneras voguer, sur cette barque, ta reine. Allez, sèche tes larmes.

Le garçon ne pleure déjà plus. Il en est sûr, maintenant, ils vont sauver Marie-Antoinette.

— Mon p'tit, avant de retourner au Porche Rouge, je voudrais te demander une grâce.

— Tout ce que tu veux, la mère.

— Pour aller voir la reine, je voudrais que tu me fasses des souliers de princesse.

Et dans cette lumière d'avant midi, on peut voir sur la berge un enfant roux agenouillé aux pieds d'une vieille femme aveugle dont les souliers brillent comme pour aller à un rendez-vous.

*

Ed, Jones et Lého accostent quai du Louvre. Ils ont dû abandonner le corbillard de Moka sur l'autre rive de la Seine. Tous les ponts sont bouclés aux voitures, par des cordons de soldats. Ça n'avait pas été facile de trouver un passeur, même au prix fort. Ils avaient appris que le convoi de la reine a quitté la Conciergerie. Il fallait faire vite, s'ils voulaient pouvoir exposer Lého sur son passage devant La Vainqueuse. Pendant cette équipée en corbillard depuis Haarlem, Ed et Jones avaient eu le temps de tout expliquer à Lého.

A peine sauté de la barque, Ed joue le brigadier-chef et entraîne Jones et Lého au pas de course. Ils contourneront Saint-Germain-l'Auxerrois pour rejoindre la gargote, par la porte de la cour. C'est tout proche, à peine un quart de lieue. De là où ils sont ils peuvent apercevoir le convoi de la reine qui avance déjà sur le quai de la Mégisserie. Elle vient à leur rencontre.

*

Marie-Antoinette respire profondément l'odeur du fleuve. Son regard est attiré par un petit enfant noir juché sur une borne. Il lui montre quelque chose, caché sous sa cape. Un chien... C'est Coco!... Son carlin. Comment est-ce possible? Elle l'a laissé... Où l'a-t-elle laissé, d'ailleurs? Peu importe. C'est lui, il n'y a pas de doute. Marie-Antoinette le reconnaîtrait parmi cent. Mon Dieu, le petit garçon noir a déjà disparu. Ah! le revoilà. On dirait qu'il a décidé de la suivre.

*

La Marmotte saute de la borne tout excité.

— Piqueur, elle l'a vu? Tu crois qu'elle l'a vu? Hein, elle l'a vu? C'est vrai, ça c'est vu. Moi je dis qu'elle l'a vu. Et toi, tu dis quoi?

Piqueur récupère sa pique et réfléchit.

— Pour sûr, elle l'a vu!

— Ha! Et toi, le chien? T'as vu ta maîtresse?... Hein, tu l'as vue...

La Marmotte recommence ses questions au carlin qui, lui, se contente de retourner dormir sous la cape.

— Viens, Piqueur, maintenant on va aller lui montrer Coco à l'angle de Saint Honoré et du Roule. Là où on a trouvé ma roue aux rayons jaunes.

— Combien de fois on va lui montrer à la reine?

— Tant qu'on pourra, Piqueur! Tant qu'on pourra.

*

Marie-Antoinette sent la colère lui échauffer les joues. Sur son passage, elle n'a pas vu un seul visage familier dans toute cette foule. Pas un ancien courtisan, pas une servante, ni une amie. Mais son chien est là! Quelle dérision! Où sont ceux qui, sur un mot d'elle, ont gagné, un nom, un titre, une terre? De tout cela, il ne reste que son carlin qui aboie. Un bien misérable Te Deum. Marie-Antoinette pense à Mozart. Ce pauvre Amadeus! Les voilà bientôt réunis, eux, qui voulaient s'épouser. Elle avait quatorze ans, c'était l'été, et six mois plus tard, on la mariait au futur roi de France.

Cette pensée lui ferait tomber les épaules de désespoir, si la présence de Coco ne voulait dire qu'il existe bien une entreprise pour la faire échapper sur le parcours. Jusque-là, elle n'y avait apporté crédit que pour s'aider à se tenir plus droite. Mais maintenant... Mon Dieu!... Quel désastre!... Elle ne se souvient plus du message que lui avait fait passer cette femme fardée. Celle qui lui avait porté du bouillon. Il y avait la couleur rouge, dans ce secret.

La charrette prend par la rue de la Monnaie. Elle est bien étroite. En voilà une enseigne singulière... La Vainqueuse... Assurément, ce doit être cette belle et solide femme blonde montée sur un tonneau. Elle a une façon étrangement tendre de tenir sa hache rouge dans les bras. On jurerait qu'elle porte un enfant... Rouge!... porche rouge!... Voilà ce que la femme fardée lui a dit... Un porche rouge, après chez Robespierre... Elle est sauvée! Merci, madame La Vainqueuse pour cette hache.

*

Ed surgit dans la salle de la gargote par la porte de la cour. Il inspecte. Personne aux tables, ni aux fourneaux. Un signe de main, et Jones suivi de Lého le rejoignent. Ed se précipite à la porte qui donne sur la rue. Elle est fermée, certainement barricadée de l'extérieur. Il insiste, rien n'y fait. Ed cherche la hache, mais Sanson n'est pas là.

— Ecoutez!... La charrette approche. Vite, Jones, par la fenêtre!

Jones l'ouvre, mais un tonneau cache la rue. Impossible. Quelqu'un est juché dessus et de la populace est agglutinée autour. On n'apercevra même pas la charrette passer. De rage, Ed frappe le mur de violents coups de tête.

— On était si près !

Jones se laisse tomber sur un banc. Tout à coup, le sol frémit, on sent un grondement, il enfle. Lého écoute. Les trois hommes se figent... La reine !... Aucun cri, aucun murmure dans la rue. Un silence effroyable. On n'entend que le fer des roues qui écrasent le pavé et le pas lourd des chevaux. Ils soufflent. Ed, Jones et Lého suivent le déplacement du convoi sur le mur de la taverne... La reine passe... Ils se sont battus, ont étripé, failli mourir, pour cet instant. Et les voilà inutiles, prisonniers dans un cachot qui pue l'huile refroidie.

Ed et Jones portent leurs yeux sur Lého. Le visage tourné vers la fenêtre ouverte, l'enfant léopard pleure. On le dirait devant un vitrail brisé. Il a ce port de tête qui fait honte aux autres d'oser le regarder. Jones essaie de comprendre d'où lui vient ce visage d'onyx. Comment les teintes de sa peau se mêlent et se fondent pour dessiner ses traits. Pourquoi les larmes de ses yeux ne semblent couler que pour veiner un marbre.

La charrette de la reine est passée. Elle s'éloigne.

Le convoi laisse une traînée immobile dans la salle et sur les trois hommes. Lého a le regard chaviré. Là, au bas de l'escalier qui mène à la chambre, la marquise d'Andérçon le contemple.

*

Marie-Antoinette sent une tache noire qui se déplace à la limite du champ de son regard. Elle croit la reconnaître. Pour vérifier, elle pourrait tourner la tête et faire semblant de poser une question à l'abbé. Il est toujours recroquevillé sur son crucifix. Le pauvre homme ! Il doit songer à ce qu'il répondra quand on lui dira... Alors, que vous a demandé la reine ?... Inutile, la tache noire s'est immobilisée.

Commandeur !

Son regard croise celui de la reine. Il est venu se poster devant cette taverne, certain d'y trouver Lého... *Rendez-vous à La Vainqueuse !...* C'est ce qui avait été crié, alors qu'ils bataillaient tous les quatre contre Delorme et ses uhlans, dans le belvédère. Etrange moment qui avait réuni du même côté deux inspecteurs noirs, un enfant léopard et lui, le créole de Saint-Domingue. Il avait aimé. Mais ça ne l'avait pas détourné de sa décision... *Chacun pour soi, Dieu fait son choix...* Il abattrait Lého au moment où il serait exposé à Marie-Antoinette. Ainsi il respectait le vœu de la reine de voir cet enfant, sans faillir à sa promesse de le tuer. Mais Lého n'était pas paru à La Vainqueuse au passage de la reine. Commandeur fixe Marie-Antoinette. Il ôte son chapeau. Une dernière fois, avec leur code secret, il lui demande si sa décision reste inébranlable.

*

Marie-Antoinette a l'esprit qui s'enflamme. Commandeur est venu se poster sur son chemin. Dieu soit loué ! Cela veut dire qu'il a renoncé à ce projet innommable qu'il était venu lui annoncer au tribunal. Assassiner l'enfant ! Quand leurs regards se croisent, il ôte son chapeau et le porte à son cœur. Quelle imprudence ! On ne salue plus la reine sans danger pour sa vie.

Mais où donc est sa chevelure noire si soyeuse? Il a un visage de pénitent. Ses doigts pianotent sur le rebord de son feutre. Mais Marie-Antoinette est trop éloignée pour déchiffrer son message. Et comment lui répondre, les mains ainsi liées dans le dos? Commandeur veut certainement lui dire que son enfant est vivant et qu'il lui sera exposé comme elle l'a demandé.

Marie-Antoinette vient d'apercevoir le petit garçon noir avec Coco dans les bras. Il se faufile derrière les gendarmes et Commandeur. Dieu qu'il est agile et drôle!... et joli, aussi.

*

— Ah! Méchant rustre! Tu ne peux pas faire attention!

Commandeur vient d'être bousculé dans le dos par un grand haricot de traîneur de pique. Le maladroit s'excuse. Commandeur reconnaît son acolyte qui file devant. C'est le négrillon du docteur Seiffert! Il porte le carlin de la reine... Le Porche Rouge!... Il se souvient. C'est là qu'ils ont tous rendez-vous. Il lui faut rattraper ce gamin. Il va l'amener tout droit à l'enfant léopard.

*

La marquise d'Anderçon déploie une large révérence devant Lého qui la lui rend avec un naturel désarmant. Il souffle un moment de grâce dans la salle de la gargote. Ed et Jones trouvent un air de cristal de Bohême, à cette roue suspendue au plafond. La marquise va jusqu'à Lého et lui prend les mains.

— Oh, monsieur! comme j'aurais aimé que vous soyez mon fils! Malheureusement, il en est autrement. Mais grâce à vous, je me suis délivrée auprès de mon mari d'un secret qui étouffait mon cœur et avait raison de mon esprit.

Ed s'avance vers la marquise. Il ne souhaite pas en entendre plus. L'émotion sur son visage le dit assez.

— Madame, si vous avez besoin d'un bras pour vous raccompagner.

— Merci, Edmond, votre attention m'est chère, mais j'ai retrouvé ce bras.

Elle s'incline. Le marquis paraît. Ed et Jones le saluent réglementairement. Pas plus. Il va à la marquise et se tient près d'elle d'une manière telle qu'on dirait qu'il l'enlace. Ed a la peau du visage qui frissonne et le cœur qui cherche un endroit dans sa poitrine pour se cacher.

— Soldats, je sais vos inquiétudes. Je tiens seulement à ajouter aux lettres que vous avez lues, que je n'ai failli, ni à l'honneur, ni à l'amitié. Vous avez ma parole d'officier et de frère d'armes!

C'est comme si le marquis avait lancé... Tournée générale!... La porte de la taverne s'ouvre sur une horde d'assoiffés qui poussent la Patronne devant eux en vociférant... *Tu as vu la grue, cet air de mépris!... Elle est en marche pour le vasistas, l'Autrichienne...* Ed surprend le visage bouleversé de Lého. Il bondit au milieu de la salle, dégaine son 38 et tire un coup de feu au plafond.

— A vos rangs!

— Fixe!

Jones le rejoint. Le silence tombe sur la salle. Ed prévient.

— Désormais, qui voudra boire ici se taira, ou ira ailleurs !

La Patronne regarde les vociférants qui s'assoient craintifs comme au sermon. On dirait que la maison vient de trouver un patron. Clin d'œil de la Vainqueuse. Ed est d'accord. Mais la mission avant tout. La Patronne décide d'augmenter ses tarifs d'un sou. Elle s'approche d'Ed pour faire pendant au marquis et à la marquise. C'est un bien joli pendant.

Chacun voudrait avoir le temps de profiter de cet instant, le faire durer. Mais la charrette avance. Ils le savent.

Ed prend la Patronne à part et lui demande une lanterne et de la chandelle. Elle lui glisse un œil coquin.

— Edmond, tu veux déjà qu'on aille faire l'inventaire à la cave ?

— Non, j'ai rendez-vous avec un souterrain.

Le marquis et la marquise d'Anderçon remontent vers la chambre. Comme il leur en reste des choses à se dire ! La Patronne regarde Edmond partir avec Jones et Lého, en se disant qu'elle n'imaginait pas qu'un jour, elle serait jalouse d'un souterrain.

Les trois courent le long de la Seine, sur le quai du Louvre. Ils remontent en direction des Tuileries. Seiffert avait parlé d'un passage sous les jardins. Il doit bien déboucher queque part. La deuxième grille qu'ils inspectent a une chaîne sciée, grossièrement camouflée. Ed se frictionne le visage... Ça démange !... Ça démange !...

*

La charrette s'arrête soudain à l'entrée de Saint-Honoré. La reine a un instant d'alarme. Quel nouveau tourment vont-ils lui infliger ? Un enfant tenu à bout de bras par une femme lui envoie un profond baiser. Marie-Antoinette se sent défaillir. Tout son corps tremble. Mais non ! ce ne peut être lui. Il a quinze ans aujourd'hui. Elle a envie de pleurer. Quand cessera-t-elle de s'arracher le cœur au moindre espoir ? La charrette a un brusque sursaut. Le corps de la reine va pour verser en avant. Sanson la maintient d'un coup sec sur la corde.

— Ah ! ce ne sont pas là tes coussins du Trianon !

On rit à la gouaille du provocateur. Et comme si la foule n'attendait qu'un signal, les cris jaillissent.

— A mort, l'Autrichienne !

Marie-Antoinette n'est pas effrayée par la soudaineté des cris et des insultes. A peine surprise. Le silence jusqu'ici l'avait bien plus impressionnée. Une seconde elle a cru que la foule allait assaillir la charrette, la jeter à bas et la mettre à mal. Le pas des chevaux et les tressauts de son siège la rassurent. Pourtant, dans cette rue Saint-Honoré, qui jadis la menait à l'Opéra en grand équipage, elle ne voit que des regards hostiles, et des écriteaux injurieux sous un ciel d'oriflammes tricolores.

Marie-Antoinette a l'impression qu'elle n'a jamais vraiment regardé cette rue. Comme un carrosse est enclos ! Pour leur édification, il faudrait faire voyager les princes sur l'impériale.

*

Dame Catherine et Pobéré débouchent par le Porche Rouge dans Saint-Honoré. Dame Catherine a ses souliers de princesse. Pobéré est soulagé. Il vient de repérer Merlin de l'autre côté de la rue, derrière la haie de gendarmes. Il porte son agneau sur les épaules, comme s'il voulait lui montrer la reine. Au point de réunion, Pobéré compte moins de cent braves. Mais la charrette est encore à l'autre bout de Saint-Honoré, à plus d'une lieue. Les autres vont arriver. Dame Catherine étreint le bras de son fils.

— Inutile de me dire, Pobéré, j'ai senti. Mais on sera toujours bien assez pour la sauver. Tu as raison, je retourne à la barque. Je serai plus utile là-bas. Elle sera prête quand tu arriveras avec la reine. Tu verras, je suis sûre qu'elle sera jalouse de mes souliers.

*

Marie-Antoinette laisse aller son regard sur les chaussures de l'abbé. Est-ce qu'il s'est demandé ce matin lesquelles iraient le mieux avec l'exécution d'une reine ?

*

Zamor saute de son cheval. Il l'attache à un anneau derrière l'église Saint-Germain-l'Auxerrois et lui parle... Tu vas voir, je vais revenir avec mon fils !... Les oreilles du cheval s'agacent. Cette manie de lui faire des confidences ! Zamor déroule une nouvelle fois la lettre de la du Barry. Celle qui lui révèle qu'il est le père de l'enfant léopard. Il lit avec difficulté. L'encre a encore pâli. Garce de comtesse ! Elle l'a dupé. Il a compris en relisant la dernière phrase... *Prends garde à la lumière du jour.*

Elle fait mourir les secrets... La lettre a été écrite avec une de ces encres magiques qu'elle utilisait pour ses courriers de conspiratrice. L'encre s'efface au jour. Plus il l'expose plus elle disparaît. Zamor trépigne et tape du pied. La seule preuve de sa paternité est en train de s'évanouir ! C'est sa fortune, sa gloire, sa maison au-dessus de la mer qui filent comme du sable entre les doigts. Tu le paieras, comtesse ! Tu le paieras de ta vie. Ça, je te le jure ! Elle doit bien rire en ce moment dans sa baignoire... *Zamor, père de l'héritier du trône ! C'est un dauphin, fruit de l'accouplement du singe et de la grue !...*

Mais tu as oublié, catin, que tu m'envoyais comme un valet chercher tes encres, chez ton fameux apothicaire de la rue Saint-Honoré... *C'est un magicien !...* Parfait. Il trouvera bien un tour pour faire réapparaître mon fils.

*

Les cris !

Les cris sur son passage. Malgré les efforts de Marie-Antoinette pour ne pas écouter, ils éclatent dans sa tête, au hasard d'un cahot. Axel ! Mon Dieu, il est là, devant la porte de ce magasin d'apothicaire. C'est lui de dos.... Mon doux Fersen ! Je savais que, toi, tu oserais. Que tu ne m'abandonnerais pas. Pourtant tu m'avais juré de te garder sauf... Son cœur s'affole. Mais non ! Cet homme n'est pas Axel. Elle a été abusée par le lieu. C'est là qu'Axel allait se fournir, en ces jolies encres violettes qui gardaient si fidèlement leurs secrets.

L'homme devant la pharmacie s'agite. Ce ne peut être Axel. Il secoue la porte fermée, sans retenue. Quel mal si impétueux a-t-il à se faire soulager pour être si empressé ? Un gendarme le menace. Il renonce et se tourne vers elle. Comment a-t-elle pu confondre Fersen avec ce métis, même si bien tourné ? Marie-Antoinette se sent prise d'une ivresse lourde, son esprit bourdonne. Des images de carnaval tournent dans sa tête, un ballet de masques, de dominos, de verres de cristal, et de vin lourd... Mon Dieu que se passe-t-il dans son corps ?

*

Zamor sent la panique s'insinuer entre ses cuisses. Il va finir par briser la vitrine de cet apothicaire, si on ne vient lui ouvrir. Il lui faut cet antidote ! L'encre de la lettre a peut-être déjà disparu. Mais comment le savoir ? Sur le mur, une inscription le nargue... *Fabrique d'extraits évaporés à la vapeur et dans le vide...* Evaporé dans le vide ! Voilà ce qu'il va rester de son fils. Vont-ils finir par l'ouvrir, cette boutique !

Zamor surprend le regard de la reine sur lui. Il jurerait que Marie-Antoinette a été troublée à sa vue. Est-ce qu'elle se remémore cette soirée italienne chez la princesse de Lamballe dont parle la du Barry dans sa lettre ? Zamor ne se souvient que de l'amarone ! Il regarde s'éloigner la reine, ballottée dans la charrette. Zamor respire sa main. Il essaie de retrouver ce parfum de femme que lui rappelle l'anthurium-lys... Est-ce celui de la reine ? Une poigne ferme s'abat sur son épaule.

— Suis-nous, citoyen !

*

Marie-Antoinette se dégrise lentement au souffle saumâtre qui monte de la Seine. Son esprit ne parvient pas à démêler les images qui se chevauchent devant ses yeux. Le visage de Fersen, celui de sa fille. Pourquoi les rapprocher de l'air désemparé de l'homme métis devant l'apothicaire? La mémoire est une marieuse sournoise. Son ventre se révolte. Elle voudrait comprendre, mais la charrette avance.

Coco! Le voilà de nouveau. Il est sous l'enseigne d'un bottier. Le trésor fait l'effronté pour dérider le visage soucieux de sa maîtresse. Il sort exprès cette vilaine langue en jabot qu'elle lui interdisait. Qu'il est drôle! Le petit garçon noir qui le porte dans les bras a un visage plein d'amour. Comme ses cheveux doivent être doux à caresser. Ses grands yeux lui donnent soudain envie de pleurer. Mon Dieu! Mais que se passe-t-il dans son cœur? D'où lui montent ces flots d'émotions? Qu'on lui dise au moins avant de mourir...

*

La Marmotte se faufile. Il porte Coco de façon à ce que la reine puisse toujours le voir de sa charrette. Mais il est petit. Piqueur lui avait proposé d'accrocher Coco à son engin... Et pourquoi pas avec une chandelle dans la gueule, comme un lampion!... Piqueur avait boudé l'espace de deux maisons. Ensuite, il avait fallu le rassurer... Oui, il sait où il les emmène... Le Porche Rouge?... C'est où, le Porche Rouge? Après les Feuillants... Tu me l'écriras « feuillant »!...

*

Dans l'obscurité de l'égout sous les Tuileries, Jones porte la lanterne, Lého et Ed suivent. La lueur de la chandelle est trop faible pour qu'ils puissent distinguer les colonies de rats qu'ils dérangent. Mais il y a assez de lumière pour repérer les croix à la chaux tracées sur les parois. Ed a eu raison de faire confiance à ses déman-geaisons... C'est par là qu'il faut aller!...

*

La rosace ouvragée de Piqueur dépasse de la foule qui vocifère sur le passage de la charrette. Elle pro-gresse au-dessus des têtes. Commandeur la suit à dis-tance. Jamais, il n'aurait imaginé qu'un jour, il se rangerait derrière la bannière d'un sans-culotte.

*

Cette partie de la rue Saint-Honoré semble tout à coup très familière à Marie-Antoinette. Ce pignon, cette croisée... D'où lui vient la sensation agréable d'être attendue. Elle se tient plus droite encore... Grand Mogol... L'enseigne de la boutique de modes de la Bertin. Elle s'entend interpeller la modiste.

— Alors, madame, qu'avez-vous encore inventé cette fois pour me tenter?

Deux fois par semaine, c'était le même rituel. La modiste prenait toute la compagnie à témoin de son innocence. Ensuite venait sa deuxième demande.

— Et la comtesse du Barry, que vous a-t-elle commandé encore?

Elle ne lui laissait surtout pas le temps de répondre.

— On dit, madame Bertin, qu'avec la comtesse, il vous faut avoir du goût pour deux. Que, sortie de chez vous avec une robe amazone de gourgourant blanc, elle court au Trois Galants, chez Pagelle, pour y faire accrocher des bouquets, des guirlandes, de la palatine, des pompons, des glands de cour et que sais-je encore? Quelle patience vous avez! Il est vrai qu'on dit que le compte de la du Barry chez vous monte à près de cent mille livres! Le prix d'un régiment!...

Celui du Royal Suédois, madame. Ce régiment que vous avez offert au comte Axel von Fersen!

Voilà ce que devait persifler cette couturière infatuée, dès que Marie-Antoinette était sortie de sa boutique... Elle avait raison! Regarde autour de toi. Tu avances sur une charrette pour aller mourir et tu penses à ta modiste! Il est temps de te rendre compte. Le peuple t'insulte. Il veut ta mort. Regarde bien ces femmes. Tu crois qu'elles sont venues ici pour te voir passer? Non! Depuis 5 heures du matin, elles font la queue devant une boulangerie, pour obtenir un peu de pain. Le moindre de tes bordereaux chez ta modiste aurait nourri la rue entière!

Mère, j'étais la reine!...

Un pavé déchaussé fait sauter Marie-Antoinette de sa planche et donne à tanguer à sa poitrine. Elle se penche vers l'abbé.

— Dites-moi, monsieur, combien font trois pieds six pouces, dans le nouveau système de mesure.

L'abbé Girard est surpris par la demande, mais heureux qu'on le sorte de la contemplation de ses souliers. Il compte mentalement en pianotant sur son crucifix.

— Cent six centimères, madame. Soit un mètre et six centimètres.

Marie-Antoinette tire légèrement ses épaules en arrière. Madame Bertin avait raison à propos de sa poitrine... Cent six centimètres !... Voilà, ce qu'on appelle une gorge royale...

*

Devant le Porche Rouge, Pobéré cherche les braves dans la foule. A l'angle de la rue Florentin, le rassemblement n'a pas grossi. Heureusement, la mère est à l'abri. Pobéré est nerveux. La charrette n'est plus qu'à une demi-lieue.

*

— Je t'assure, citoyen commissaire, je n'envoyais pas un baiser à la reine !

— Que faisais-tu alors ?

Zamor essaie de réfléchir à ce qu'on peut bien faire quand on respire sa main. Il faut trouver sinon ce sera le baiser de Sanson. Les deux gaillards qui l'ont emmené au poste ne semblent pas vouloir rire.

— Je... je jetais un sort à cette chienne possédée du démon. C'est ainsi qu'on pratique dans mon pays de la Martinique.

— Donc, tu es un sorcier !

Quel idiot ! Il vient de sauter de l'échafaud au bûcher.

— Et ça, c'est quoi, citoyen ?

Un des gaillards montre la lettre de la du Barry qu'il a piochée parmi sa carte de sûreté, son certificat de civisme et autres papiers étalés sur la table. Cette fois, il est perdu. Quand ils s'apercevront que le père du dauphin de France est noir, adultère, menteur et sorcier, ils vont réinventer des supplices pour lui.

*

— Jones, où crois-tu qu'on est maintenant?

— Quelque part sous le jardin des Tuileries. On suit à peu près le tracé de la rue Saint-Honoré.

— Tu imagines, Jones, la charrette de Marie-Antoinette est peut-être exactement au-dessus de nous!

Jones évite de lever la tête. Il aurait l'impression de regarder sous les robes de la reine, devant Lého. Tout à coup, il s'arrête et souffle la bougie.

— Qu'est-ce qui se passe, Jones?

— Chut!... Regarde droit devant. Il y a une lumière qui approche. Ne bougez plus! C'est une lanterne.

*

Marie-Antoinette entend un tonnerre dans son dos. Des cris encore plus virulents. *A mort, l'Autrichienne!*... Ce sont des voix de femmes... *Au couteau, la grue!*... Tout au long, elles ont été les plus féroces... *Tu vas baiser le panier, l'archi-tigresse!*... La charrette avance. Marie-Antoinette les voit, maintenant. Sa chair se hérisse... Les tricoteuses!... Quand elles apparaissent, c'est que la fin est proche. Les femmes sont agglutinées sur les marches de l'église Saint-Roch, chargées de piques, cocardes, et bonnets rouges. Elles lui montrent le poing et lui adressent des gestes obscènes... *Ton Louis aussi, on lui a coupé!*... Ce sont les mêmes qui se pressaient derrière la rambarde à son procès.

— Dites-moi, monsieur, qui était saint Roch?

L'abbé n'a pas le loisir de répondre. L'estafette qui trotte au-devant du convoi en uniforme de garde national laisse glisser son cheval au côté de la charrette.

— La voilà, l'infâme Antoinette, elle est foutue mes amis !

Droit sur ses étriers, il la désigne de son sabre et mouline à l'attention des poissardes. Marie-Antoinette le reconnaît. C'est Grammont, un comédien ! Ce chef de l'état-major. Le dénonciateur du duc de Biron. Son cœur se pince. Ce cher Lauzun ! il trouverait un mot piquant pour dire ce grotesque. Quelle gloire, croit-on tirer d'une telle mascarade ? Marie-Antoinette préfère regarder ailleurs... *Atelier d'armes républicaines, pour foudroyer les tyrans...*

Marie-Antoinette pense à Robespierre. Le mot de cette enseigne doit lui plaire. Sa maison est toute proche, le Porche Rouge aussi, et sa délivrance enfin. Elle se sent lasse soudain. Cette rue n'en finit pas de la brimbaler en tous sens, la charrette craque à se rompre et lui chahute l'esprit. Elle avait imaginé un chemin tout autre. Plus altier, plus digne. Marie-Antoinette n'aurait voulu être assaillie que de paix intérieure et de pensées hautes. Mais le pavé et la roue en ont décidé tout autrement.

La foule enfle toujours et sa colère plus encore. Qu'on en finisse ! Elle n'a plus de goût à la représentation. Qu'elle rejoigne ses malheureux enfants dans les limbes, et son pauvre Louis dans les chasses éternelles. On lui a menti. Il n'y aura rien sur son chemin. Tous l'abandonnent. Dans le ciel vole un oiseau blanc qui scintille. Il est pareil à celui de sa devise... *Tutto a te mi guida...* Est-ce enfin l'Etoile Flamboyante que lui a promise Mme de Lamballe?

*

— Marmotte, tu as vu le gros oiseau blanc dans le ciel?

Il l'a remarqué. C'est un perroquet. Il vole juste au-dessus d'eux comme pour leur indiquer le chemin. De là-haut, est-ce qu'il voit le Porche Rouge?

*

Jones a raison, c'est bien la lueur d'une lanterne qui vient à eux dans l'obscurité de l'égout. Ils se collent à la paroi, les 38 bien en main. Lého sent bon le calme. Le pas qui approche est vif et assuré. La personne connaît l'endroit et semble seule. C'est le cas. A trois pas d'eux la lanterne tenue par une ombre s'immobilise. Ils sont repérés. L'ombre approche la lueur de son visage.

L'aveugle!

Elle renifle dans leur direction. Ils restent immobiles sans respirer. Soudain, elle rit et... Pftt!... Plus de lanterne. L'obscurité complète, avec seulement le bruit de ses pas qui détalent dans l'égout.

— Vite, Jones! Il faut la suivre.

— Attends que j'allume la lanterne.

— Pas la peine. Si elle peut le faire dans le noir, nous aussi!

Ed, Jones et Lého se lancent en se guidant à l'oreille, avec pour seule étoile la formule d'Ed. Au premier vol plané, avec juron et empêtrement, ils se résolvent à donner de la lumière. Un large trou d'eau noire visqueuse les regarde. Pas si facile d'être aveugle.

*

Dans son dos, Marie-Antoinette sent approcher la maison de Robespierre. Où est-il en ce moment, lui qui a tant souhaité sa mort ? Ce porche, est-ce déjà le sien ? Marie-Antoinette a l'impression qu'il est derrière la porte et l'écoute passer.

*

— Allons, Brount, cesse !

Maximilien Robespierre tire sans grand effet sur la laisse de son labrador. L'animal est dressé contre la porte et griffe la poignée en gémissant.

— Non, Brount ! Je t'ai dit que tu iras après la reine.

Mais le chien se moque de la bienséance. Il veut faire, et tout de suite. Son maître refuse. Alors, Brount lève la patte au plus haut et inonde le battant d'une humeur abondante, vigoureuse et de couleur franche.

— Oh non, Brount, pas ça ! Pour l'amour de Dieu, pas ça !

Robespierre tire sur la laisse, le chien résiste. Maximilien renonce. L'air ailleurs, il regarde la lanterne, sa perruque droite, et le bas bien tiré.

*

Dame Catherine n'est pas certaine d'avoir distancé les trois hommes qu'elle a reniflés à l'intérieur des égouts. Sûrement des mouchards. Sont peut-être tombés dans la fondrière. Elle ne pardonne pas, celle-là. Il faut qu'elle prévienne son p'tit et les braves qu'on leur a coupé le chemin du souterrain. C'est toute l'évasion de la reine qui est fichue. Dame Catherine rejoint le

Porche Rouge et sort dans Saint-Honoré. Derrière les cris de la rue, elle entend le roulement de la charrette qui approche.

— Holà citoyen ! Quelqu'un pour aider une pauvre patriote aveugle.

Un sergent lui prend le bras.

*

La Marmotte voit la dame aveugle emmenée par un gendarme. L'enlèvement de la reine au Porche Rouge a dû être dénoncé. Il vaut mieux déguerpir, on va croire que c'est lui. Piqueur n'est pas d'accord.

— C'est pas parce qu'ils ne la sauvent pas, qu'on va se sauver.

Il a raison. Maintenant qu'ils sont arrivés jusque-là, ce serait dommage. On fera comme prévu. La Marmotte et Piqueur révisent leur plan. Premièrement : Coco qu'on fait semblant de faire échapper, et qui saute sur la charrette. Deuxièmement : Hop !... sur les genoux de la reine et chlup ! et chlup ! plein de coups de langue sur ses joues et dans son cou. Troisièmement : la reine qui rit et qui est heureuse, qui leur fait un regard de reine, Coco qui resaute dans leurs bras, et eux qui se sauvent en courant et qui vont se cacher à la cabane dans les livres, pour lire... *Les Voyages du Capitaine Cook*...

La Marmotte prend Coco dans ses bras pour le premièrement.

*

Au poste de police, Zamor observe le soudain branle-bas.

— Tous les hommes disponibles, avec moi au coin de Florentin et Saint-Honoré! On a une fournée de conspirateurs à mettre au chaud. Des perruquiers!

Les hommes plaisantent en se harnachant. Zamor se retrouve seul devant la table où ses papiers sont éparpillés.

— Et le sorcier, qu'est-ce que j'en fais?

Un gaillard agite la lettre de la du Barry.

— Dehors! On va avoir besoin de place.

Zamor est jeté à la rue. Il respire. Cette conspirations des perruquiers l'a sauvé. Il y pensera en se faisant poudrer. Dès qu'il s'est un peu éloigné, Zamor déroule fébrilement la lettre de la du Barry... Rien!... La page est blanche. Il a beau la tourner et retourner. L'encre s'est entièrement effacée. Zamor regarde autour de lui comme si l'enfant était forcément quelque part. Personne. Zamor est bien obligé de l'admettre, il vient de perdre son fils à un coin de rue. La du Barry a réussi, mais cette escamoteuse paiera! Zamor reprend son cheval et lui parle à l'oreille.

— Maintenant que je n'ai plus de bijoux ni d'enfant, il faut, au moins, que je sauve Olympe.

*

Commandeur suit des yeux le négrillon et son porteur de pique. Ils se sont arrêtés près d'une grande porte lie-de-vin. Le voilà donc ce Porche Rouge! Le point de ralliement de l'aveugle. C'est là que ça va se passer. Il se place de façon à se retrouver en face du gamin, seulement séparés par la largeur de la rue. D'ici, son coup de pistolet sera imparable.

*

A cause de ce trou d'eau visqueuse, Ed, Jones et Lého n'ont pas réussi à rattraper l'aveugle dans le souterrain. Mais ils n'avaient pas besoin d'elle, pour reconnaître le Porche Rouge, dont leur avait parlé le docteur Seiffert. Ed, Jones et Lého se précipitent, leurs cœurs battent comme à la charge. Ils écoutent à la porte cochère. A entendre les cris, et les injures dans la rue, cette foule-là n'a pas encore eu sa pitance.

Tout à coup, ils sentent sous leurs pieds le sol qui vibre.

La reine est là.

*

Le Porche Rouge !

Marie-Antoinette le sent à la hauteur de ses épaules. Son cœur bat à l'extrême. Elle se prépare, affermit son assise, élargit son regard. Des hommes vont surgir. La charrette roule lentement. L'endroit est particulièrement étroit. La chose est propice. On lui a fait passer la consigne de se laisser saisir sans résistance. Qu'ils la prennent, l'empoignent, la charrient à leur convenance ! Il n'y a pas d'impudeur à sauver sa vie et celle des siens. O mes chers enfants ! O mon Chou d'Amour ! O ma Mousseline, comme je vais vous serrer contre mon cœur et vous demander bien pardon des tourments que je vous ai causés... Là ! c'est fini... Nous pleurerons bien serrés ensemble et nous prierons pour votre pauvre père, qui nous voit d'où il est et se réjouit pour nous.... Venez contre moi, ce n'était qu'un méchant rêve. Je suis là. Tout sera bientôt comme avant.

Marie-Antoinette se prépare. De quel côté viendra le sauveur ? Et cet enfant, quand va-t-on lui exposer ?... Quelle tête à vent !... Elle ne le verra pas. Pourquoi mettre cet enfant en péril ? Elle sera sauve dans un instant et pourra tout à loisir le découvrir et sécher ses larmes. Elle en veut à cette impatience qui lui dévore la raison. Par bonheur, les gens qui la sauvent sont plus avisés. Il ne sera jamais d'honneurs assez grands pour récompenser la noblesse de ces braves. Elle s'en fait le serment.

*

Un homme en noir lève haut son chapeau. Aussitôt, à l'angle de la rue, la cinquantaine de braves se trouvent encerclés d'un cordon de policiers en tenues civiles qui surgissent de la foule et de leurs propres rangs... Pas d'alarme et pas de résistance !... Les pistolets sont pointés, les poignets entravés et le groupe aussitôt emmené vers des fiacres de police remisés à l'écart. La foule ne s'est rendu compte de rien.

A la hauteur du Porche Rouge, deux hommes se glissent derrière Merlin et le saisissent au corps. Il rugit, se dégage et se lance au hasard, la tête rentrée. Il est piqué net à l'estomac, d'un coup de sabre court. Les hommes le tirent dans une entrée, et le laissent au milieu d'une mare vineuse. On rassure le citoyen... C'est rien. Il va cuver à la santé de l'Autrichienne !... L'agneau apeuré bêle devant le corps affalé. Guillaume tente une retraite. Il est fracassé à coups de crosse et emporté ensanglanté. Elisabeth est traînée

par les cheveux comme une ribaude. On a grand mal
à lui arracher son couteau. Jean-Baptiste regarde ailleurs. Il lui faut rentrer brûler les papiers.

Pobéré a vu le coup de chapeau du mouchard. Il
l'avait repéré, mais trop tard. Les braves sont englués
comme des moineaux. Pobéré reflue vers le Porche
Rouge. La mère ! Qu'est-ce qu'elle fait là ? Pourquoi
est-elle revenue ? Elle est aux mains d'un gendarme.
Pobéré dégage son couteau. Tant pis pour l'uniforme... Merci de ton obligeance, citoyen sergent !...
Pobéré se penche à l'oreille de l'aveugle.

— Pourquoi es-tu retournée, la mère ?

— Je suis tombée sur des hommes dans le souterrain. J'ai voulu vous prévenir. Et ici ?

— Ils ont pris tous les braves. Tout est perdu pour
nous.

— Allons, calme-toi, mon p'tit. Pense à la reine.
C'est pour elle que tout est perdu. A nous il reste la
barque.

— Mais puisque le souterrain est pris ! Comment la
rejoindre ?

— Tu oublies que ta mère est aveugle. Regarde !

Dame Catherine prend le bras de Pobéré. Elle les
jette dans la foule... Place, pour une pauvre aveugle
patriote ! Place !...

*

Marie-Antoinette est désemparée. Les façades
s'écroulent, le ciel étroit tombe en poudre. Que s'est-il
passé ? Des hommes ont été saisis, une femme aussi et
rudement. Où sont les braves qui doivent la sauver ?
Marie-Antoinette ne voit autour d'elle que tumulte,

n'entend que cris et injures. Seul le petit garçon noir est là. Il lui montre Coco. Le pauvre animal est affolé. C'est donc tout ce qu'on tentera pour la reine! Son ventre de femme s'ouvre sous elle. Et son enfant? Et son fils? Où est-il? On l'aura bien trompée. Quelle ignominie que de se jouer ainsi des sentiments d'une mère! Ne lui a-t-on fait espérer tout cela que pour mieux l'anéantir? Ils n'y parviendront pas.

*

Ed a l'oreille collée au battant du Porche Rouge. Le grondement est juste derrière. Il se tourne vers Lého.

— Tu es prêt? Quand je te fais signe, tu sors.

Jones entrouvre la porte. La charrette lui saute au visage. Elle emplit tout l'espace et semble voguer au-dessus de la foule. Jones prend au vol le regard éperdu de Marie-Antoinette qui cherche autour d'elle.

— Attention, c'est le moment. Lého!

L'enfant est ramassé sur lui prêt à bondir. Tout à coup, Ed saisit le bras de Lého et le tire violemment en arrière... Commandeur!... Il vient d'apercevoir sa haute stature, en face d'eux, de l'autre côté de la rue. Dans le même temps, la même seconde, il voit de dos Piqueur et la Marmotte! Ils attendent devant le Porche Rouge. Comment sont-ils arrivés là?

Ed et Jones n'ont rien eu à se dire. Ils bondissent sur eux, les ceinturent et se jettent en arrière à l'abri du porche. Tout le monde s'en va rouler par terre en couple. Drôles de retrouvailles! Coco lèche chacun à qui mieux mieux avec sa langue des dimanches. Lého se dresse devant la porte. Il ose un regard vers la reine. Tout son corps la reconnaît. Qu'elle tourne les yeux!

Une seconde seulement. Mais la reine passe et ne le voit pas.

Commandeur, lui, a vu l'enfant léopard.

Lého a envie de hurler. Il voudrait au moins qu'elle entende sa plainte. Il sait qu'elle la reconnaîtra. Elle saura qu'il était tout près. Que lui ne l'a pas abandonnée. Ne l'abandonnera jamais.

*

C'est fini ! La seconde s'est envolée. L'oiseau blanc et lumineux s'élève au-dessus d'elle. Marie-Antoinette sait que désormais elle sera seule. A peine a-t-elle quitté Saint-Honoré que la charrette est aspirée vers la rue Royale. Il n'y a plus qu'à la dégringoler pour arriver à l'échafaud. Autant que tout aille vite. Elle ne se sent plus le cœur d'espérer.

*

— Dépêchez-vous !

Ed aiguillonne la petite troupe. Il n'a pas fallu longtemps pour décider de rejoindre la charrette de la reine, place de la Révolution. Personne n'a osé dire... à la guillotine. Le souterrain est le seul chemin possible. Ed en tête, la petite troupe court à la lueur de la lanterne portée par Piqueur.

— Gare au trou noir !

Chacun l'évite et reprend sa course. Pas de temps à perdre. Il faut de nouveau traverser sous le jardin des Tuileries, remonter le quai vers la place de la Révolution, et se tailler un chemin jusqu'à l'échafaud, avant que le couperet ne soit tombé. Ils ont l'impression de l'entendre dévaler au-dessus de leurs têtes.

*

Sans lumière, la machette à la main, Commandeur se guide au bruit de cavalcade devant lui. Dans la confusion de la foule après le passage de la charrette, il a pu s'engouffrer sous le Porche Rouge. Juste à temps pour voir quelqu'un entrer dans cette cabane de jardin qui mène à ce souterrain. Maintenant, il ne les lâchera plus. Il sait que Lého est avec eux. Son regard sur la reine lui a été insupportable... Attention!... La lueur vient de prendre à droite. Commandeur allonge la foulée dans l'obscurité. Son instinct de chasseur lui fait sentir la bête. Il entend la chanson du Caïman dans sa tête. Sa gueule est toute proche... *Huye que te coge ese animal. Y te puede devorar...* Mon Dieu!... Le sol se dérobe sous lui. Il est happé. L'eau s'engouffre dans sa bouche, le nez, les poumons. Une eau épaisse et âcre. Dans un réflexe, il plante sa machette dans la paroi, et se hisse juste assez pour crier. Mais l'eau plombe ses bottes. Il ne pourra pas tenir.

Le cri de Commandeur résonne dans le souterrain. Lého s'arrête net dans sa course. Les autres s'immobilisent. Ed le rejoint et le prend par le bras.

— Viens! On ne peut plus rien pour lui. Il faut repartir, sinon on n'arrivera pas à temps pour la reine.

Lého se dégage. Il court en direction du cri. Piqueur suit avec la lanterne. De la surface de l'eau visqueuse ne dépasse que la main de Commandeur agrippée à la poignée de la machette. Lého se précipite, saisit le poignet et tire Commandeur. Sa tête émerge. Il souffle, crache, le visage maculé.

Dans le halo de la lanterne, Commandeur distingue mal les traits de l'homme qui le hisse à lui. La lumière se déplace. Le visage est éclairé à demi... L'enfant léopard !... C'est sa main qui le soutient hors de ce cloaque. Comme ils doivent se ressembler en ce moment ! Commandeur a envie de hurler. Rien ne vient. Tant pis, il va saisir l'enfant, et l'entraîner avec lui de tout son poids. Et c'en sera fini de cette comédie. Commandeur regarde dans les yeux l'enfant léopard qui semble lui dire... Venez, monsieur, je vous en prie !... Commandeur lui sourit.

— Non, merci !

D'un mouvement de poignet d'escrimeur, il se dégage. Sa main glisse. Commandeur se laisse engloutir. Ne reste plus de lui que sa machette, la lame plantée au bord du trou noir.

*

Marie-Antoinette croit entendre sonner midi, quelque part, au loin. Les coups s'espacent lentement.

Au premier la comtesse du Barry ouvre le coffre de bois blanc à la tête de sa paillasse. Elle prend une perle rousse, mais hésite à l'enfiler sur l'aiguille. Sa main tremble. La comtesse a l'impression que ce sont ses jours qu'elle commence à compter.

— Citoyen Biron, retire ce drapeau blanc à ta fenêtre !

— Ce n'est pas un drapeau, c'est ma chemise qui sèche.

— Tu te moques ? Une chemise qui n'a ni manches, ni col, ni boutons !

— Ce n'est pas ma faute si la république m'a tout pris. Même ma reine.

Le bourdon de Sainte-Zita gronde. Moka se penche au-dessus du billard. Il pose la figurine de Marie-Antoinette sur le plan, au centre de la place de la Révolution. Il attend, l'enfant léopard dans la main.

A travers les barreaux de la grille, le portier de la prison de la Force tend à Zamor le pli cacheté qui contient les sauf-conduits.

— La citoyenne Olympe de Gouges te fait dire qu'elle ne veut rien recevoir de toi... Elle préfère mourir... C'est comme ça qu'elle a dit. Moi, j'ai fait mon travail, citoyen. Je garde l'argent.

Thomas tend le miroir au docteur. Seiffert regarde son visage. Il est déçu. Il ne se sent pas vengé, seulement rasé de frais. Mais la princesse de Lamballe aimait tellement passer sa main sur sa joue.

— Vous voilà débarbé de frais, monsieur.

— Joliment débarbé, même.

Thomas se dit que si plus personne ne le reprend, il va s'en devoir parler correctement. Quelle tristesse !

La troupe des uhlans menée par Delorme traverse Haarlem au galop de charge. Au moment de franchir la porte de pierre, Delorme arrête brusquement son cheval qui se cabre. Pourquoi prendre le risque d'aller chercher l'enfant Léopard. Il reviendra. Là-bas, ils n'en voudront pas.

*

Marie-Antoinette a cru entendre sonner midi, quelque part, au loin. Elle qui faisait le vœu de mourir à la seconde ressent soudain l'envie farouche de s'accrocher à chacun de ces douze coups. Elle les voudrait comme autant d'heures à vivre en retour.

Ting! Il redevient minuit. Les débats de son procès s'achèvent tout juste... *L'audience est suspendue!*... Marie-Antoinette est assise sur une chaise. Oh, fasse qu'on l'oublie là. Que les heures, les jours, les années courent en arrière. Que les aiguilles remontent jusqu'à l'instant précis où tout a basculé. Où était-ce? Les Tuileries? Varennes? Necker? Le Collier? Qu'on lui dise ce qu'il aurait fallu qu'elle fît pour qu'aujourd'hui, cette foule l'acclame au lieu de jeter des chapeaux en l'air, que ce tombereau soit un carrosse tendu de velours cramoisi, pour elle et ses enfants. Que Louis salue ses sujets à la fenêtre. Un cahot secoue la charrette et fait sauter la reine de son rêve. La sonnette du président retentit.

Ting! L'audience reprend. Son cœur se serre. Ses douze dernières heures viennent de repasser en une secousse. Dans la foule on crie... A mort!

*

Jones, la Marmotte, Piqueur, Lého et Ed débouchent sur le quai des Tuileries. Ils ont encore le regard plein de celui du Commandeur quand il décida... Non, merci... Au pas de course, ils passent en revue les éventaires des marchands ambulants de saucisses, d'oranges et d'oublies... *Bli-bli-bli! Marchand d'oublies!*... Ils préparent le reflux de la foule. Tout à l'heure, elle aura faim. Jones montre aux autres une barque à voile qui descend la Seine sous le vent.

Dame Catherine et Pobéré se laissent porter.

— Mon pauv' p'tit. Au lieu de la reine, te voilà embarqué avec ta bonne vieille.

— Je m'en moque bien, la mère. C'est toi ma reine.

— Bah! Au lieu de faire le joli cœur, raconte-moi plutôt le fleuve.

— Et si c'était toi, la mère, cette fois qui racontais?

— Raconter quoi?

— Le duc de Penthièvre. Pourquoi il a été si gentil avec nous? Et n'oublie pas la couleur...

*

Ed et la petite troupe butent dans la foule. Elle déborde de la place de la Révolution jusque sur le quai des Tuileries. Ils ne pourront jamais fendre une telle masse. Ed et Jones affichent leur mine d'autorité, mettent le 38 au clair, et tranchent le citoyen à l'épaule. Mais on s'écarte de mauvaise grâce. Les places sont à gagner. Seule la vue de Lého semble donner un peu de mouvements aux corps. La guillotine est encore loin. Ils peuvent suivre l'avancée de la charrette, de l'autre côté de la place, dans la rue Royale, grâce aux coiffures qui partent en l'air comme des feux d'artifice.

*

Marie-Antoinette tourne la tête vers les Tuileries. On croirait le château de nouveau assailli. Il est du monde jusque dans les arbres. Mon Dieu comme on est petit vu d'ici! C'est donc tout ce qu'on voyait d'elle quand elle saluait de la terrasse. Ils adoraient une naine !

Que de douleurs, abandonnées ici ! Mais on ne lui laisse pas le temps. La foule l'engloutit ! O mon Dieu ! La charrette s'enfonce dans la place. Son regard ne parvient qu'à ricocher sur l'étendue des visages, comme un galet d'enfant. Il ne reste que le ciel où réfugier ses yeux. L'oiseau blanc lumineux est là. C'est l'Etoile Flamboyante promise. Elle la suivra.

La charrette s'immobilise devant l'échafaud.

*

Lého avance dans la foule sans quitter des yeux le couperet de la guillotine. Sur la charrette, Marie-Antoinette se dresse de son siège... Faisons notre métier de reine !... Elle ne veut pas laisser à son corps le temps d'avoir peur. Il doit lui obéir. Il est son dernier sujet... Non !... Elle ne souhaite pas qu'on l'aide. Marie-Antoinette descend l'échelle courte de la charrette. Ses jambes sont vidées de toutes forces. Au bas, une odeur de cheval la rassure. Elle se retourne vers la guillotine. La voilà donc ! Une houle aspire son ventre.

Lého avance toujours. La foule résiste, il est encore loin. Trop loin, pour qu'elle voie son visage

Marmotte essaie d'attirer l'attention de la guillotine... Madame, madame ! C'est moi ! Tu te souviens ? Cette nuit je t'ai demandé d'être gentille pour quelqu'un. C'est elle. Je te l'avais écrit. Mais tu n'as peut-être pas eu le temps de lire... Si, gamin ! Ne t'inquiète pas. Fais-moi confiance, je l'aiderai... Merci, madame !.. Prends soin de toi, petit. Couvre bien tes reins...

Le perroquet blanc vient se poser sur la volute ouvragée de Piqueur. Il tient dans le bec son frac de pierreries. Elles scintillent étrangement.

Marie-Antoinette monte vers l'échafaud. Bien droite, le pied ferme. Elle donne du talon pour faire sonner le bois des marches... *Le bruit chasse le grand loup gris !...* Enfant, c'est ce qu'elle se répétait dans le parc de Schœnbrunn pour se donner du courage. Au dernier loup gris, son pied glisse et déchausse. Elle perd un soulier. La voilà qui boite comme une maudite. Le sort se sera acharné jusqu'au dernier moment. Il aime à lui rappeler qu'elle ne vaut pas plus que la dent gâtée arrachée à la bouche de sa mère, le jour de sa naissance. Mon Dieu, il y a trente-sept ans... seulement.

Lého voit la silhouette de la reine sur les marches. Que de chemin encore. Il ne parviendra jamais jusqu'à elle.

Marie-Antoinette aborde sur l'estrade. La foule est sans borne. Elle va au-delà de ce que ses yeux peuvent voir. Car ses yeux sont tout occupés d'un éclair éblouissant qui vient de jaillir devant elle. Son Etoile !

— Monsieur, je vous demande excuse, je ne l'ai pas fait exprès.

Aveuglée par cette lueur, elle s'est embarrassée dans le soulier de Sanson. Peut-être ne retiendra-t-on que ça d'elle. La reine qui a marché sur le pied du bourreau. Qu'importe, elle offre toute sa gloire contre cette lueur.

Lui est là. En face d'elle.

Lého voit la reine. Elle regarde dans sa direction. Il voudrait pouvoir hurler plus fort que la meute. Mais son corps reste paralysé. Un frisson court en vagues sur sa peau. Des hommes s'approchent d'elle pour la saisir. Il doit la secourir. Les percer, la délivrer, même à y laisser sa vie. Lého s'élance. Ed et Jones comprennent. Ils l'immobilisent. Raide de rage impuissante, Lého ne lâche pas des yeux le regard de la reine.

Marie-Antoinette voit les aides du bourreau venir sur elle. Elle devine leur geste. Non!... On ne décoiffe pas la reine. Ce bonnet de linon est sa dernière couronne, elle s'en défera elle-même. D'une secousse de la nuque, Marie-Antoinette le fait tomber. La foule gronde. On la prive d'une misérable humiliation. Les aides l'empoignent avec force et l'entraînent vers la planche dressée. Où est son étoile? Ils la plaquent à plat ventre contre la bascule. Les os de son bassin s'écorchent au bois rugueux. C'est le berceau des vies à naître qu'on couvercle. Tout s'accélère. On passe les cordes sur elle. On lui relève le menton. Les gestes sont courts et brutaux. Elle n'est plus rien qui vaille qu'on la caresse. Elle est dépecée.

Ed et Jones peinent à contenir la fureur qui se révolte dans le corps de Lého. Sur un morceau de papier de sa gibecière, Piqueur trace des lettres qui se donnent la main et ressemblent à des mots. La Marmotte cache sous sa cape le museau de Coco. Il ne veut pas que le petit chien s'aperçoive qu'il pleure.

Au-dessus de la planche, la reine voit sa lumière scintiller à côté d'un jeune homme habillé de blanc. Les éclats lui cachent son visage. Comme ses bourreaux mettent du soin à l'attacher! Au fur et à mesure qu'on lie son corps, elle détaille celui du jeune homme, la finesse de ses poignets, sa taille bien prise, la ligne de ses épaules. Est-ce lui?

La planche bascule.

Le mouvement aspire son ventre de femme, enfiche une émotion chaude au creux d'elle et l'abat, le cou enserré dans la lunette. C'est lui! Tout son corps le crie. On visse le collier de bois. Elle sent l'énorme menace suspendue au-dessus de son cou. Si c'est toi, je t'en conjure, dis-le-moi d'une manière seule connue de nous... Dis-le-moi!...

Lého plaque sa main contre son ventre. Il puise au plus profond, s'arrache la poitrine et la gorge. Le cri se fraye un passage. Il le sent monter en lui. Mais son corps muet résiste. Il va être trop tard.

Un bruit métallique claque. Le couperet est libéré. La lame dévale. L'oiseau blanc lumineux s'envole... *Tutto a te mi guida...* L'Etoile Flamboyante s'élève. Marie-Antoinette voit le visage du jeune garçon, labouré d'une douleur immense qui perce dans ses yeux. Soudain, il monte de lui une longue plainte animale et enfantine. Cette infinie douleur abandonnée qu'elle avait entendue de l'autre côté du rideau. Ce chagrin inconsolé. Ces pleurs enfouis. Marie-Antoinette passe la main dans les cheveux de Lého. Chasse une larme sur sa joue. Et l'on voit enfin sur le visage de la reine ce sourire qui s'arrache de la bouche d'une mère quand elle retrouve son enfant.

TABLE

Cet ouvrage a été réalisé par la
SOCIÉTÉ NOUVELLE FIRMIN-DIDOT
Mesnil-sur-l'Estrée
pour le compte des Éditions Grasset
en août 1999

Imprimé en France
Dépôt légal : août 1999
Nº d'édition : 11219 – Nº d'impression : 47541
ISBN : 2-246-57521-4